KRUISPUNT VAN WEGEN

Anke de Graaf

Kruispunt
van wegen

Voorkeurboek

ISBN 90-205-9994-1
NUR 344

© 2003, VCL-serie, Kampen
Omslagillustratie: Allied Artists
Omslagontwerp: Van Soelen, Zwaag
ISSN 0923-134X

Ze kwamen die zaterdagmiddag bij elkaar op hun vaste stekkie. Het Schippertje in de Prins Hendrikstraat. Het Schippertje was wat Frank noemde een inloop-café. Het was wel een café – de eigenaar zelf noemde het een bruin café, die naam was in in die tijd – maar in dit café werd koffie gedronken, zo rond half elf in de morgen, even een onderbreking tijdens het winkelen of wanneer men elkaar iets had te vertellen. Het Schippertje was dan een goede ontmoetingsplaats.

Er werd natuurlijk ook bier getapt en jonge jenever en meer sterk spul, maar het was geen café waar echte drinkers kwamen. Het was er gemoedelijk en gezellig. Veel praten en lachen, maar er werden ook ernstige gesprekken afgehandeld aan de kleine tafeltjes. Ellebogen op de donkere kleedjes, knikkende hoofden, ja, ik begrijp wel wat je bedoelt, maar…

Waar de naam Het Schippertje vandaan kwam was in het begin van hun komst hier niet duidelijk geweest, want in de wijde omtrek was geen water te bekennen en dus ook geen haven waar stoere vissersschepen tegen de houten aanlegsteiger bonkten bij harde wind of storm. Frank veronderstelde toen dat de eigenaar van het café in vroeger jaren gevaren had, schipper was geweest en door sentimentele herinneringen gedreven zijn etablissement die naam had gegeven en ja, vonden de anderen, dat was mogelijk. Maar na enkele weken had Jill de waarheid ontdekt. De uitbater van het café werd door iedereen Bart genoemd, meer was ook niet nodig, want iedereen kende Bart. Maar zijn volledige naam was Bartholomeüs Schipper! De vader van Bart was met het café begonnen kort na de geboorte van zoon Bartje; een klein Schippertje dus. Hij vond deze naam lekker in het gehoor liggen en dat was belangrijk voor zo'n broodwinning. „Waar gaan we heen? Naar Het Schippertje." Zijn vrouw Martha was het met hem eens, een goede keus, een leuke naam. En zo werd de naam in krullende letters op het hoge raam van de voorpui geschilderd.

Het was een gezellige ruimte, niet te groot en niet te klein. De donkere wanden hingen vol lijsten waarin oude foto's van stadsgezichten en platen waren opgeborgen, er hingen leitjes waarop met krijt wijze spreuken stonden geschreven zoals Gezelligheid kent geen tijd en daaronder hing een leitje met Pak de blije uren in je leven, er komen nog nare uren genoeg! En er hingen leitjes waarop de lekkernijen en drankjes werden aangeprezen die Bart voor zijn klanten in petto had. Erwtensoep met roggebrood en spek in de winter en een knots van een ijscoupe in de zomer, want, zei Bart „elk jaargetijde heeft zijn eigen aantrekkelijkheden". Marthe vond dat mooi gezegd van haar Bart.

De groep jonge mensen bestond al acht jaar. Zes jongelui van nu rond de twintig. Drie jongens en drie meisjes, eerlijk verdeeld dus. Twee van hen, Hanne en Harm, kenden elkaar vanaf de lagere school in het dorp waar ze hun jeugd doorbrachten. Daarna gingen ze met z'n tweetjes naar de scholengemeenschap De Lelietuin in de stad waar ze Sarah en Jill tegenkwamen en Bob en Frank. Al snel groeide tussen deze zes een prettige en hechte vriendschap. „We passen goed bij elkaar," had Sarah er eens over gezegd. En dat was ook zo.

Vorig jaar deden ze eindexamen atheneum en kwamen daar alle zes met goede cijfers doorheen. Daarna waaierden ze uit wat werk en studie betrof, maar ze bleven alle zes in de stad wonen. Hanna en Harm lieten zich inschrijven aan de universiteit. Hanna wilde verder in moderne talen en Harm koos voor bedrijfseconomie. Jill had een baan aangenomen bij een grote bankinstelling, maar echt naar haar zin had ze het daar niet. Als ze iets anders – en leukers – tegenkwam, haakte ze meteen af bij de bank. Het was er te saai en te stil, vond ze.

Harm zou na zijn studie opgenomen worden in het bedrijf van zijn vader, een handel in kantoormeubelen, en daarin voelde Harm zich nu al, door de gesprekken met pa over computertafels en bureaustoelen, helemaal thuis. Frank wilde in de richting van de reiswereld, maar tot dan kon hij op die weg geen geschikte baan vinden en hij had – er moest toch geld in de portemonnee komen – werk aangenomen in een groot warenhuis. Op de boekenafdeling. En dat beviel hem heel goed. Leuke collega's en veel klanten met vragen en korte praatjes.

Sarah was verkoopster in het modehuis Claudette in de Kloosterpassage. Sarah hield van kleding, zoals ze het zelf omschreef. Eigenlijk hield ze niet van mode. Niet de stijlvolle japonnen en modieuze pakjes met opvallende, geraffineerde kragen die in de rekken bij Claudette hingen. Ze vond ze wel mooi, want ze waren gewoon mooi, maar het was haar stijl niet. Sarah hield van uitbundige en soms gekke, gewaagde kleding voor jonge meisjes en vrouwen. „Dappere tieners, want je moet het durven aan te trekken. En dolle jonge vrouwen." Zo omschreef Sarah haar keuze. Haar droom was in de toekomst, als ze ervaring had opgedaan en geld had gespaard, een eigen boetiek te beginnen met dus die aparte, maar wel mooie kleding, waarvoor, verwachtte ze, veel belangstelling zou zijn.

De groep had na het op de proppen komen van haar plan aan de ronde tafel in Het Schippertje eensgezind geroepen dat ze daarvoor nóóit genoeg geld bij elkaar zou sparen. „Kind, Sarah, een pand kopen, de inrichting betalen en de kledingvoorraad die jij op het oog hebt..." Maar, dacht Sarah blij optimistisch, misschien kon ze een smal pandje huren in de toekomst. Maar het moest wel in de binnenstad zijn. Langsslenterende jonge meiden waren dan haar klanten. Een plankenvloer was goed genoeg, een paar rekken langs de wanden met al het moois en twee passpiegels om zichzelf, de klanten dan, te bewonderen. Nou, dat was toch geen onmogelijk verlangen? „Och nee, zeker niet," wilde de groep haar plannen niet meteen de grond in boren, toch zielig voor Sarah, haar droom nu al kapot. En Jill en Hanne beloofden spontaan dat ze, als het zover was, met alle jonge meisjes die ze kenden, collega's, familieleden en buurvrouwtjes, naar de boetiek te komen. Ze gingen zelfs nog een stapje verder, want Jill zei: „En tegen iedereen die we op straat tegenkomen in een vreselijke rok en een wanstaltig truitje, roepen we: 'Wat jij hebt aangetrokken is geen gezicht! Ik ken een boetiekje waar je als de trut van nu naar binnen gaat en er als een stralende, vlotte jonge meid weer uitkomt!' Het moet dus lukken!" En Sarah glimlachte, met zoveel hulp kón het niet mislukken.

Ze zagen elkaar vaak op de zaterdagmiddagen. Wie moest werken bleef gewoon weg. Wat dat betreft was er voor Sarah een fantastische oplossing gevonden. Een vriendin van Caroline, de eigenares van Claudette, Miep Westerterp, getrouwd, twee nog jonge kinderen, wilde dolgraag in het modehuis werken. Om één middag in de week uit de sleur te zijn van eten koken, opruimen, stofzuigen en kinderverhalen. Haar man, die elke dag tussen veel mensen zat, begreep dat. En afgesproken werd dat hij op zaterdagmiddag bij de kinderen bleef en Miep naar Claudette fietste. Het beviel ze beiden heel goed. Kees had alle aandacht van en voor de kinderen, Miep kwam thuis met rode wangen en verhalen uit de winkel. En Sarah had een heerlijke vrije middag om naar Het Schippertje te gaan.

Soms liepen enkelen van de groep in de loop van de week Het Schippertje binnen. Van acht tot tien zaten ze dan rond de tafel achter de voorruit om de dingen van de voorbije dagen te bespreken. De relatie met de medehuisbewoners van Harm en Hanne, de berichten van thuis, de lastige of wonderlijke klanten van Frank en Jill en er waren nog heel veel meer onderwerpen belangrijk genoeg om besproken te worden.

Deze middag was er iets vreemds gebeurd. Ze hadden het alle zes met lichte verbazing gadegeslagen. Nee, niet gadegeslagen, ze hadden eraan deelgenomen omdat het niet anders kon. Er had zich een zevende persoon 'aan hen opgedrongen' zoals Sarah het noemde.

Het was een lange jongen met donker, krullend haar, bruine ogen en een brede mond met gave, witte tanden. Hij was die middag in het zwart gekleed, zoals hij alle keren als ze hem in Het Schippertje zagen in het zwart gekleed was. Ze hadden hem er vaker gezien, zoals meerdere vaste bezoekers. Ze knikten soms even of zeiden hallo en Harm had een keer met deze jongen gesproken aan de tap, maar verder was het niet gegaan. Hij zat soms met een paar jongens achter in de zaak, een enkele maal ook had Sarah hem zien aanschuiven bij een wat oudere man. Dat was Joop Herlinger. Joop kon prachtige verhalen vertellen. Of alles wat hij vertelde waar gebeurd was werd nooit duidelijk, maar niemand maakte zich daar druk om, want wat maakte dat nou uit? De verhalen waren spannend. En heerlijk om naar te luisteren.

Vanmiddag stond hij opeens achter de stoelen van Hanne en Jill. Hij legde zijn handen losjes op de leuningen en vroeg: „Mag ik even bij jullie komen zitten?" Ze keken snel met verbazing in hun ogen naar elkaar; wat was dít nou? Het was toch niet gebruikelijk je op te dringen bij een groepje.

Harm zei: „De stoelen in een café zijn geen besproken plaatsen..."

Dat was een goede opmerking van Harm, maar Frank voegde eraan toe – later vertelde hij dat hij medelijden had met de jongen die zich kennelijk alleen voelde en hen zo gezellig bij elkaar zag zitten – „Schuif bij, joh, maar we stappen zo op. Zes uur, etenstijd."

„Dat weet ik." Hij pakte een stoel, Hanne en Jill schoven allebei een stukje op, ziezo, hij zat. „Jullie blijven meestal tot tegen half zes."

Hun gesprek was door dit intermezzo onderbroken en mogelijk daarom vroeg Frank, half lachend en ook met nog iets van verbazing in zijn stem: „Als je aan deze tafel zit, moet je ook aan het gesprek deelnemen. En beginnen met te vertellen wat je voor de kost doet, waar je woont..."

„Nou," haakte Jill daar afwerend op in, „we hoeven niet alles van je te weten!"

Hij lachte naar haar. „Ik ben fotograaf," begon hij meteen, „ik werk bij fotostudio Alexandra aan het Geert Groteplein. Ik doe de familiefoto's en ook reportages van kinderen. Ik kan goed met kinderen opschieten."

„Het lijkt me een mooi vak." Frank knikte hem toe.

„Dat is het ook. Maar ik ben er nog niet lang mee bezig. Ik ben wel van plan ermee door te gaan. Er zitten veel mogelijkheden in. Ik bedoel, er zijn veel dingen om te fotograferen. Je kunt eigenlijk alles fotograferen. Ook de gewone, dagelijkse dingen kunnen kleine kunstwerkjes worden als je ze op een aparte manier benadert en belicht. Fotograferen kan op verschillende manieren. Vanuit verschillende inzicht-hoeken. Artistiek, open en vrij en ouderwets. Zoals de familieportretten van vroeger. Vader staat in zijn mooie pak achter een stoel waarop moeder zit in haar zondagse jurk, zijn hand op haar schouder." Ze lachten erom, ze zagen het plaatje voor zich.

„Je naam is Jim?" Jill vroeg het, maar ze wist het al. „Ik hoor die naam soms roepen en dan kijk jij op. Jimmie!" Ze deed het luid na.

„Alsjeblieft, geen Jimmie! Ik word Jim genoemd, maar ik heet Jinze. Ik kom uit Friesland. Ik ben naar mijn pake vernoemd, Jinze

Dijkema. Mijn ouders verhuisden naar deze stad toen ik een jaar of vijf was en Jinze vond men hier een rare naam. De kinderen op school en in de buurt plaagden me ermee. Jinze, wie heet er nou Jinze?!! Alleen een oliebol zoals jij!! Dus noemden mijn ouders me daarna Jim. Soms Jimmie, maar toen was ik nog een klein ventje."

„Je bent nu groot genoeg om Jim te heten," meende Sarah. Ze voelde, net als Frank, een licht medelijden met deze jongen. Om jezelf zo op te dringen aan een besloten groepje; dat waren ze en dat wist hij.

Hanne en Sarah fietsten samen langs de Singel naar huis. Aan het einde van de Singel, bij de Hoge Brug, moest Hanne linksaf en Sarah rechtsaf. „Vind jij het niet raar van die vent?" vroeg Sarah.

Hanne antwoordde, een beetje schreeuwerig om boven het verkeer uit te komen: „Ja, ik zou zoiets nooit doen. En jij ook niet, maar dit is een man, ha, ha, toch een ander soort! En wij hebben vrienden en vriendinnen in de stad. Die knaap is, denk ik, dikwijls alleen. Daar vind ik het het type voor. Beetje teruggetrokken, misschien omdat hij wat verlegen is, maar zelf gelooft hij dat hij een denker is, een eenling, een einzelgänger zoals onze Duitse buren dat noemen. Aan zijn kleding te zien is hij toch ook een beetje vreemd? Hij is altijd in het zwart! We noemen hem de zwarte man, een goed idee!"

Hanne slingerde over de weg en vervolgde, weer in het rechte spoor: „Hij ziet ons knusjes bij elkaar zitten. Hij moet gedacht hebben: 'Dat wil ik ook'. En het is zoals Harm opmerkte: op de stoelen in Het Schippertje mag iedereen gaan zitten. Het is overigens geen onaardige vent om te zien. Leuke toet, mooie ogen en dat krullende haar geeft hem iets speels. Maar verder doet hij me niets!" Een daverende lach toen ze de Hoge Brug naderden. „Kom je vanavond nog langs? Thomas komt en hij neemt een leuke vriend mee! Groot en blond en uit een keurige familie en hij heeft ook nog een goede baan! Een geschikte huwelijkskandidaat dus in de ogen van de familie!" Hanne lachte vrolijk en Sarah lachte met haar mee. Een leuke vriend van Thomas, maar Thomas, de broer van Hanne, was ook een leuke vent.

Ze reden over de brug, Hanne keek naar het aankomende verkeer van links, Sarah nam de bocht krap naar rechts: „Nou, je ziet maar! We bellen nog!"

Sarah woonde in een knus appartement boven een winkel waar men lederwaren verkocht. Tassen, koffers, portemonnees en dat soort dingen. De ingang van haar woninkje was in de steeg naast het winkelpand. Ze opende de deur, reed haar fiets de gang in en liep de trap op.

Sarah had een gezellige kamer. Het vertrek was niet groot, maar voor haar groot genoeg, ongeveer vier bij vier meter. Het lage raam bood uitzicht op de drukke straat. Sarah vond het heerlijk voor dat raam te zitten en naar buiten te kijken. Het appartement had een kleine keuken, een slaapkamer en, heerlijk, ze had de beschikking over een eigen doucheruimte en toilet. De eigenaar van het pand liet enkele jaren geleden de bovenverdieping, die tot dan als opslagruimte vol stond met allerlei dingen die nooit meer gebruikt werden, verbouwen tot wat hij noemde twee wooneenheden. Eén aan de voorkant, waar Sarah dus woonde en één aan de achterkant, met uitzicht op een parkeerterrein en op de daken van huizen. In dat gedeelte woonde Margreet Volkers. Sarah's vader zei: „Je moet juffrouw Margreet zeggen, kind, niet zo familiair zijn," maar Margreet en zij noemden elkaar gewoon bij de voornaam. Margreet was niet echt jong meer, Sarah schatte haar achter in de vijftig. Ze had een goede baan bij een groot verzekeringskantoor. Jarenlange ervaring en de baan zou goed betaald worden, veronderstelde Sarah.

Margreet was een rustige vrouw, vriendelijk en beleefd. Ze spraken elkaar als ze af en toe op dezelfde tijd thuiskwamen of weggingen en ook leende Sarah nu en dan iets bij Margreet. Koffie of suiker, net wat ze vergeten was te kopen. Omgekeerd gebeurde dat niet. Margreet maakte lijstjes. „Dat moet je ook doen, kind, dan vergeet je niets. Hoef je niet onnodig naar de winkel te rennen. Maar," met een lachje, „je mag gerust bij mij komen lenen. Ik vind het leuk even met je te babbelen. Je bent tenslotte mijn buurvrouwtje. En een goede buur, zegt het spreekwoord, is beter dan een verre vriend." Ze spraken elkaar niet vaak, maar er was een goed contact. Ze hadden allebei hun eigen bezigheden, zoals Margreet het noemde. En het leeftijdsverschil was te groot om

11

gezellig met elkaar om te gaan. Ze hadden allebei hun eigen vrienden en vriendinnen.

Sarah ging voor het raam zitten. De schoenen uit, lekker met blote voeten op het zachte vloerkleed. Zaterdagnamiddag, het was nog gezellig druk in de straat. Sommige mensen liepen in flinke pas langs de etalages, half zes, bijna sluitingstijd. Zij hadden hun inkopen gedaan en thuis wachtten andere bezigheden. Anderen stonden voor de winkelramen, pratend met elkaar, overleggend, wijzend en knikkend.

Ze voelde een lichte onrust in zich, ook iets van ontevredenheid en ze wist waar dat gevoel vandaan kwam. Door het incident, nou nee, zó erg was het niet, maar zo voelde het wel, met de vervelende mevrouw die vanmorgen in de zaak was geweest. Het mens jengelde zo vreselijk door dat Sarah iets had gezegd wat niet bepaald vriendelijk klonk. Ze had het niet moeten zeggen, dat wist ze zelf ook wel, maar ze werd kriegel van dat mens. Mevrouw zocht een pakje. Nou, mooie pakjes genoeg in de rekken. Maar van het ene pakje vond ze de rok iets te wijd. Sarah zei meteen: „Onze coupeuses kunnen dat heel goed veranderen." Maar nee, een veranderd pakje wilde mevrouw niet. Van het volgende ensemble viel de kraag van het jasje niet zoals zij het wenste en zo ging het maar door, en toen Sarah eindelijk dacht: Dit zint haar wel, vroeg mevrouw zich af welke blouses ze hierbij kon dragen. Van welke kleur. Och, Sarah meende dat dat geen probleem zou zijn. Het pakje was van een mooie, zachte kleur grijs en daarmee waren veel kleuren te combineren. Maar omdat mevrouw geen hippe tiener meer was, zocht ze zachte kleuren uit. Teer roze, korenbloemblauw…

Het was of de schrik mevrouw om het hart sloeg. Alsof ze dacht: Dit is werkelijk schitterend; wat moet ik bedenken om het niet goed te keuren. Ze reageerde heel afwerend. En Sarah had opeens het gevoel gekregen dat mevrouw helemaal niet van plan was een pakje te kopen en een bloesje nog veel minder. Misschien moest ze de tijd tot twaalf uur doorbrengen omdat op die tijd haar man, of haar vriend (maar nee, daarvoor was haar stemming te nukkig) op haar wachtte in het restaurant op de hoek. Sarah wilde het uitproberen. Ze deed vreselijk haar best voor mevrouw. Maar, jawel hoor, ze wandelde zonder de bekende donkerblauwe tas van

Claudette de winkel uit. Maar voor ze dat deed, praatte ze met Caroline en Caroline zei dat mevrouw over de hulpverlening van de verkoopster had geklaagd. Sarah vertelde op een beetje boze toon over de lastige klant en over haar verwachting dat mevrouw zonder iets te kopen de winkel zou uitgaan en dat was dus gebeurd. Terwijl in de tussentijd zeker drie of vier klanten waren weggelopen omdat ze niet geholpen werden. Caroline moest dat toegeven, ze had het ook gezien. „Maar toch, Sarah, zo moet het natuurlijk niet. Geduld hebben en vriendelijk blijven zijn de leefregels!"

Het gebeuren zat haar dwars. Ze kon denken: Het is achter de rug, maar het liet haar niet los. En ze dacht aan de jongeman in Het Schippertje. Ze had niets tegen de jongen op zich en in een café praat men snel met elkaar, allemaal waar, maar ze hoopte dat hij er geen gewoonte van maakte bij hen aan tafel te schuiven! Het was fijn met z'n zessen. Ze kenden elkaar door en door, er waren weinig geheimen. Ze konden op elkaar rekenen bij zorgen en problemen. En dat moest zo blijven. Een nieuw gezicht ertussen was niet goed. Dan begon mogelijk – ze lachte stilletjes om deze gedachten – de narigheid van 'een leuke jongen' en kwam het zover dat één van hen verliefd op hem werd en hij op haar, en dat zou verdeeldheid brengen. En wie van hen drieën zou verliefd worden op Jim? Zij niet, hoewel het om te zien een aardige jongen was. Hanne misschien? Hanne had kortgeleden een vriend. Ze zei zelf een vriendje en die aanduiding betekende dat het geen grote liefde was. Dat bleek ook, want het was allang weer achter de rug.

Het was eigenlijk vreemd dat tussen hen geen liefdespaartje waren gevormd. Drie jongens en drie meisjes, maar Harm had vastgesteld dat dat niet gebeurde omdat ze elkaar daarvoor in de loop der jaren té goed hadden leren kennen. Ze waren meer broers en zussen.

Misschien zat er waarheid in Harms bewering dat ze elkaar té goed kenden om verliefd te worden. Maar als Jim zich aan hen opdrong? Zou Jill voor die knaap voelen? Ze vond hem in elk geval leuk om te zien. Maar Jill had hem al ontmaskerd als een eenling.

Sarah schudde haar hoofd en grijnsde. Malle Jill. Bob had eens gezegd dat Jill psychologie had moeten kiezen, maar ze antwoordde toen: „Jongen, ik heb een ingebouwd gevoel voor wat de mensen om me heen denken en willen. Ik zie het in hun ogen en hun gezichtsuitdrukkingen verraden het." Sarah lachte, leuke meid, Jill van Garderen.

Zondagmorgen fietste ze naar de kerk in de Bloemenwijk, zoals vrijwel elke zondag. Haar ouders wachtten op haar in het grote portaal, zoals ook elke zondagmorgen. Ze zag de lieve en blije blik in moeders ogen en de knipoog van vader, dat betekende: fijn dat je er bent, meisje. Ze schoof naast hen in de kerkbank. Ze zaten iedere zondag op vrijwel dezelfde plaats in het kerkgebouw. In het midden, en aan de rechterkant. Dan kon mama de dominee op de preekstoel beter zien. Ze zag hem graag als hij preekte.

Waarom ging zij nog elke zondag met hen mee naar de kerk? Daarover had ze nagedacht en ze wist het antwoord. Ze ging met hen mee omdat haar ouders lieve mensen waren. Ze kon ook een kerk dichter bij haar huis zoeken. Maar ze hield van haar ouders. Ze wilde ze gelukkig zien en ze wist dat ze gelukkig waren als zij naast hen in de bank zat. Ze wilde graag naar de kerk. Het orgelspel, alle mensen om zich heen in een verbond van hetzelfde geloven. Ze had, als kind, eens gedacht: De kerk is mijn tweede huis naast ons huis in de Seringenlaan. Veilig en vertrouwd en een Vader die vanuit de hemel naar me kijkt.

Haar ouders waren gelukkig met haar. Ze was hun enige kind, dat na vijf jaren wachten in hun huwelijk werd geboren. Ze wilden graag nog een kind, wel meer, maar dat was niet gebeurd. Ze waren tevreden met haar. God had hun gebeden verhoord. Ze betekende veel voor haar ouders en dat begreep Sarah. Toen ze klein was, bracht ze vrolijkheid in huis en veel om voor te zorgen. Later waren er gesprekken tussen haar ouders en haar. Leuke gesprekken, ernstige gesprekken. Eigenlijk waren er nooit moeilijkheden geweest. De vriendinnetjes die ze koos kwamen uit keurige gezinnen. Op school ging het goed. En de jongelui die ze daarna ontmoette, Hanne, Jill, Bob, Harm en Frank dus, met hen waren haar ouders ingenomen.

Haar ouders leidden een rustig leven. In een klein kringetje, want veel familie was er niet. De dagen ging kalm en goed voorbij. Vader had geen werk waaraan veel denkwerk en stress verbonden was, moeder kon het huishoudentje op haar slofjes af. De hele dag de tijd. Naar werken buitenshuis verlangde moeder niet. Soms was er een geval van ziekte in de familie, soms een sterfgeval, maar dat bracht het leven nu eenmaal mee. Ze hadden hulp en steun van hun geloof. God was nabij, God waakte over hen en wat er ook aan verdriet zou komen, God zou hen daar doorheen dragen.

Dat denken was er ook bij het kind Sarah geweest. Een veilig gevoel beschermd te worden door een kracht die onzichtbaar was, maar wel bereikbaar door tot Hem te bidden. Maar naarmate ze ouder werd en praatte met de anderen in de groep waren haar gedachten veranderd. Ze geloofde in God, dat zeker, maar ze was er ook van overtuigd dat een mens in veel dingen zijn eigen beslissingen en verantwoordelijkheden moest nemen. Daarvoor had de mens het vermogen tot nadenken gekregen van God, hun Schepper. En vrijwel elk mens met een gezond verstand wist wat goed was om te doen en wat kwaad was. Vader was het niet echt eens met haar gedachten, want, meende hij, het hield toch een beetje God loslaten in. Maar zo voelde Sarah het niet. „God kan toch niet voor alle mensen op de aarde hun beslissingen natrekken om te zien of ze goed of slecht zijn?" had ze lachend geantwoord, maar vader zei: „Geen mens weet wat God wel kan en niet kan. Zijn rijk is onomvatbaar voor ons."

Na het atheneum wilde ze een baan zoeken en op kamers wonen. Daar waren haar ouders heel erg op tegen geweest. Op kamers... Dat betekende dat ze binnen kon halen wie ze wilde en dat was nog tot daaraan toe, maar er konden ook mensen zijn, jongens bijvoorbeeld, die de weg naar haar kamer zochten en meer wilden dan een kopje thee drinken en praten over het weer. Maar Sarah had doorgezet. Toen haar ouders zich met het plan hadden verzoend en wisten dat tegenwerken geen zin had, keek vader uit naar een geschikt en niet te duur onderkomen en dat was bijzonder goed gelukt, want dit appartement in de Vondelstraat was precies wat Sarah graag wilde.

In de kerk luisterde ze naar de woorden van de dominee, ze zong de gezangen mee, maar stilletjes dwaalden haar gedachten af naar de jongen in het zwart. Haar angst dat hij zich wilde aansluiten bij hun groepje en zij te beschaafd waren hem dat botweg te weigeren. En de vraag wat daar aan narigheid uit kon voortkomen. Nou nee, narigheid mocht ze niet denken. Maar stel dat Hanne verliefd werd op Jim. Het was normaal dat langzamerhand de serieuze liefde in hun kring kwam. Ze hadden er de leeftijd voor. „Dat zeker," zei Frank er vorige week lachend over, „na drie weken Jenny en vier weken Toosje sta ik te popelen de vrouw van mijn dromen te ontmoeten! Hoe ziet ze eruit, is ze echt zo lief als ik nu verwacht? Maar tot nu toe zie ik haar niet."

Daarop had Jill gezegd dat hij waarschijnlijk niet goed keek. „Jij bent zo'n onnozele oliebol, ze moet echt tegen je opbotsen om je aandacht te trekken voor je denkt: Hé, dat is ze! Maar de kans is groter dat je haar met een 'kijk een beetje uit' uit je leven wegvaagt." Dat waren grapjes en ze lachten erom. De werkelijkheid was toch dat in de komende jaren de liefde zou komen. Ze hadden afgesproken – maar dergelijke dingen afspreken gaat gemakkelijk – dat hun vriendschap er niet onder zou lijden. Wat zij met elkaar hadden in 'et verbond van zes werd niet verbroken. Er mochten jongens en meisjes bij komen, maar ze moesten passen in de groep.

„Geen kattenkop dus," had Hanne gezegd, want de jongens zochten natuurlijk de verkeerde vriendinnen uit, „die wel even zal zeggen wat wij moeten doen. Haar keuren we meteen af, ze komt niet door de ballotagecommissie." Zou Jill verliefd worden op Jim? Of Hanne? Of zij? Om haar heen zong de gemeente en de orgelklanken jubelden en zij zong mee, ze kon de woorden wel dromen, maar ze dacht toch aan Jim.

Na de kerkdienst fietste ze met haar ouders naar het huis waarin ze was opgegroeid. De koffiekopjes werden op tafel gezet en volgeschonken, puntjes appelgebak op schaaltjes. Moeder kon heerlijk appeltaart bakken. Het gesprek kabbelde genoeglijk voort. Vader vertelde iets wat hij van Hendriks, een collega, had gehoord en moeder praatte over Trix van tante Tine en oom Wim. Het arme kind was gevallen en daarbij ongelukkig terechtgekomen. Veel kneuzingen. Sarah knikte. Ja, dat kon gebeuren. Toen moeders vraag, zoals bijna elke zondag: „Eet je met ons mee?" En ja, waarom niet? Mama kon lekker koken, op zondag altijd iets extra's en dan was er voor haar geen drukte meer over de warme maaltijd. Ze voelde zich zo'n zondag best prettig bij haar ouders. Maar ze

16

zou hier niet altijd willen wonen. Te weinig vrijheid, te veel controle, ook al was het mogelijk niet als controle bedoeld. Te veel zorg voor haar. „Doe een warme jas aan, kind, het is fris buiten."

Tegen vier uur, na nog een kopje thee, fietste ze naar haar huis. Niet met het gevoel dat ze haar plicht had gedaan tegenover haar ouders. Ze was graag bij hen, maar ze vond het fijn onder de te beschermende vleugels vandaan te zijn.

Dinsdagavond, na een snelle maaltijd, besloot ze naar Jill te gaan. Toen ze haar karretje uit de gang haalde en de steeg inreed, dacht ze: Ik kijk even of Harm en Frank in Het Schippertje zitten. Ze kwamen daar op dinsdagavond vaker. „Praten over ons werk," had Frank daarover gespeeld gewichtig gezegd, „echt mannentaal." Zij wilde met ze praten over Jim. Hoe dachten zij erover? Wilden ze hem opnemen in hun groep? Ze verwachtte dat dat niet het geval zou zijn, maar soms, dat wist ze zo langzamerhand, konden de jongens andere uitspraken hebben dan zij verwachtte. In dit geval konden ze zeggen: Laat die gozer, horen we weer eens nieuwtjes uit een andere hoek.

Ze reed naar de Prins Hendrikstraat. Aan de ronde tafel achter het glas zaten ze niet, maar met z'n tweetjes hadden ze aan een kleine tafel genoeg; even binnenlopen dus. Toen ze door het portaaltje was gestapt schudde Bart vanachter de tap met het hoofd, dat betekende: nee, er is niemand van je vrienden. Maar opeens stond de lange, donkere jongen op en kwam snel naar haar toe. „Sarah, wacht, kom even bij mij zitten."

Zou ze dat doen? Waarom niet? Hij stond voor haar. „Even dan, maar ik ben op weg naar Jill. Ik wilde kijken of ze hier misschien zat, met Frank of met Harm, maar ze is er niet." Ze schoof tegenover hem aan een tafeltje.

„Ik wil iets zeggen over zaterdagmiddag." Hij zat wat voorovergebogen en leunde met zijn ellebogen op de tafel, zijn gezicht was dicht bij haar. Sarah leunde ook op de tafel, dat zat lekker, je rug een beetje gebogen, het ontspande prettig. „Ik handelde in een impuls. Ik zag jullie vaker gezellig bij elkaar zitten en ik dacht dan: Daar wil ik wel bij zijn. Het was een gedachte en een zotte gedachte, want ik weet dat zomaar bij een gezelschap aanschuiven niet hoort, maar opeens, in een opwelling, stond ik op en liep naar

17

jullie toe. Ik dacht nog: Ze gaan toch zo opstappen."

„Och," zei Sarah op een toon alsof het totaal onbelangrijk was geweest, „het is zoals Harm zei: de stoelen in een café zijn vrij."

„Dat ben ik niet met je eens. Maar goed, daarover heb ik al iets gezegd. En, Sarah, er is ook iemand in jullie groep die me steeds naar jullie doet kijken."

Sarah lachte naar hem. „Verliefd op Jill?" Want Jill was een leuke meid om te zien. Ze had een dikke bos blond, krullend haar, mooie blauwe ogen en ze kon schaterend lachen.

„Nee. Niet Jill. Sarah, vanaf de eerste keer dat ik jou zag, klopte mijn hart vier keer sneller dan normaal."

„Door mij?"

„Ja. Ik begrijp dat je de naam van Jill noemt, want Jill is beslist een aantrekkelijk meisje, een mooi meisje en ze is vrolijk en, nou ja, je begrijpt wat ik bedoel, maar jij trekt me aan."

Ze glimlachte naar hem. Ze wilde het niet zomaar van de hand wijzen, dat was onzin. De jongen kon haar toch leuk vinden, en, geef toe, Sarah Laverman, jij hebt ook aan hem gedacht! „Wat trekt je aan in mij?" vroeg ze.

„Je hebt vrijheid in je. Je straalt uit dat je doet wat je graag wilt doen. Er zijn duizenden mensen die graag iets willen, maar er hun leven lang niet aan toekomen hun plannen uit te voeren. Hun verlangens waar te maken. Het kunnen kleine dingen zijn in de ogen van anderen. Een mens kan jarenlang met dergelijke verlangens rondlopen en ze in gedachten helemaal uitvoeren en er zelfs een beetje vreemd van worden. Ik heb zo'n voorbeeld in onze familie, maar het voert te ver je die hele geschiedenis uit de doeken te doen."

„Nee," Sarah grijnsde, „hou het maar in de familie."

„Ik weet zeker dat jij plannen hebt hoe je je verdere leven wilt inrichten. We weten allebei dat er van de plannen misschien niets terechtkomt. Er kunnen omstandigheden zijn die ze in de weg staan, maar ik hou van mensen die plannen hebben. Erover denken, ze uitbroeden, ermee bezig zijn. En het hoeven geen grote plannen te zijn zoals ik die heb." Sarah zag een glans in zijn ogen, het was alsof ze nog bruiner werden dan ze al waren. Of er meer diepte in zat, hij had bereikt wat hij wilde bereiken: haar erover vertellen. Ze bleef luisteren. „Maar ook kleine plannen en uitvoerbare plannen houden je bezig. Ik ken veel jonge mensen die totaal geen plannen hebben. Ja, een goede baan, een lief meisje of een aardige jongen tegenkomen en samen trouwen. Leuk huisje, gezellig ingericht, boekenkast in de kamer en een televisietoestel op een tafeltje. Lieve kindertjes en als enig pleziertje een vakantieweekje in de zomer op Texel, maar verder gaan hun verlangens niet."

Sarah keek hem recht aan. „Mijn plannen voor de toekomst gaan ook niet ver. De dingen die ík wil uitvoeren zijn mogelijk. Maar jij hebt, als ik het goed begrijp, andere plannen."

„Zo is het. Zal ik je erover vertellen?"

„Doe dat maar. Want je wílt er graag over praten. En je vindt mij een leuke meid, dus vertel het mij maar. Ik kan goed luisteren. Daarna zal ik je zeggen of ik denk dat ze uitvoerbaar zijn, of dat je ze uit je hoofd moet zetten. Maar als ik dat zeg, zul jij het er niet mee eens zijn en je zult je er niets van aantrekken. Maar, Jim, een groot verlangen koesteren kan veel krachten opleveren."

„Wat wil je drinken?"

„Cola graag."

Bart bracht een cola voor haar en een biertje voor hem. Hij hield het dienblad zwierig in zijn hand. Hij grijnsde – die knul ging toch op dat meisje af – zei: „Mevrouw, meneer… alstublieft."

„Ik heb me erin verdiept waar mijn plannen vandaan komen. Ik wil weten wat er allemaal in mijn hoofd omgaat en waar het vandaan komt. En een mens kan verschrikkelijk veel denken! Soms word ik er akelig van. Ik ben nooit zonder gedachten. Ik weet dat de meeste mensen nooit zonder gedachten zijn. Het maalt in je kop en het maalt maar door. En 's nachts, als ik droom, gaat het op een fantastische manier verder, maar dan gebeuren er dingen waaraan ik zelfs niet denk als ik wakker ben! Goed, dit was de inleiding."

Hij keek Sarah strak aan. „Ik ben ervan overtuigd dat het leven een mens vormt. Je jeugd, je ouders, je leefomstandigheden. Ik heb al verteld dat mijn ouders jaren geleden naar Mettenburg zijn gekomen. We woonden in Friesland in een klein dorp, mijn vader had er wel werk, een vetpot was het niet, maar ze waren tevreden. Ook niet beter gewend. Vroeger bij vader en moeder thuis was het evenmin een vetpot. En ze waren blij met mij, ze hadden een kind. Maar de baas van mijn vader stopte met zijn bedrijfje omdat hij niet zo jong meer was en het hele gedoe te weinig opleverde naar zijn zin; hard ploeteren en altijd rekenen en tellen om rond te komen. Vader werd dus werkeloos. Toen kwam de kans voor hem hier een aardige baan te krijgen. En het drietal Dijkema verhuisde naar hier.

Mijn ouders namen in hun hart het leventje van het stille Friese dorp mee en ze koesterden het. Ze maakten in hun nieuwe omgeving weinig kennissen. Ze hadden er, vertelde mijn moeder erover, geen behoefte aan. In het dorp woonden familieleden en met die tantes en nichten dronk ze koffie en thee, maar hier, met de buurvrouwen uit de straat, heette het opeens roddelen. Praten over de buurman van drie huizen verder en de buurvrouw van de overkant, en roddelen wilde ze beslist niet. Maar waarover moet je anders praten dan over mensen? Iedere dag een verhaal over de poes die op de vensterbank ligt te slapen of over de hond die niet aan de lijn wil lopen en dan vreselijk trekt, of over de kanariepiet in zijn kooitje? Wat beleeft zo'n beestje? Dat is toch niets? Gesprekken gaan meestal over mensen. En dat hoeft geen roddelen te zijn. Maar mijn moeder bleef in huis. Mijn vader ging naar zijn werk, hij kwam om kwart over zes weer thuis en bleef de hele avond binnen. Geen biljartavondje; hij kon trouwens niet biljarten. Geen kaartavondje, want kaarten was in het dorp een spel van de zonde. Zo ging het leven verder, dag na dag. En daarmee groeide ik op.

Het was voor mij een eentonig, saai leven, vol verveling. Nu is het verschil tussen mij en mijn ouders dat zij zich er gelukkig bij voelen. Ze hadden het ruimer wat geld betrof dan in Baswolde en ik denk dat ze het samen goed hadden en dat is belangrijk. Maar ik heb me in ons gezin nooit echt lekker gevoeld en, zoals het eigenlijk moet zijn, tevreden, blij en vrolijk, je begrijpt wel wat ik bedoel. Ik was anders dan de kinderen in de straat en op school en ik was te bang en te verlegen om me ertussen te dringen, maar ze plaagden of pestten me niet, want als ik dat voelde aankomen, kon ik mijn mannetje wel staan. Toen ik veertien was, die leeftijd ongeveer, begon ik plannen te maken voor later. Dat vrolijkte mijn leven op. Als ik eenmaal groot zou zijn, kon ik doen en laten wat ik wilde. Als ik op school goed oplette en één en ander leerde en het diploma haalde van de middelbare school, kon ik uitkiezen welke richting ik wilde. Je begrijpt dat mijn plannen steeds mooier en groter werden."

Sarah glimlachte naar hem. Ze zag in hem de kleine jongen van toen in het wat stijve gezin, met weinig bewegingsvrijheid, vooral geestelijk.

„En welke plannen héb je?" vroeg ze. Want als Jim op deze manier verder vertelde, kon het een lang verhaal worden. Met veel woorden die eigenlijk niet belangrijk waren voor zijn doel.

„Dat is het vervelende!! Ik heb echt een doel, maar het kan op zoveel prachtige en aantrekkelijke manieren uitgevoerd worden. Er zijn mannen die met een zeilboot over de wereldzeeën willen varen. Ze sparen voor een schip, ze zoeken mensen die hen financieel willen steunen en op een goede dag vertrekken ze vanuit de haven van IJmuiden, uitgezwaaid door achterblijvende familie en vrienden. „Vaarwel! Ik stuur jullie een kaart vanuit Buenos Aires! Ik kies het ruime sop." Een ander verlangen hebben ze niet. Maar ik denk niet aan varen. Ik ben bang dat ik zeeziek word, ha, ha, dat zal dan tegenvallen, en ik ben ook bang voor de grote golven op de oceanen! Ik heb een cursus journalistiek gevolgd. Schriftelijk. Elke avond zinnen op papier zetten, verbeteren en opnieuw verbeteren, want het kon steeds anders. Ik stuurde de werkstukken op en kreeg ze terug met lovende woorden. Op dat terrein kan ik me redelijk redden. Ik wil gaan reizen en daarover schrijven. Als ik dat doe, zijn de avonturen die ik beleef toch belangrijker dan mijn schrijfstijl? Maar ik moet er iets van weten te maken. Dat heb ik dus in mijn bagage. Ik zou de verhalen kunnen verkopen aan kranten en tijdschriften. Ik werk nu bij Jan Stevens om het vak van fotograaf enigszins onder de knie te krijgen. Verhalen schrijven, foto's erbij leveren. In een camper reizen en wonen. Naar Lapland trekken en daar de zomermaanden doorbrengen in een käta, een zomertent die de Lappen in vroeger tijden gebruikten. Ze wonen nu niet meer in tenten. Die tijd is voorbij, maar ze kunnen me over het leven van toen beslist veel vertellen. Of ik ga nog noordelijker, richting het noorden van Rusland. Daar wonen de proto-Mongolen, waarschijnlijk het oudste volk van Europa. Zij leven nog wel in tenten. Maar willen ze mij helpen met mijn werk?"

„Je kunt het proberen," lachte Sarah, „als het niet gaat kom je gewoon terug!"

„Ja, ja." Hij begreep dat ze het als grapje bedoelde. „Maar het is verschrikkelijk ver weg, de wegen zijn er slecht, en zo zijn er nog veel meer problemen." Hij keek haar aan. „Maar ik wil eigenlijk een beeld tekenen van wat ik voor mijn toekomst voor ogen heb. En dat is vooral: niet gebonden zijn. Ik ben te lang gebonden geweest door het knellende leven thuis. Ik heb een andere natuur dan mijn ouders." Hij boog zich verder over het tafeltje naar haar toe. „Maar ik ben nog steeds gebonden aan thuis. Mijn vader is drie jaar geleden gestorven, na een lange, slopende ziekte. Moeder bleef heel verdrietig achter en de enige mens die ze heeft, ben ik. Ik wilde allang het huis uit, een flatje huren, maar tijdens de ziekte van mijn vader kon ik niet weggaan en nu hij overleden is, kan ik nóg niet weggaan omdat mijn moeder me niet kan missen. Ze zal té eenzaam zijn. Ze weet dat ik eigenlijk weg wil, hoewel we er nooit echt over gesproken hebben. Maar ze laat me wel heel vrij. Ze vraagt vrijwel nooit hoe laat in de avond ik ben thuisgekomen en ook niet waar ik ben geweest. Als dat wel gebeurt, ze is natuurlijk toch nieuwsgierig naar waar ik uithang, doet ze dat op een belangstellende toon. Wat dat betreft, is het thuis goed uit te houden. Ook financieel, ik kan zo flink sparen. Maar jij en ik hebben in grote lijnen dezelfde achtergronden wat onze ouders betreft, jij kunt begrijpen waarom ik graag alleen wil wonen."

Sarah knikte. „Hoe oud ben je?"

„Ik weet waar je heen wilt. Ik ben vierentwintig. Moeder is tweeënvijftig. Dat is nog jong, ze kan zeventig worden of nog ouder. Ik kan niet wachten met mijn plannen tot ze naar een bejaardentehuis gaat. We hebben een paar keer gepraat over mijn plannen. Eerst merkte ze op dat ze niet begreep waar het verlangen te willen zwerven vandaan komt. Ze kon zich geen grootvader of grootmoeder herinneren die ook met dergelijke plannen rondliep, maar, zei ze toen, de mensen in die tijd werkten hard van 's morgens vroeg tot 's avonds laat en ze waren blij als er voor het gezin genoeg te eten was in huis. En turf voor de kachel en olie voor de lamp. Als ze dergelijke dromen in hun hoofd hadden wisten ze dat het altijd dromen zouden blijven. En ook wisten ze niet veel van verre landen, en het verlangen daarheen te gaan kwam niet in hen op."

Sarah vroeg: „Wanneer wil jij beginnen aan je eerste reis?"

Jim lachte even, toen zei hij ernstig: „Dat weet ik niet. Ik zoek de oplossing, de mogelijkheid, mar ik kan hem niet vinden. Maar je wilt zeggen dat ik nu jong ben, gezond en sterk, als ik wat wil moet het spoedig gebeuren."

„Zo zie ik het."

„Ik bestel nog iets voor ons. Nog een cola?"

„Nee, een kopje koffie graag. En daarna stap ik echt op."

„En ik wil weten wat jouw plannen voor de toekomst zijn."

Bart Schipper bracht de bestelling. Nu zette hij het kopje en het glas zonder zwierige armbeweging voor hen neer.

„Mijn plannen liggen eenvoudig en dicht bij huis. Ik werk in een modehuis, want ik hou van kleding. Ik wil graag een eigen winkeltje, een boetiek voor jonge vrouwen. Mooie, goede en vrolijke, blije kleding. Dat is een voor jou vreemde omschrijving, je hebt geen idee hoe dat eruitziet en ik kan het je niet uittekenen ook. Een beetje uitdagend misschien, maar wel netjes. En het liefst, maar dat zal wel altijd een droom blijven, wil ik die kleding zelf ontwerpen en een naaister of een atelier vinden waar de kleding gemaakt wordt. Als ik er een atelier voor vind, kunnen er meerdere stuks worden vervaardigd en elders in het land worden verkocht. Het is economisch gezien beter twintig of dertig japonnetjes of pakjes te fabriceren dan één; wel exclusief, maar vreselijk duur. Maar, Jim, het zijn alleen plannen en ik vermoed dat er niet veel van terecht zal komen. Niet omdat ik het niet wil en me er niet voor zal inzetten, maar omdat er geen mogelijkheden zijn. Een klein winkeltje zit er voor mij wel in. Ik spaar rustig en gestaag verder voor het goede doel en ik weet dat mijn ouders kort nadat ik werd geboren een spaarrekening op mijn naam hebben geopend. Ik heb intussen, zoals jij, de benodigde papieren gehaald om een eigen bedrijfje te mogen starten. Ik ben nog jong, twintig. Het hoeft niet morgen tot stand te komen."

Ze praatten nog even door, tot Sarah zei: „Ik stap nu echt op." Ze kwam overeind van de stoel.

„Sarah," hij legde zijn hand op de hare, „ik wil contact met je houden. Buiten het vertellen van mijn plannen aan jou is het voornaamste dat er veel in je is wat mij aantrekt. Maar," hij keek bedachtzaam, nadenkend of hij dit kon zeggen, „wil je liever niet dat de club van zes van onze kennismaking weet?"

„Ik heb geen geheimen voor ze. Maar het is nog niet nodig erover te praten."

„Je wilt liever niet dat ik hier nog kom." Hij zag een aarzeling in haar ogen en voegde er meteen aan toe: „Ik kom hier voorlopig niet meer. Er is in de Pieter Florisstraat een leuke gelegenheid waar ik kan binnenlopen. Maar op voorwaarde dat wij elkaar binnenkort ergens anders ontmoeten. Voel je het als een geheim tegenover de anderen?"

„Nee. En het is echt niet zo dat we alles wat in onze levens gebeurt met elkaar bespreken. Als er problemen met onze ouders zijn, praten we daar wél over. Want we vinden alle zes dat ze af en toe behoorlijk lastig kunnen zijn; bijval verzekerd dus! En er zijn gevallen geweest op andere terreinen die verzwegen werden tot de hevigste hitte ervan gedoofd was." Sarah lachte. „Zoals met de zus van één van ons. Ze had heel kort verkering en ontdekte toen dat ze zwanger was. De ouders in paniek, tranen en boze woorden, maar nu is het paartje getrouwd, smoorverliefd en dolgelukkig met de baby." Ze ging naast de stoel staan.

„Waar spreken we af? En wanneer? Niet op zaterdagmiddag."

„Nee. En donderdag is het koopavond in onze salon, zoals Caroline haar winkel noemt. Vrijdagavond? In De Blauwe Berg. Het is daar knus en gezellig."

Sarah fietste langzaam naar huis. Een frisse wind gleed langs haar warme gezicht. Ze was zich bewust van de wisselende gedachten in haar hoofd. Jim, zijn bruine ogen, zijn warme stem, zijn manier van praten over zijn plannen. Enthousiast, maar ook met oog voor de problemen die eraan kleefden.

Ze hield van mensen met plannen. Mensen die iets wilden doen in hun leven. Het niet in een sleur van dag tot dag en van jaar tot jaar voorbij laten gaan. Ze hield ook niet van mensen die hun dromen in stilte koesterden, maar nooit probeerden uit te voeren. De dromen stierven op die manier langzaam weg, maar lieten vaak wonden na. Zo'n man was Jim niet. Hij had verlangens, maar hij zou niets ondoordachts doen. Ze was geboeid door hem, ze vond hem aardig, maar, dat was de andere gedachte die ze had, was het verstandig een vriendschap die kon uitgroeien tot een relatie, een grote liefde, met zo'n man te beginnen?

Ze dacht dikwijls over een man naast zich, dat was normaal, ze was niet onaardig om te zien en niet onaardig om mee om te gaan, de jongens hielden het al vele jaren met haar vol, dat was toch bewijs genoeg. Maar de man waarover ze dan dacht had andere kwaliteiten dan Jim. En andere aspiraties. Ze reed de fiets de steeg in. De man waarover ze nadacht, haar echtgenoot, zou haar helpen met haar boetiek. Niet ín de boetiek, daar was geen plaats voor een man, maar achter de schermen. Hij deed de complete administratie van het winkeltje in de avonduren – want hij had een leuke baan – hij zorgde voor de papierwinkel: rekeningen betalen en de ontvangsten en uitgaven boeken en de belastingaangifte invullen. Dat waren dingen waar Jim níet aan dacht.

Eenmaal binnen draaide ze de sleutel in het slot om. Ze liep door naar de slaapkamer, ze kleedde zich uit en deed haar pyjama aan. Het was al laat, wie zou er nu nog komen? Niemand toch! En het was een gezellige, lichtblauwe pyjama. Lekker warm en zacht. Zo gek zag ze er nu ook weer niet uit. Ze ging op de bank zitten. Kussen in de rug, de benen languit op de zitting. Ze wilde vanavond geen televisie kijken.

Ze zette een mooie elpee op, zonder zang, want dan luisterde ze naar de woorden van de zanger of zangeres, nee, nu rustige muziek, maar niet om bij weg te dromen, want, zei ze glimlachend tegen zichzelf, Sarah Laverman, pas op voor je dromen. Denk na of je deze vriendschap wilt. Want wat kan eruit voortkomen? Je man zwervend door verre landen, want zij ging beslist niet mee in zijn campertje, daar hield ze helemaal niet van. Bovendien had zij een plan dat ze niet wilde opgeven. Zij bleef bij haar winkel. Maar ze zou dan wel een eenzaam leven krijgen. Gebonden aan een echtgenoot die niet altijd een genoot was in die echt. Die vele dagen niet thuis zou zijn om gezellig mee te praten, hem haar problemen voor leggen, de kleine tegenvallertjes, de strubbelingen in de winkel, maar ook om de fijne dingen te verhalen en er samen van te genieten. En wanneer was hij thuis om haar te liefkozen en te beminnen? En zij hem? In plaats daarvan zou het een verbintenis zijn waarin zij wachtte op zijn brieven of – dure – telefoontjes.

Opeens kwam een gesprek naar boven dat ze vier of vijf jaar geleden voerde met oma Bakker. Oma Bakker was mama's moeder. Een rustige, lieve vrouw. Een verstandige vrouw ook, vond kleindochter Sarah, want oma wist zoveel.

25

Die middag was ze naar oma gefietst. Oma wachtte op haar met de thee in een mooi potje op een glazen lichtje en lekkere chocolaatjes in een schaaltje. Hoe het gesprek tot dat onderwerp was gekomen, herinnerde Sarah zich niet, waarschijnlijk vloeide het rustig die kant op, maar achteraf kon oma het ook met een bedoeling in die richting hebben gestuurd. Oma zei toen: „Lieverd, nog even en de tijd komt dat je jongens leuk gaat vinden en dat kan een heel mooie en fijne tijd zijn. Maar laat je niet alleen leiden door wat je hartje je ingeeft. Vlammende vlagen van heftige verliefdheid en denken: Hij is het, hij is het! Een knappe jongen om te zien. Een jongen die lekker zoent en heel lieve dingen tegen je zegt, ja, je lacht, maar meisje, oma heeft ervaring in het leven, denk daar wel aan!"

Het werd op een lichte toon gezegd, soms lachend, maar oma ging verder: „Je moet ook je verstand gebruiken. Proberen door het uiterlijk en de mooie woorden van zo'n knaap heen te kijken. Hij kan streken in zich hebben die jou niet aanstaan, maar zolang je verkering hebt, bergt hij die op als hij met jou samen is. Vroeger, maar dat was een andere tijd, was ík jong. En ik wilde geen vriendschap sluiten met een jongen die een ander geloof beleed, want mijn vader zei: 'Twee geloven op één kussen, daar slaapt de duivel tussen,' en dat leek me niet prettig. Ik bedoel hiermee ook een jongen die in het leven dingen wil doen waarvan jij weet dat je er moeite mee zult hebben. Als hij iets wil opbouwen wat totaal niet strookt met jouw plannen…"

Zou oma een helderziende blik gehad hebben? Ze kon erom lachen. Nee. Oma kende het leven en Sarah begreep wat ze haar wilde zeggen.

Nu, deze avond, alleen in haar kamer, schemerlampen aan, rustige pianomuziek golvend om haar heen, zag ze zich weer tegenover oma zitten. Het grijze haar, de bril met de heldere glazen, oma's ogen daarachter, naar haar lachend, maar toch met ernst in haar waarschuwing.

Jim… Ze kenden elkaar nog niet goed. Ze praatte vanavond voor het eerst met hem. Ze had naar hem geluisterd. Jim had iets aparts in zijn manier van kijken, vriendelijk, maar toch doordringend. Hij was er en je móest naar hem luisteren. Maar het was niet overheersend, je wílde het graag. Hij kleedde zich in het zwart, en wie deed dat nou, er waren zoveel vrolijke en vlotte overhemden en shirts te koop! Maar Jim droeg zwart. Hij had iets aparts. En hij vond háár leuk. Dat was toch niet apart? Welnee. Er kwam beslist nog wel een andere jongen in haar leven die haar leuk vond en met hem zou ze een normaal leventje tegemoet gaan. Geen kaart uit Sjanghai of van het strand van Aruba. Maar een rustig leventje wilde ze ook niet echt. Niet alleen huisvrouw zijn, voor de kindertjes zorgen en in de vrije tijd kleedjes borduren en kraaltjes rijgen tot leuke kettingen.

Huisvrouw zijn... het was goed, ze wist het uit haar eigen leven. Mama was thuis als ze verdrietig uit school kwam en mama zorgde voor alles, daarop kon ze vertrouwen. Maar zij wilde ook zelf iets doen. Een boetiek beginnen. Was dat echt iets om je zo voor in te spannen? Voor haar wel, want ze wilde bezig zijn met kleding en ook onder de mensen zijn. Geen saai leven hebben. En niet afhankelijk zijn van een man. Wat was dat nou weer voor malle gedachte!! Was mama afhankelijk van pap? Welnee, totaal niet. Papa had een goed salaris bij Tromp en Wisman. Ze konden daar goed van rondkomen. Haar ouders overlegden samen wat geld betrof, maar dat was toch normaal? Kopen we die stoel of wachten we er nog even mee? Eerst maar een nieuwe wasmachine, dat is belangrijker. Was dat verkeerd? Natuurlijk niet! Maar zij wilde zélf geld verdienen. En vooral iets omhanden hebben. Mee bezig zijn, willen opbouwen. Dat was het voornaamste.

Ze schonk zichzelf een glaasje wijn in. Lekkere, rode wijn. Ze nipte er met kleine slokjes van. Hoe zou het zijn om getrouwd te zijn met Jim? Een glimlach trok om haar mond, doe niet zo dwaas, jullie kennen elkaar niet eens! Maar er was iets tussen hen, ze voelde het. Dit had ze nog nooit voor een andere jongen gevoeld.

Zou er ooit iets terechtkomen van zijn plannen om te zwerven? Maar nee, zwerven was het niet. Jim wilde op die manier zijn brood verdienen. Veel van de wereld zien en door het schrijven van verhalen en het nemen van mooie foto's in zijn onderhoud voorzien. En mensen in Nederland laten zien wat er zoal gebeurde in verre, voor hen vreemde landen.

Als er iets zou groeien tussen hen, en ze zou een streep zetten onder hun vriendschap omdat ze op die manier geen relatie aan wilde gaan, zou hij zijn plannen dan opgeven?

Ze zette het glas op het tafeltje. Zou dat gebeuren? Ze lachte erom. De lach klonk luid en vreemd in de kamer. Als hij zijn plannen opgaf, werd hij een man met een verborgen droom, een sterk verlangen dat nooit uitgevoerd zou worden, een man met een opgesloten ideaal dat nooit verwezenlijkt werd en zo'n man, had ze kort geleden gedacht, minachtte ze omdat hij niet doorzette. Wat was belangrijker: een gelukkig huwelijk of het najagen van een ideaal? Maar het ideaal van Jim had kans van slagen. Jim wilde geen onmogelijke dingen. Er waren genoeg verslaggevers die een min of meer zwervend leven leidden, maar daar grote voldoening in vonden. En velen van hen hadden thuis een vrouw en kinderen.

Er met iemand over kunnen praten zou prettig zijn, maar niemand voelde het aan zoals zij. Zou ze het aan haar ouders vertellen? Nu nog niet natuurlijk, maar over enige weken, als Jim en zij wisten dat het groeide tussen hen naar een grote liefde. Ze hoorde vaders stem al. Woorden die ze verwachtte: Wat heb je op die manier aan een huwelijk? Hij om de haverklap ver weg en wat doet hij daar? Overal zijn vrouwen en drankgelegenheden en... Denk toch aan jezelf en gebruik je verstand. Jij hier alleen, tobbend en je zorgen makend over hem en naar hem verlangend en als hij dan eindelijk thuiskomt met tassen vol vuile kleren is het grote vreugde en na die vreugde ben je zwanger. Maar hoe moeilijk is het een kind te hebben als je het alleen moet opvoeden en alleen voor de zorg staat? Als het ziek is en jij vol zorg aan het bedje zit en de vader kijkt uit over de zee en schrijft hoe heerlijk rustig het daar is.

Sarah glimlachte: na zo'n toespraak hoefde moeder geen woord meer te zeggen. Want zij dacht precies hetzelfde.

Met Jill praten? Jill begreep haar het beste. Ze hadden vaak dezelfde ideeën. Mogelijk leerde Jill Jim in de komende maanden ook beter kennen. Want als er iets groeide tussen hen, verzweeg ze het niet voor de vrienden. Ze waren er alle zes van overtuigd dat de tijd van de grote liefdes ontmoeten voor hen voor de deur stond. Er kwamen beslist jonge mensen in hun leven waarmee warme banden groeiden. Hoe zou Jill over Jim denken?

Of zou ze het oordeel van één van de jongens vragen? Maar niemand kon dezelfde gevoelens hebben als zij en dezelfde verwachtingen voor de toekomst. Ze zouden nuchter over hem oordelen, niet met de liefde en warmte die zij voelde. Rob kon zeggen dat een echte liefde zoveel kracht geeft dat je daarmee levensstormen en perioden van verlatenheid kunt overwinnen, maar was dat echt zo?

Het was heel laat in de nacht toen Sarah de verwarming lager draaide, de schemerlampen uitknipte en naar de slaapkamer ging. Ze maakte haar gezicht schoon en glimlachte tegen haar spiegelbeeld. „Wacht maar af, Sarah, het is nog een pril begin en jij duikt al in problemen die mogelijk nooit zullen komen. Wacht af, laat het over je komen, zie wat er groeit. Misschien helemaal niets! En daarna kom je een jongen tegen die zich inzet voor het bedrijf van zijn baas en die enthousiast is over jouw boetiek en je helpt met de inkoopnota's. Samen in het leuke autootje eropuit. Heerlijk, zo'n maatje. En als er kindertjes komen, heeft hij tijd voor de hummeltjes. Hij brengt ze om zeven uur naar bed als jij wilt bijkomen van een drukke dag en daarna zet hij koffie en schenkt in. Hij is een ideale vader en een nog idealer echtgenoot en je houdt van hem. Hoe zou hij eruitzien? Zo dacht ze onder het poetsen van haar tanden. Nee, geen bruine ogen zoals de ogen van Jim, die had hij beslist niet. Zo was er maar één, alleen Jim.

In de daarop volgende weken ontmoetten Sarah en Jim elkaar meerdere malen. Gesprekken over hun ouders, de leefomstandigheden van toen, de vriendjes en vriendinnetjes uit hun kindertijd.

„Toen ik tien, elf jaar was, was ik op de lagere school een eenzame jongen. Ik sloot me niet aan bij de klasgenoten en ik heb me afgevraagd, jaren later, in een poging 'op zoek naar mezelf', of ik wél graag bij hen wilde horen, maar me er niet tussen kon dringen. Of dat ik door de jongens en meisjes geweigerd werd. Of dat ik, dat kon ook nog, er geen behoefte aan had met ze te spelen. Het ging er over het algemeen nogal lawaaiig toe op het schoolplein. Ook gemeen, met duwen en trappen. Aanvankelijk kwam ik tot de conclusie dat ik het zelf niet wilde, maar," Jim lachte toen naar haar, dat herinnerde ze zich, want er was een gloed van onrust in die lach, „maar door dieper te graven in mezelf kreeg ik de overtuiging dat ze me niet in hun kring wilden toelaten. Ik ging op zo'n laat tijdstip van huis naar school dat de bel klingelde als ik aankwam. Dat vrijwaarde me van spelen op het plein. Diep in mijn hart had ik dat toch liever gedaan. Maar die kans was er niet.

Ik ben in een klein kringetje opgevoed, een vader, een moeder en een kind. Mijn ouders praatten over hun zorgen en ook over hun verlangen naar het dorp in Friesland en het zich niet thuis voelen in de stad. Ook over de verhouding met de familieleden, die verhouding was niet goed. Ik hoorde erover als ik op de bank zat met een boek, maar ik had meer aandacht voor hun woorden dan voor het verhaal. Ook onze buren waren geen mensen voor hen om mee om te gaan. Mijn ouders deden geen pogingen zich in de nieuwe omgeving thuis te voelen. Misschien schaarde ik onbewust de schooljongens onder wat mijn vader 'de mensen hier' noemde. Het was een ander slag dan de mensen in Braswolde.

Voor ik naar de middelbare school ging, maakte ik voor mezelf een plan het anders aan te pakken. En de eerste les aan mezelf was: niet bang zijn. De jongelui die ik zou tegenkomen vormden een compleet nieuwe groep om me heen en daar wilde ik bij horen. Dat lukte me heel goed. Ik heb op de havo een gezellige tijd gehad. Later bezocht ik vier jaar een hogere school en daarna vond ik een baan op het kantoor van Tinbergen, verzekeringen en hypotheken. In die jaren op de hogere school wilde ik ontdekken welke richting ik in de toekomst zou kiezen. Het leven benauwde me. Het huis, dat voor mij geen knusheid, veiligheid en gezelligheid uitstraalde, maar te klein was, knellend, hoe kan ik het benoemen. Mijn ouders vonden hun leven en hun huwelijk ideaal. Zo wilden ze het en zo was het geworden. Alles samen doen. Elke avond allebei thuis. Met hun kind aan tafel eten, elkaar helpen met de afwas, met z'n tweetjes boodschappen doen. Vader bracht het geld binnen, moeder beheerde het huishouden en de portemonnee. Ze deden geen onbehoorlijke dingen. Lonkten niet naar een andere vrouw of man, gingen elke zondag naar de kerk, wetend dat ze het goed deden op het levenspad, voor en na de maaltijd baden ze en in dat laatste gebed vroegen ze God hen op het rechte pad te houden. Mijn ouders vouwden in volle zekerheid hun handen, want het kwam niet in hun hoofden op van het rechte pad af te wijken. Ik wil geen lans breken, Sarah, voor een vrij huwelijk, begrijp me alsjeblieft niet verkeerd, natuurlijk niet, maar ik geloof dat het niet goed is zo'n knellende band tussen twee mensen aan te brengen.

Je moet elkaar meer levensruimte gunnen en ook geven, meer ont- plooiingsmogelijkheden.

Dezelfde gedachten heb ik wat betreft het eerste kantoor waar ik werkte. Elke dag dezelfde ruimte om me heen, aan hetzelfde bureau zitten op dezelfde stoel en elke dag dezelfde mensen om me heen. Vaak dezelfde opmerkingen, dezelfde vragen. Ik kon na verloop van tijd daar weggaan en een andere baan zoeken, maar ook daar vormde zich na korte tijd eenzelfde patroon. Het verlangen naar vrijheid groeide. Ik was tweeëntwintig, jong, sterk en gezond. Ik wilde los zijn, niet vastgehouden worden, niet gebonden zijn en ik wilde doen met en in mijn leven wat ik graag wilde. Dat moest ik durven. Ik moest me losmaken van mijn ouders. Niet helemaal, dat was niet nodig. Het zijn goede en lieve mensen. Ze begrepen me niet. Waar haalde ik die vreemde gedachten vandaan? Maar ze lieten me mijn gang aan. Ik waardeerde ze om alles wat ze voor me hadden gedaan. Ze deden het met goede bedoelingen, maar het was voor mij te klein en strak geweest. Ze omarmden me, figuurlijk, zonder dat werkelijk te doen.

Na een innerlijke strijd, want het was niet gemakkelijk me van het toch wat bedeesde en soms bange mens los te maken en dat leven achter me te laten, te worden tot een mens die weet wat hij wil, maar ik bereikte het. Ik werd een ander mens. Met ruimere, grotere gedachten in mijn hoofd. In die periode wilde ik het huis verlaten, maar mijn vader werd ernstig ziek, hij overleed en ik kon mijn moeder niet in de steek laten.

Maar het is zo, Sarah, daar geloof ik in, daarvan ben ik over- tuigd, dat je je voelt zoals je je wílt voelen. Ik wilde iemand zijn met plannen en ik had en héb plannen. Reizen en trekken en daarmee mijn brood verdienen. Ik heb mezelf," hij lachte naar haar, „ook een apart buitenlaagje gegeven om de mensen om me heen te laten zien wie ik ben. Dat is de zwarte kleding."

„Het geeft je inderdaad iets bijzonders," Sarah grijnsde, maar in die grijns lag afkeuring verborgen. „Jill en ik noemen je de zwarte man. We vinden het allebei mal dat je je zo kleedt. Het is somber, het geeft een gevoel van in de rouw zijn, verdriet hebben, zwaarmoedigheid – of dat waar was wist ze niet, maar misschien bracht het hem op een ander idee – en ik denk dat als je dit lang volhoudt, je je straks niet meer in een kleurig hemd durft te ste-

31

ken! En als je ervan overtuigd bent dat je jezélf kent, is het toch niet nodig je aan anderen als een beetje bijzonder te manifesteren?"

Jim had daverend gelachen.

Sarah vertelde die avond over haar ouders, haar vrienden en vriendinnen. Haar heerlijke jeugd en het gevoel dat haar blij maakte, omdat ze al heel lang wist in welke richting haar toekomst lag.

ℛ2ℛ

Drie weken later fietste Sarah Laverman op de vrije zaterdagmiddag naar Het Schippertje Het was halfweg de maand februari, het was koud en onstuimig weer. Ze had een warme, lange sjaal om haar hals gewikkeld, een wollen mutsje op de haren gedrukt en handschoenen aan de vingers geschoven, want de handvatten van haar fiets waren koud.

Toen ze Het Schippertje binnenstapte, zat de rest al om de tafel. „Hallo," begroetten ze haar.

Hanne, de handen om een warme koffiekom, zei: „Heerlijk, Frank en ik hebben allebei een vrije zaterdag. Werken in een warenhuis is leuk, maar ze moeten zo'n tent op vrijdagavond afsluiten tot maandagmorgen."

„Ook maandagmorgen om kwart voor negen weer present zijn," vroeg Frank zich af, „valt vast ook niet mee als het in het weekend laat is geworden. Nu genieten we dubbelop van onze vrije zaterdag en we worden hier driedubbel in de watten gelegd omdat ze het heerlijk vinden dat wij van de partij zijn! We krijgen meer spreektijd en meer aandacht."

Sarah was intussen aangeschoven en het meisje dat Bart hielp, had haar koffie gebracht. Sarah luisterde naar de gesprekken om haar heen. Kleine berichtjes, malle dingen die gebeurd waren, er werd gepraat en gelachen. Toen er een korte stilte viel, zei ze: „Ik moet jullie iets vertellen. Ik heb een vriend."

„Een vriend, meisje, is normaal op jouw leeftijd," stelde Harm op vaderlijke toon vast, „maar wie is de gelukkige? Kennen wij hem? En speelt ons oordeel over je besluit wel of niet met hem verder te gaan, een woordje mee?"

„Het is Jim."

„Jim!!" riep Jill boven al het geluid in de zaal uit, „de man in het zwart?"

Bob knikte heftig en voegde eraan toe: „Ik had al het gevoel dat er iets was tussen jou en die gozer, de laatste weken kwam hij niet in Het Schippertje. Is hij bang dat we hem bij jou zullen weghouden?"

„Jim is beslist niet bang voor jullie en waarom zou hij? Maar ik wilde liever niet dat hij hier kwam zolang ik nog niet het gevoel had dat het goed zat tussen ons."

„En dat gevoel heb je nu wel?"

Bob keek haar aan, toen zei hij: „Nee, jongens, op deze toon is het niet goed. We maken er een geintje over, maar de liefde is een ernstige zaak."

„Hoe kwam dat opeens tussen hem en jou?" vroeg Hanne.

„De maandagavond na de zaterdag waarop hij bij ons aan tafel schoof, was ik van plan naar Jill te gaan. Onderweg dacht ik: Misschien zitten een paar van jullie in Het Schippertje en ik fietste hier langs. Er was niemand van jullie, maar Jim zat er wel. Hij vroeg me of ik met hem wilde praten. En waarom zou ik dat niet doen?" Ze knikte naar alle vijf, ja, waarom zou ze dat niet doen? Vragen staat vrij en praten ook. „Hij vertelde toen over zijn leven. Zijn vader is overleden en hij woont bij zijn moeder omdat ze haar man erg mist."

„Dan kunnen we vaststellen dat het een lieve jongen is," merkte Harm ernstig op, „en dat is in de liefde belangrijk."

„Ik wist al dat hij fotograaf is, maar hij heeft ook een cursus journalistiek gevolgd en met die twee opleidingen heeft hij plannen. Hij wil reportages maken. Goede verhalen schrijven, er schitterende foto's bij maken en samenvoegen tot een reportage. Binnen- en buitenlandse onderwerpen en die verkopen aan kranten, weekbladen en maandbladen."

„Van dat soort gasten zwerven er veel over de wereldbol," stelde Frank vast op een toon alsof hij er geen brood in zag, „over alles is al geschreven en van alles zijn al prentjes gemaakt. Daarnaast zijn er nog meer van dit slag idealisten. Sportverslaggevers, oorlogsjournalisten die gevaarlijke gebieden opzoeken, kapot gebombardeerde steden en dorpen en lijdende slachtoffers in beeld brengen. Dat hebben we vaker gezien. Het waren andere dorpen, maar de puinhopen zijn van alle aanslagen. Het zou beter zijn als één moedige verslaggever op pad ging en na terugkeer zijn foto's verkocht aan geïnteresseerden. Er komen nu drommen prentjesmakers vol nieuwtjes op leed en zorg af. Je moet het een mooi vak vinden. En er is een groep die steeds weer mooie verhaaltjes schrijft over de oude kust in Griekenland en de mensen die leven aan de voet van de Himalaya. Ook al vaak gedaan. Het zal voor hem wringen worden daartussen een plekje te vinden."

„Daarvan is Jim ook overtuigd." Had hij daarover iets gezegd? Nee. Maar dat deed er nu niet toe. „Hij wil het proberen. Er komen steeds nieuwe projecten op de wereld. En veranderende omstandigheden."

„Het is zijn goed recht het te proberen," Hanne boog zich over de tafel, „maar zie jij er iets in, Sarah? Ik dacht, toen ik Jim voor de eerste keer zag: Het is een bijzondere jongen. Of, en dat is iets anders: hij wil bijzonder lijken. Want je steeds helemaal in het zwart steken is een beetje abnormaal. Maar het sluit niet uit dat je ook bijzondere talenten kunt hebben! Nee toch?"

Sarah knikte. Ze wilde alle woorden over zich heen laten komen. Ze hoefde Jim niet te verdedigen.

„En wat de concurrentie op dat vlak betreft," meende Jill, „daarin heeft Frank wel gelijk, maar dat is in alle beroepen toch zo? Het barst van de reisorganisaties, slagers en bakkers, meubelzaken en garagebedrijven. En van de kledingzaken. Als je er in één van die branches bovenuit wilt steken, moet je uitblinken. Met iets bijzonders komen, het beter doen dan de anderen. Misschien schrijft Jim bijzondere verhalen. Heeft hij oog voor de aparte eigenschappen van een herdersvolk dat door de woestijn trekt. Ik noem maar wat."

„Ja, hoor eens," zei Sarah nu lachend, „van alle plannen die Jim heeft en van de manier waarop hij ze wil uitvoeren, weet ik nog niet alles. Zover is het ook nog niet. Daarover praten we in de toekomst wel, als deze plannen vaststaan en omlijnd zijn. Het is nog pril tussen ons. Zo dikwijls hebben we elkaar niet gezien, maar ik wilde het jullie toch vertellen."

„Dat is goed. Geen geheime liefdesaffaires, zodat we moeten raden: wat zou er met Sarah zijn? Ze heeft een voor ons onduidelijke glimlach op het gezicht, maar aan wie denkt ze? En er is een verlangende blik in haar ogen, naar wie verlangt ze? Maar nu zijn er geen vragen, want we weten: het is Jim. Als het iets wordt tussen hem en jou mag hij bij ons aan tafel schuiven. Ook al mogen we hem niet dolgraag." Even plagen mocht, Sarah wist hoe hij het bedoelde. „We nemen aan dat hij goed is omdat jij daarvan overtuigd bent."

Terug naar huis fietste ze naast Jill. „Zal ik met je meegaan voor een na-babbel over Jim? Sarah, is het echt een geschikte man voor jou? Stel dat hij zijn plannen doorzet, past dat in jouw plannen over een eigen winkel? Maar misschien past dat juist heel goed! Als hij maanden op pad is met een schrijfmachine en een fototoestel loopt hij jou niet voor de voeten! En je hoeft 's avonds geen uitgebreid maal op tafel te zetten! Je bakt een dikke pannenkoek en jij kunt er weer tegen! Maar hulp en steun heb je dan ook niet aan hem!"

Zondagmorgen, na kerktijd, fietste ze met haar ouders mee naar de Seringenlaan. Moeder hing haar mantel op een hanger aan de kapstok. Mouwen recht, kraag goed in model.

„Zo, gauw de koffie aanzetten. Ik heb er zin in. Het is guur en koud buiten. Maar het is februari, dan kunnen we dit weer verwachten. Bert, zet jij de verwarming hoger?" Moeder liep door naar de keuken.

Toen de koffie was ingeschonken – deze zondag lag er boterkoek op de schaaltjes – zei Sarah: „Pap, mam, ik heb een jongen ontmoet die ik leuk en lief en aardig vind."

„Dat is op jouw leeftijd niet echt vreemd, meisje," zei haar vader lachend, „maar voor jou en ook voor ons kan het heel bijzonder zijn. Want tussen alle jonge mensen die om je heen zijn, die je kent en spreekt, is er misschien maar één waarop je verliefd wordt. Ik heb me daarover wel eens verbaasd. Waarom juist die ene? Maar zo is het dikwijls wel." Vader keek naar moeder. Sarah veronderstelde dat hij deze woorden gebruikte om de mededeling tijd te geven door te dringen. „Waarom voor mij Marijke niet of Johanne of Helga? Waarom Stieneke wel?"

„Een goede vraag, want die meisjes waren knapper dan ik! Maar, Sarah, vertel over hem."

„Het is nog heel in het begin, stelt u zich er niet te veel van voor. Er kan van alles voorvallen tussen ons waardoor ik denk: Nee, hij is toch niet de ware voor mij. Maar zoals ik het nu voel, is het goed tussen ons. Hij heet Jim. Eigenlijk Jinze. Hij is enig kind. Het gezin is jaren geleden naar Millenburg verhuisd en omdat Jinze hier als een rare naam werd beschouwd door de klasgenootjes, hebben zijn ouders hem daarna Jim genoemd."

Vader vond het verstandig van die ouders en moeder knikte

instemmend. Als de jongen erom werd uitgelachen en geplaagd...
je weet hoe wreed kinderen kunnen zijn.

„Jims vader is overleden. Jim woont nog met zijn moeder in de
Sumatrastraat, de Indische buurt. Hij wil graag zelfstandig wonen,
is vierentwintig, maar hij wilde na het sterven van zijn vader zijn
moeder niet alleen laten. En nu nog niet. Want ze huilt vaak om
het verlies van haar man."

Instemmend geknik, een lieve jongen dus.

„Hij is fotograaf, hij werkt bij Alexandra."

„Dat is een goede zaak. Ik hoor er positieve berichten over.
Vooral de bruidsreportages zijn uitstekend. Die van Henk en
Marja is prachtig en de foto's van Karel en Toos zijn ook heel
apart." Sarah knikte, maar ze zei niet dat Jim niet voor de trouw-
reportages zorgde. Het was niet belangrijk.

„En?" vroeg vader, „hoe is het met het geloof? Doet de familie,
en vooral hij, daar iets aan?"

„Van huisuit, zoals men dat noemt, is de familie kerkelijk. Zijn
moeder gaat elke zondagmorgen naar de kerk. Jim vertelde dat de
dominee nu en dan bij haar langskomt. Jim gaat niet met haar mee.
Wel met Kerstmis, om zijn moeder een plezier te doen, maar dat
is nog geen kerkgang."

„Maar hij staat er niet vreemd tegenover. En ook niet vijandig.
Hij is ermee opgegroeid. Als jullie samen verdergaan in het leven,
breng jij hem terug op het goede pad en daarvoor zal hij je dankbaar zijn. Want het geloof is een grote steun in je leven, dat weet
je uit ervaring."

Sarah knikte. Maar had ze echt steun aan het geloof? De och-
tenden in de kerk onderging ze als erbij horen, ze voelde zich op
haar gemak tussen de gemeenteleden, broeders en zusters, zei de
dominee; dat ging wel erg ver, maar toch, het was een groep mensen waar ze bij hoorde. Ze genoot van de zang, mensen die samen
zongen, en de preek leerde geestelijke waarheden. Maar hulp en
steun? Welke steun dan? Ze had geen steun nodig en mogelijk
glimlachte God, boven in zijn hemel, stilletjes omdat alles goed
ging met haar. Hij bewaarde zijn steun voor als het nodig was.
Later in haar leven. Dan zou Hij er voor haar zijn. Alles in haar
leven verliep momenteel goed, zoals zij het prettig vond.

Ruim een week later waren ze met z'n tweeën neergestreken in De Pollepel. Een goed restaurant, en niet duur.

Toen de soep in wijde kommen voor hen stond, zei Jim: „Ik heb twee vragen voor je, Sarah. De eerste is een verzoek van mijn moeder. Ze wil je graag leren kennen. En ik voeg daarbij: ik wil je graag aan mijn moeder voorstellen. Mijn tweede vraag is: ik wil graag je appartement zien. Je hoort, alles dus grááág."

„Zijn we al zover met elkaar, Jim, dat we bij de wederzijdse families geïntroduceerd moeten worden?" Ze zei het plagend, want ze begreep dat zijn moeder bedoelde: wat voor meisje is het?

„Alleen mijn moeder. Niet de hele Friese familie. Die kennen me trouwens amper. Hedde en Jetske zijn destijds naar het westen getrokken. Dat was bijna naar een andere wereld."

„Mijn ouders willen jou ook ontmoeten. Handelen we alles in het weekend af? Zaterdagavond naar de Sumatrastraat en zondagmiddag naar mijn ouders?"

„Goed. En zondagavond napraten in jouw huisje. Dan heb ik iets leuks te vertellen."

„Wat dan?" informeerde ze gespeeld nieuwsgierig.

„Dat hoor je zondagavond."

„In welke richting moet ik denken? Heb je een grote prijs gewonnen? Ruil je Wammes in voor een andere auto?"

„Ik zeg er nog niets over."

Jims moeder was een lange, magere vrouw. Sarah vond haar hoekig. Dat was de goede omschrijving. Ze had weinig vrouwelijke rondingen. Ze liep rechtop, straalde fierheid uit en zelfverzekerdheid, maar dat moest schijn zijn, want Jim vertelde over haar onzekerheid en de angsten die ze vaak voelde.

Mevrouw Dijkema was vriendelijk. Ze nam Sarah in de gang bij de hand en hield die hand vast tot ze in de huiskamer waren. Haar ogen straalden vriendelijkheid uit. „Fijn met je kennis te maken, Sarah. Misschien vindt Jim het niet goed dat ik het zeg, maar ik doe het toch: hij praat voortdurend over je! En dat is toch niet erg? Een jongen die een meisje aardig vindt, en in dit geval méér dan aardig, mag toch over haar praten?"

Het werd een gezellige avond, met koffie en lekkere koeken. Jims moeder vertelde eerst over de levens van de drie mensen die in dit huis woonden vanaf de dag waarop Hedde en Jetske en kleine Jinze naar Millenburg waren gekomen. Over de ziekte en het overlijden van de vader. Maar dit vertellen ging in een kort tijdsbestek, want Jetske wilde erover praten – dit meisje moest het verdriet van het huis kennen – maar het mocht niet de hele avond duren. Sarah moest weten, en begrijpen, waarom Jim nog bij zijn moeder woonde. Ze wist dat ze hem geen echte vrijheid gaf en hoe moeilijk zij het zou hebben als ze alleen was. Nu waren de dagen eenzaam en ze duurden lang, maar tegen zes uur kwam Jim thuis. met verhalen over zijn werk. Bijvoorbeeld over een klein meisje dat op de foto moest, maar niet wilde zitten op het kleine stoeltje. En over de moeder die zich daar zo mee bemoeide dat Jim haar ten einde raad had gevraagd de studio te verlaten. Toen ze weg was, knipte hij prachtige foto's van het kleine ding. Zo had Jim veel verhalen. Jim bracht stukjes leven in huis die zij node miste. Ze wist het wel, iedereen raadde het haar aan, nou, iedereen, zoveel mensen sprak ze niet, maar wel de dokter en de dominee: ze moest erop uitgaan, maar ze kon het niet. Ze voelde zich nog altijd onzeker zonder Hedde naast zich.

De volgende middag reden Sarah en Jim in de rode Citroën naar de Seringenlaan. Ze werden hartelijk ontvangen door Bert en Stieneke Laverman. Waarom zouden ze die jongen níet hartelijk ontvangen? Hij was een vriend van Sarah, misschien werd hij haar man, hun schoonzoon, en ze wisten allebei dat er een breuk kon ontstaan tussen hun dochter en hen als zij de man van Sarah's keuze niet accepteerden. „En voor alles," had Bert gezegd, „moeten we dat voorkomen. We willen hoe dan ook ons meisje niet missen. We kunnen haar raad geven als wij het geen juiste keuze vinden, maar we laten haar niet los."

De kennismaking met Jim viel mee. Toen het jonge stel de deur uit was – nee, ze bleven niet mee-eten – zei Bert: „Hij heeft een vriendelijke uitstraling, dat komt ook door zijn mooie bruine ogen, maar ik vermoed dat, als je achter die glimlach kijkt, je een jongeman ontdekt die heel goed weet wat hij wil. Dat is op zich goed, een mens moet weten wat hij wil. Maar het moet niet te ver voeren."

Stieneke zei daarop: „Vlak wat dat betreft Sarah niet uit. Als ze iets in haar hoofd heeft, blijft ze eraan vasthouden. Dat was vroeger al zo toen ze klein was. Als ze niet langs een rechte weg haar zinnetje kon doordrijven, ging ze met een omweggetje, maar ze bereikte haar doel. Als het echt zo is, zijn ze aan elkaar gewaagd. Het enige wat me stoort, is zijn kleding. Zo somber, helemaal in het zwart! Sarah vertelde dat Jim altijd zwart draagt."

„Daarover maak ik me geen zorgen. Als ze met hem doorgaat en hij wil op een dag met haar ergens heen, zegt zij: 'Ik ga niet als je niet iets anders aantrekt'. Dan is het waarschijnlijk snel voorbij."

Intussen reden Jim en Sarah naar haar woning. Jim parkeerde de auto op het terrein achter het huis. Ze liepen door de steeg, Sarah opende de deur en ze stommelden de trap op.

„Sarah, lieveling, wat een heerlijke ruimte! En zo gezellig! Met uitzicht op de Vondelstraat!" Hij dwaalde door het appartement. De slaapkamer, de doucheruimte, het keukentje. „Je hebt geluk gehad dit te kunnen krijgen."

„Vader en meneer Pronk van beneden, de eigenaar van het pand, kennen elkaar van vroeger. Waren buurjongens en vriendjes in de straat. Toen vader via de aannemer hoorde dat deze zolderruimte verbouwd werd tot twee appartementen, vroeg hij Evert Pronk of zijn dochter één daarvan kon huren. En omdat het meneer Pronk niet uitmaakte wie er kwam wonen als de huur maar op tijd werd betaald, en omdat hij veronderstelde dat de dochter van Bert Laverman een keurig meisje zou zijn, Bert was tenslotte ook een keurige jongen," ze haalde even adem, „heb ik de sleutel gekregen en ik ben er inderdaad erg blij mee."

Sarah dekte de tafel met de mooie bordjes van het servies dat ze van haar ouders had gekregen toen ze deze woonruimte in gebruik nam. Melk in bijpassende glazen, boterhammen op de brood-schaal. Even dacht ze: Alsof we getrouwd zijn, het is zo gewoon en ook prettig. Ze wist dat Jim hetzelfde dacht, maar ook hij sprak de woorden niet uit.

Na de maaltijd samen – hoe huiselijk – wasten ze af. Daarna ging Jim in één van de stoelen zitten en Sarah nam tegenover hem plaats op de bank. Zo konden ze elkaar goed zien. Want Jim ging iets vertellen…

„Vertel nu," drong Sarah aan.

„Ja. Het begin speelde een paar maanden geleden. Je weet van mijn plannen voor later, maar op een dag moet je met die plannen beginnen. Ik had opeens de gedachte dat het voor de krant die hier dagelijks in veel brievenbussen wordt gegooid, Het Millenburger Dagblad, een goed idee zou zijn daarin een rubriek op te nemen waarin kleine wetenswaardigheden, voorvalletjes, onbelangrijke onderwerpjes, maar toch leuk om te weten en te lezen, beschreven worden. Ik kan over die dingen schrijven en er plaatjes bij maken. Ik vond het een goed plan. Toen dacht ik: ik kan erover bellen met de redactie van de krant, maar dan bleef het vaag bij woorden. Ik veronderstelde dat het beter was iets in handen te hebben om aan te bieden. Dat moest dan iets zijn waaruit die mensen konden opmaken wat mijn bedoeling was. Dus ging ik op zoek naar korte impressies, voorvallen, beschrijvingen en noem maar op. Alles wat ik dacht ervoor te kunnen gebruiken. Ik wilde ongeveer tien verschillende stukjes hebben. Ik liep rond over de wekelijkse markt en noteerde opmerkingen van kopers en verkopers. En je weet wel dat de kooplui ontzettend snel een gevat antwoord klaar-hebben. Ik keek in het museum en heb daarover een stukje geschreven en daarna ging ik een paar cafés binnen om sfeer op te doen. Zo kwam ik in Het Schippertje terecht.

De eerste keer was het er erg stil. Niets te beleven. Misschien had ik een verkeerd tijdstip uitgezocht, want daarover was niets grappigs of interessants te vertellen. Maar de tweede keer zat Joop Molenaar er. Hij zag me rondkijken, hij dacht wellicht dat ik een plekje zocht om even uit te rusten met een kopje koffie erbij; hij vroeg me bij hem te komen zitten en we raakten aan de praat. Van twee kanten was er de wil om te babbelen!" Jim lachte. „Joop praat graag en ik wilde wel naar hem luisteren! Ik vertelde hem, kwaad kon dat niet, over mijn plannen. Hij heeft veel verhalen. Ik vroeg of ik er een paar van hem mocht overnemen voor mijn plan en dat vond hij goed. Dat ze misschien eens in de krant zullen wor-den afgedrukt leek hem vreselijk leuk!! Ik maakte foto's bij de onderwerpen.

Toen ik alles had uitgewerkt, belde ik de redactie van de krant. Kreeg eerst de telefoniste aan de lijn, toen meneer Grondsma, daarna ene meneer Everdingen. Die meneer zei dat ik mocht komen met één en ander, een gesprek kon nooit kwaad. Zo was het ook. Ik ging erheen. Voelde het als 'onderzoek alle dingen en behoudt het goede' en misschien was dit de eerste stap. Ik werd vriendelijk ontvangen en ik heb meneer Everdingen, aan de andere kant van de grote tafel, één en ander verteld over mijn plannen. Legde de verhalen en de foto's voor hem neer. Hij keek vooral naar de foto's, logisch, de verhaaltjes kon hij zo snel niet lezen. Ik had een foto van de ingang van het museum, één bij de Hoge Brug en noem maar op. Ook één in Het Schippertje. Ik zag aan zijn gezicht dat hij er mogelijkheden in zag en hij beloofde er met een collega over te praten. Hij zou bellen als alles bekeken was.

Na drie dagen belde hij en vroeg of ik nog eens langs wilde komen. Hij had het hele gebeuren in handen gegeven van een collega die er meer mee wilde doen. En die vent stond me geweldig aan. Een grote, forse kerel met een leuke lach. Echt een man die in is voor nieuwe plannetjes. Je kon nooit weten wat eruit zou komen! zei hij. Dat lijkt me ook een goede instelling voor een krantenman. Hij en ik liggen elkaar, denk ik, heel goed. Er werden plannen gemaakt en binnen niet al te lange tijd komt er een rubriek. We moeten er nog een naam voor vinden; hoor je, zover is het al. Hij dacht aan iets als Heb je het al gehoord... of Kleine nieuwtjes uit onze stad. We zullen er allebei over denken."

,,Jim, wat leuk!!"

,,Ja. Maar het leukste voor mij van het hele avontuur was, dat ik, toen ik voor de tweede en derde keer in Het Schippertje was om te praten met Joop, jullie groep zag binnenkomen. Alleen dat binnenkomen al straalde, hoe zal ik het omschrijven, een leuke, goede vriendschap uit. Iets van bij elkaar horen. Het prettig vinden bij elkaar te zijn. Misschien zat er een stukje in. In die dagen zag ik overal leuke stukjes in! En dit zou over fijne vriendschap gaan; elk mens nemen zoals hij of zij is. Vriendschap die onhebbelijkheden met een vlotte opmerking kan afzwakken en die hulp biedt als dat nodig is.

En toen zag ik jou. Ik zag Jill en Hanne ook, maar jij had iets wat me aantrok. Je houding, je lach, het spontane in je, je blijheid ook. Ik kan het niet omschrijven. Het is wat ze soms noemen als een blok vallen voor iemand. Een malle uitdrukking. Ik wist ook niet of jij op mij viel, maar ik viel wel op jou! Daarom kwam ik terug in het café. Die bewuste zaterdagmiddag, een week later, dacht ik: Ik moet contact met de groep maken om dat meisje te bereiken. Ik voelde heel goed dat jullie niet blij met me waren, zo'n vreemde snoeshaan aan tafel, maar gelukkig zei Harm dat de stoelen in een café vrij zijn. Ik ving ook op, want reporters hebben goede oren, dat Harm en Frank soms op maandagavond in Het Schippertje een biertje drinken. Ik besloot er die maandag weer heen te gaan. En het geluk was met me, jij kwam binnen! Je keek snel om je heen, Bart schudde vanachter de tap met zijn hoofd, dat betekende 'niemand voor jou', dat vond hij genoeg en jij begreep het, maar ik dacht: Jazeker is er wel iemand voor jou! En dat lukte."

„Jim, wat een heerlijk verhaal over de man van de krant en jouw stukjes." Sarah stond snel op van de bank, liep naar hem toe en trok hem uit de stoel. Ze sloeg haar armen om hem heen en kuste hem. „Het begin van je carrière, lieverd, wat fijn voor je! Deze richting wil je uit!"

„Ik kom naast je zitten op de bank, dicht bij elkaar, want het verhaal gaat nog verder, Sarah, lieveling van me! Want toen ik voor de tweede keer naar de redactie ging, werd ik weer het kantoor binnengeloodst van Werner Berkenrode. De man die zo sympathiek op me over was gekomen tijdens ons eerste gesprek. Dat heb je soms, hè?" Jim lachte, „want toen ik jou voor de eerste keer zag…"

„Ja, ja," riep ze ongeduldig, „dat verhaal ken ik. Je zag mij en kon me nooit meer vergeten! Maar vertel verder."

„Goed. Het geeft mij het gevoel alsof Berkenrode en ik eerder in ons leven dikke vrienden zijn geweest. Maar dat is beslist niet het geval, want hij en ik hebben elkaar nooit eerder gezien. We praatten over de columns, zo moet ik ze vanaf nu noemen, ha, ha, het zijn geen vertelseltjes meer! Hij heeft ze gelezen en hij wil ze dus plaatsen in een rubriek die nog een naam moet hebben. Jij en ik moeten meedenken. Niet van: ik schrijft de columns, jullie zoeken er maar een naam voor… Nee, liefje, betrokken zijn." Weer klonk zijn vrolijke lach, want Jim voelde zich heerlijk Sarah dit alles te vertellen. „We kwamen die middag niet op een passende titel, maar dat hoeft ook niet, want het duurt wel een paar weken, enkele maanden misschien zelfs, voor de eerste column in de krant wordt afgedrukt en daaronder: geschreven door Jim Dijkema.

Werner en ik hadden een goed gesprek. Voor mij was het tenminste een goed gesprek. Of het moet zo zijn dat ik me volkomen in die kerel vergis en hij meer aanlokkelijke voorstellen doet dan hij kan waarmaken. Maar zo wil ik niet denken, ik wil vertrouwen hebben. Op de achtergrond hou ik er wel stilletjes rekening mee. Mijn vader noemde mensen met grote beloftes die ze niet nakwamen, gladdekkers.

Berkenrode vroeg naar mijn plannen voor de toekomst en hij deed dat met belangstelling. Ik vertelde erover. Hij zei toen iets wat ik natuurlijk allang weet en ook dat het een handicap kan zijn. Het is het feit dat je geld moet hebben om een start te maken als je freelance verslaggever wilt worden. Werner Berkenrode zegde me toe dat hij mijn eerste grote artikelen met aandacht zal lezen. Dat kan hij natuurlijk zonder enig risico van zijn kant zeggen. Als de inhoud hem niet aanstaat, wijst hij ze af. Maar hij geeft mij nu het gevoel een steuntje in de rug te hebben; alvast een mogelijke afnemer! Het kan ook zijn dat hij wél goede gevoelens heeft over mijn capaciteiten en dat een goede medewerker voor een krant nooit weg is. In elk geval wil hij ze, als ze goed zijn, een plaats geven in de zaterdagse bijlage van de krant. Dat is een prachtig aanbod. Maar ik moet die reportages wél eerst maken!

Ik heb een startkapitaal. Zoals iedereen met een eigen bedrijf, of een eigen winkel" – hij lachte naar haar, zij wilde toch graag een winkeltje – „eerst moet investeren om later geld te verdienen."

„Het is een prachtig aanbod! En eruit blijkt dat die Berkenrode je columns goed vindt, ja toch, Jim? De schrijftrant, de stijl?"

Ze praatten erover door. Er was heel veel te zeggen. „Berkenrode zei ook nog dat hij relaties onderhoudt met lui die in de redactie zitten van grote week- en maandbladen. Als mijn reportages goed zijn, wil hij bij die mensen mijn naam noemen. Introduceren heet dat officieel. Hij vertelde ook nog dat er veel aanbod bij hen binnenkomt, maar lang niet al die artikelen zijn goed genoeg om opgenomen te worden. Als het onderwerp uitstekend is, rammelt de tekst, en op die redacties begint men er niet aan de tekst van een auteur te verbeteren. Het moet van voor naar achter helemaal kloppen."

De volgende avond kwam Jim weer naar de Appelboomsteeg. Ze bogen zich over de mogelijkheden van Jims eerste reis, die hij naar Duitsland wilde maken. Hij had de omgeving van de Lünenburger Heide gekozen. In een impuls, het was niet te ver van huis en een streek die niet zo dikwijls werd beschreven als het Zwarte Woud, de Harz of het Oostzeekustgebied. Ze maakten schema's en schattingen van kosten en besloten werd dat Jim zou vertrekken zodra Jan Stevens, de eigenaar van fotostudio Alexandra hem een paar weken wilde laten gaan, met onbetaald verlof. Jan Stevens kende de plannen van zijn medewerker en hij vond dat hij Jim de kans op een aanzet moest geven. Hij wilde Jim na die weken graag terugzien in zijn fotostudio, want Jim was een gewaardeerde kracht. Jim maakte prachtige foto's, ook leuke plaatjes van kinderen, maar bij een bruidsreportage voelde Jim zich niet op zijn gemak. „Ik kan het niet rustig doen," had hij erover gezegd, „misschien kán ik het wel, maar ik vind dat ik te veel beslag op hen leg, te veel tijd vraag. Het is hún dag, niet de dag van de fotograaf die om hen heen draait: Wacht u als u de trouwwagen uitstapt, hoofd iets schuiner, nee dat is te ver, kust u de bruid, niet zo, dan zie ik haar gezicht niet goed."

Stevens had er hartelijk om gelachen. „Ik hoor het al," was zijn reactie geweest, „die afdeling blijft in handen van Rick Govers. Hij vindt zo'n bruid prachtig. En hij heeft er geen problemen mee als ze rillend van de kou in die dunne jurk onder een magnolia staat. Als het plaatje maar mooi wordt!"

Vier weken later vertrok Jim Dijkema op maandagmorgen.

De avond ervoor dronken Sarah en hij een glas wijn op de goede afloop van het avontuur, want voor Jim was het een avontuur. Voor de eerste keer op stap met het kleine schrijfmachientje en de koffer met de camera en alle benodigdheden. Sarah had hem innig gekust bij het afscheid. Ze wenste hem heel veel succes. Jim zei: „Lieveling, mijn Sarah, ik bel je zodra ik een niet te duur pensionnetje heb gevonden. Mijn kleren in de smalle kast en de apparatuur uitgestald, klaar om te beginnen. En ik bel je als ik bezig ben met een geweldig verhaal! Lieveling, denk aan me, ik denk aan jou en ik blijf niet lang weg."

Die maandagavond was het vreemd stil in haar kamer. De laatste weken was Jim vrijwel elke avond naar haar toegekomen. Ze praatten over de plannen natuurlijk, maar ook over alle dingen die haar en hem daarnaast bezighielden.

Nu zat ze op de bank. Voor ze Jim kende vond ze het heerlijk de avonden – behalve in het weekend – alleen te zijn. De drukte en vermoeidheid van de hele dag staan in de winkel en de gesprekken gleden dan van haar af; ze kon dan de geluiden en woorden om haar heen loslaten. Het was heerlijk met niemand rekening te hoeven houden, doen wat ze wilde. Televisiekijken, lezen, wegdromen in eigen gedachten. Maar nu ze Jim had en van hem hield, was het heerlijk hem bij zich te hebben.

Ze was zo blij toen hij vertelde over zijn stukjes voor de krant en het gesprek met Berkenrode. Het was toch heerlijk voor een beginnend journalist direct al zo'n succes te hebben?! Het was een geweldig succes. Geen vellen vol woorden opsturen naar redacties en weken later de hele troep weer terugkrijgen, maar direct: ja, akkoord!

Sarah was blij en trots. Over enige maanden was Jim bij sommige mensen, lezers en lezeressen van de krant, al een beetje bekend. Heb je dat stukje van Jim Dijkema gelezen? De mensen zouden de columns vast leuk vinden. Er waren er natuurlijk ook met kritiek, maar dat was nu eenmaal onvermijdelijk. Dat was altijd zo. De één vindt het leuk, de ander juist niet. Voor Jim was het heerlijk. Dit was het werk waarmee hij in zijn en haar toekomst mee bezig wilde zijn. En zij had er vrede mee dat hij dan veel weg zou zijn. Dit was voor hém het werk waarnaar hij verlangde. Voor háár was dat een eigen boetiek. Als ze dat bereikte, zou ze ook lange dagen bezig zijn met haar werk, en of dat nu, zoals voor Jim, ver van huis was of voor haar in een winkelpand in de binnenstad, het betekende dat ze in die uren niet bij elkaar zouden zijn. Maar wel in gedachten. Verlangend naar de vrije uren samen.

Sarah had de vriendenclub van Jims plannen op de hoogte gebracht. Aan de ronde tafel in Het Schippertje, waar anders.

„Daar vind ik het nou net een jongen voor," de stem van Frank schoot ervan uit, de ironie was voelbaar, „hij heeft beslist veel fantasie, dat zie je aan zijn kleding, hij denkt niet verder dan zwart, maar als hij dat beetje fantasie in woorden omzet, worden het fantastische verhalen!"

Gelach aan de tafel.

„Maar, Sarah, vind jíj het leuk dat hij dit werk gaat doen? Dat wordt in de toekomst negen van de tien dagen alleen zitten. Dat kun je op je vingers natellen. Jim op weg met camera en notitie-blok. Voor hem gesprekken met interessante mensen en logeren in mooie hotels, waar hij praat over zijn vrouw, ja, die is alleen thuis. Vanavond maar een boterham met een gebakken eitje."

Weer gelach. Want Sarah wist dat deze opmerkingen van Frank en Hanne niet echt gemeend waren. Ze wilden er grappen over maken, maar Sarah wist dat het niet lelijk bedoeld was. Als puntje bij paaltje kwam bewonderden ze Jim om het feit dat hij tot dit werk in staat was. Columns in de krant en binnen niet al te lange tijd prachtige reportages in week- en maandbladen. Ze vonden het knap.

„Zo willen wij leven," ging Sarah er ernstig op in. Ze keek de kring rond. Ze zag opgeheven gezichten, aandacht voor haar. „We houden van elkaar, maar we laten elkaar vrij het werk te doen wat we graag willen. En dit werk van Jim zie ik meer als een roeping voor hem dan werk. Het is een levensinvulling. Het een roeping noemen is misschien overdreven, maar in die richting gaat het voor ons. Het zijn dromen. Dit voor hem en voor mij, jullie weten het zo langzamerhand wel, een eigen winkel. Dat lijkt me heerlijk, maar ik zie dat toch meer als werk dan dit van Jim. Hij zal veel mensen ontmoeten, veel landen en steden bezoeken, het moet een afwisselend leven zijn en daar verlangt Jim naar. Niet elke dag op dezelfde stoel in een kantoor zitten of achter dezelfde toonbank van een winkel staan, veertig jaar lang, tot de dag waarop hij gehuldigd wordt."

Het gesprek ging verder, ernstig nu, maar wel over hetzelfde onderwerp. „We hopen dat Jim zal slagen in zijn plannen, Sarah, dat weet je wel. En als jij tobt met eenzame avonden, bel je ons en komen we naar je toe. Zal ik het rooster alvast opnoemen?" Dit was echt Jill. „Maandag komt Harm op bezoek, dinsdagavond ik, woensdagavond Frank, donderdagavond Hanne…"

„Alsjeblieft! Ik wil jullie niet voortdurend over de vloer hebben! Ik zie jullie hier en dan plagen jullie me al meer dan genoeg."

Uit Duitsland kwamen de volgende avonden korte telefoontjes. „Het gaat goed, lieveling. Ik heb een leuk pensionnetje gevonden in een dorpje dicht bij Saltau. En ik heb een prachtig verhaal gehoord van de waardin! Zo noem ik haar. Groot en dik en zorgzaam. Een schrijver te logeren, dat vindt ze leuk! Ik heb mooie plaatjes geschoten, want het is een prachtige landstreek. Hoe is het met jou? Denk je veel aan me? Wil je geloven dat ik dat voel? Dan komt opeens een warmte in me op en verlang ik heftig naar je. Om je te zien, je vast te houden, je te kussen. Meisje, over drie of vier dagen pak ik mijn spulletjes weer in en kom ik naar huis. Wil jij moeder daarover bellen? Ik heb haar gisteren gebeld, maar ik weet dat ze naar een beetje steun van jou verlangt. Twee vrouwen die aan me denken, wat een weelde."

„Ik bel haar of ik ga naar haar toe."

„Dat zal ze fijn vinden, lieveling, ik hou van jou."

De volgende avond fietste Sarah naar de Sumatrastraat. Mevrouw Dijkema opende de deur. „Sarah, meisje, kom binnen. Wat fijn dat je me komt opzoeken. Het is zo stil in huis zonder Jim." Ze liepen naar de woonkamer. „Kind, ga zitten. Ik wist allang dat hij plannen in deze richting koesterde en ik vind het fijn voor hem dat het er nu van is gekomen. Zal ik thee zetten? Of heb je liever koffie? Liever thee? Goed, meisje, ik zet het water op. Jim heeft me gebeld toen hij een geschikt onderdak had gevonden. Zo ver weg en helemaal alleen." Jetske Dijkema schudde haar hoofd en voegde er lachend aan toe: „Mijn kleine jochie van vroeger. Maar hij is nu een grote vent en hij weet wat hij wil. Het is fijn dat te mogen denken. Als Hedde dit had kunnen beleven, zou hij trots op onze jongen zijn geweest. Hoewel het 'de wereld intrekken' hem ook zorgen zou geven.

Ze zaten tegenover elkaar. Sarah dacht: Wat kan een moeder anders zeggen. Ze keek naar de vrouw tegenover zich, de handen in de schoot op de donkere rok en hoorde de stem.

„Jim is een lieve, goede jongen, Sarah. Ik weet wat je nu denkt. Ik ben zijn moeder en hij is mijn enige kind, wat kan een moeder anders zeggen," weer een klein lachje, „maar het is echt zo. Voordat mijn man ziek werd vertelde Jim ons dat hij uit huis wilde gaan. Hij had het hier goed, dat was het niet, maar hij wilde zelfstandig zijn, zeg maar, zijn eigen leven leven. Mijn man en ik begrepen dat van de jongen en we zeiden dat hij dat moest doen, ook al vonden we het niet echt leuk. Want wij bleven dan samen achter. We zouden hem missen, ook omdat Jim nieuwtjes binnenbracht en hij kan zo vrolijk zijn, lachen en gekke dingen vertellen.

Hij kon toen een appartementje huren aan de Scorelkade. Maar mijn man werd ziek. De dokter vertelde meteen hoe ernstig het was. Dat kwam heel hard aan. Jim zegde direct dat appartementje af omdat hij ons wilde steunen. Dat was toch erg lief van hem?" Sarah knikte. Ja, dat was lief van Jim.

„Toen mijn man was overleden, wilde Jim mij niet alleen laten. Ik heb hem wel gezegd dat ik begreep dat hij liever op zichzelf wilde wonen, maar ik vond het heerlijk dat hij bij me bleef. En ik heb hem vrijgelaten. Ik vraag nooit waar hij is geweest als hij laat thuiskomt. De laatste maanden weet ik dat hij vaak naar jou toegaat, of jullie gaan ergens samen naartoe. En hij vertelt veel over jou. Hij houdt van je, Sarah. En de ware liefde van een man in je leven is een heerlijk bezit. Een grote steun ook. Jim heeft veel vriendinnetjes gehad. De meisjes vielen op hem, leek het wel. Misschien door die zwarte kleren, daarvan was en is hij niet af te brengen. Mogelijk vonden de meisjes dat interessant. Maar ik denk dat ze zagen dat hij een lieve jongen is."

Na ruim een uur vertrok Sarah uit het huis aan de Sumatralaan met de belofte gauw weer langs te komen. „Fijn dat je geweest bent, kind, het maakt mijn hele dag goed."

Ze was nog maar net thuis toen de bel ging. Ze liep terug naar de deur en opende die. Margreet Volkers stond voor haar. Sarah deed een stap opzij en Margreet kwam binnen.

„Sarah, weet je dat Pronk ziek is?" En toen Sarah haar hoofd schudde, vervolgde ze: „Hij werd vanmiddag opeens heel benauwd. Het winkelmeisje, Tanja, je kent haar wel, schrok vreselijk en draaide meteen het alarmnummer. Even later kwam een dokter en weer later een ambulance, waarmee Pronk naar het ziekenhuis is gebracht. Ik hoorde het verhaal van Tanja toen ik thuiskwam. Het kind was behoorlijk overstuur. De dochter van Pronk, Vera, heeft me vanuit het ziekenhuis gebeld dat haar vader problemen heeft met zijn hart. Haar moeder en zij waren in het ziekenhuis en bleven daar. Haar broer Geert, hij woont in Limburg, was toen al onderweg naar hier."

Sarah zag Pronk voor zich. Hij was geen grote, maar wel een te dikke man. Ze schatte hem achter in de vijftig. Hij was een bedrijvige man, altijd bezig in zijn winkel op een nerveus makende manier. Sarah had wel eens gedacht: De manier waarop hij heen en weer dribbelt, maakt je al moe. Moeder, die hem eens bezig zag, zei: „Hij is zo doenig." De nieuw binnengekomen spullen moesten snel uitgepakt worden en alles moest een goed plaatsje vinden in de winkel, want als een klant ernaar vroeg moest het er staan; dan ben je als winkelier goed in de weer.

Sarah had niet echt contact met hem. Af en toe een praatje, maar meer uit beleefdheid dan omdat ze op elkaar gesteld waren. En het leeftijdsverschil was te groot om bevriend te zijn. Ze hadden ook niet veel met elkaar te maken. Hij verhuurde de woonruimte en Sarah huurde het.

Ze dronken een glas sinaasappelsap.

„Ik hoop," zei Margreet, „dat het niet ernstig is met Pronk. Het klinkt misschien egoïstisch, al bedoel ik het beslist niet zo, maar het kan voor ons nare gevolgen hebben. Stel dat Pronk het werk in de winkel niet kan volhouden en dat de doktoren hem afraden de zaak voort te zetten, wat gaat er dan gebeuren? Stel dat hij het pand verkoopt en er komt een bedrijf in dat het hele pand in gebruik wil nemen."

Sarah knikte. Waarom dacht Margreet meteen hieraan? Ze verdiende toch genoeg om een mooie flat in een buitenwijk te huren?

„Ik woon hier met veel plezier. De ruimte is niet te klein en niet te groot voor een vrouw alleen. En het is zo heerlijk in de binnenstad. Ik kan na kantoortijd vlak bij mijn voordeur de boodschappen doen. En ik heb mijn woninkje ingericht zoals ik dat graag wil."

Toen Margreet was weggegaan – we houden elkaar van alle ontwikkelingen op de hoogte – zakte Sarah op de bank neer. Ze dacht aan meneer Pronk, zoals ze hem altijd noemde. Hij lag nu met slangen en toestanden in een wit ziekenhuishemd op de intensive care. Zijn vrouw, dochter, zoon en de verdere familie wachtten af, hopend en biddend voor zijn herstel. En ze dacht aan wat Margreet had gezegd: Als het niet goed gaat met Pronk... Gedachten sprongen door haar hoofd. Als ze hier weg moest, als er een ander bedrijf in het pand werd gevestigd... een ander bedrijf... een boetiek, háár boetiek... Het was geen groot pand, misschien wilde mevrouw Pronk het verhuren. Kon zij dan... Kopen kon ze natuurlijk niet.

De gedachten hierover hielden haar bezig. Ze keek naar het

klokje dat op een van de planken van de boekenkast stond. Half elf in de avond. Nog niet laat. Ze kon haar ouders bellen. Vader kende Evert Pronk, ze hadden veel gesprekken gevoerd, vader moest weten dat meneer Pronk erg ziek was. Ze draaide het nummer en daar was de stem van moeder, een beetje zingend: „Mevrouw Laverman."

„Mam, met mij. Is papa thuis? Maar nee, ik kan het u ook vertellen. Meneer Pronk heeft vanmiddag problemen gekregen met zijn hart. Hij is naar het ziekenhuis gebracht."

„Kind, liefje, dat is vreselijk! Evert uit zijn winkel, dat is verschrikkelijk voor hem! Papa staat naast me. Ik geef je aan hem."

„Heb ik het goed opgevangen, is Evert Pronk naar het ziekenhuis gebracht? Ik weet dat men er in zo'n geval niet meteen een oordeel aan mag verbinden, maar een feit is toch dat Evert op een veel te gehaast tempo door het leven snelde. Hij had het altijd druk, druk en nog eens druk. Je hoorde niets anders. Driftig lopen, snel handelen..." Vader zweeg even, toen zei hij: „Dus hij ligt nu in het ziekenhuis. Dat zal problemen geven in de winkel. Het meisje dat hem helpt, kan het alleen niet aan, dat staat vast. Dat is onmogelijk voor het kind. En Geert heeft een drukke baan. Hij kan niet inspringen en bovendien, hoe lang kan het duren voor Evert weer in de winkel is? Geert heeft daarbij totaal geen weet van wat er te koop is. De dochter van Evert en Thea heeft een gezin met drie of vier jonge kinderen, zij kan ook niet helpen. En Thea heeft voorlopig haar handen vol om Evert bij te staan in zijn ziek-zijn. Het wordt een groot probleem. En het ergste is dat Evert in dat ziekenhuisbed dit allemaal ook weet en zich er vreselijk druk over zal maken! Want, en daarin heeft hij dan gelijk, als dit enige weken of maanden duurt, zal zijn zaak een behoorlijke klap krijgen. Misschien stelt Thea voor de winkeldeur voor korte tijd op slot te draaien, want zonder goede hulp kunnen ze niet verder." Sarah hoorde vaders diepe zucht.

„Wat een toestand voor die arme kerel. Ik heb echt medelijden met hem. We weten hoe verknocht hij aan de winkel is en hoe trots hij erop is. Hij heeft het van een klein winkeltje opgewerkt tot een flinke zaak met veel vaste klanten en hij heeft er van alles bijgehaald, portemonnees, maar ook rugzakken en mooie koffers en noem maar op. Het is een gezellige winkel. En nu dit. Ik weet ook niet hoe dit aangepakt moet worden. Ik neem aan dat Geert en zijn vrouw en Vera in de stad zijn; misschien zijn ze alle drie nog in het ziekenhuis. Het is een naar bericht, kind, maar wij kunnen er niets aan doen."

„Dat weet ik ook wel. Maar ik wilde het jullie zeggen."

„Dat is goed. Margreet is zeker ook geschrokken van het bericht?"

„Ja. Zij ging in gedachten al een stapje verder. Als meneer Pronk het werken in de winkel niet kan volhouden in de toekomst..."

„Nou, dat vind ik wel een beetje erg ver gaan! Misschien valt het allemaal mee. Er worden meer mensen holderdebolder met ernstige klachten naar het ziekenhuis gereden en dat is goed, als er gevaar dreigt moet het gebeuren, maar na de eerste onderzoeken blijkt het soms mee te vallen. Zo kan het met Evert toch ook zijn?"

„Dat hopen we voor hem. Maar Margreet ging even uit van de veronderstelling dat dat niet zo zal zijn en wat gebeurt er dan? Wordt het pand verkocht, wil de nieuwe eigenaar het hele pand in gebruik nemen?"

„Sarah, lieverd, loop niet zo op de dingen vooruit!!"

„Dat doet ik ook niet. Margreet zei het."

„Leg dat maar even naast je neer. Raak niet in paniek omdat je dan misschien wat huisvesting betreft in de knoop komt te zitten. Op de bovenverdieping van het pand zijn die twee woninkjes gebouwd, daar is voor een volgende winkelier niet veel mee te beginnen wat werkruimte betreft. Bovendien brengt de huur een aardig centje op. Kind, wacht eerst maar af hoe een en ander zich ontwikkelt. Misschien komen Geert en Thea snel met een oplossing. Hopelijk kennen ze iemand die voor enige tijd het hele gedoe wil runnen. Iemand die weet van koffers en handtassen, rugzakken en portemonnees. En Tanja werkt er al een paar jaar, zij staat niet als een onwetend katje in een vreemd pakhuis, nee toch?"

„Nee. Ik maak me ook geen zorgen over de woonruimte. Ik denk aan meneer Pronk. En hoe ziek en ellendig hij zich moet voelen. En aan zijn vrouw en kinderen, het is voor hen moeilijk."

„Goed, meisje," er klonk een licht lachje van vader aan de andere kant van de lijn, „neem het gezin Pronk mee in je avondgebed. Moeder en ik zullen dat ook doen. We hopen dat de Here bij hem zal zijn."

52

Sarah legde de hoorn terug. Ze bleef denken aan de woorden van Margreet: Wat gebeurt er als Pronk moet stoppen met de winkel? En haar eigen gedachten: Een andere winkel... míjn winkel... Ze haalde een glas water. „Van helder water ga je helder denken," zei Hanne, malle meid, eens. Sarah trok haar benen op de bank; zat er een mogelijkheid in? Ze had de papieren om een eigen zaak te mogen beginnen, ze had geld op de bank, maar was dat genoeg? Om te huren misschien wel, maar voor alle spullen die ze in haar winkel wilde hebben, zeker niet. En dan de verbouwing. Nee, dat zou niet gaan. Maar het was wel een prachtige kans. Zielig voor meneer Pronk, maar als zij de winkel niet zou huren kwam er een ander die het wel deed. Of het hele pand kocht. En haar en Margreet weg wilde hebben. Het zou aan de ziekte van meneer Pronk niets veranderen...

Als Jim nu hier was, kon ze er met hem over praten. Maar Jim zat in een pensionnetje in een dorp dicht bij Saltau. Vanmorgen kwam een kort briefje van hem. Ze had het met een lach gelezen. Enthousiaste woorden over de omgeving, over de aardige vrouw die het pensionnetje bestierde, ze kon leuk vertellen en, dat snapte Sarah wel, daar luisterde hij graag naar! Over twee dagen kwam hij naar huis.

Hij had genoeg materiaal verzameld om drie of vier artikelen te schrijven. Maar hij kon natuurlijk niet al die artikelen in één keer op het bureau van Berkenrode deponeren! Twee of drie kwamen op de plank te liggen. Welke plank, dat wist hij nog niet. Maar zo heette dat in het jargon. Niet meteen in vier tijdschriften of kranten prachtige verhalen met fantastische foto's van Jim Dijkema over de Lünenburger Heide; dan ging half Nederland deze zomer die kant op en werd het overvol in dat gebied! Hij vroeg natuurlijk hoe het met haar ging, maar ze had hem via de telefoon gezegd dat het leven rustig voortkabbelde en hij nam aan dat het nog steeds rustig voortkabbelde. Maar dat was niet zo.

In gedachten vertelde ze Jim over meneer Pronk. Hij zou luisteren en al snel met de vraag komen hoe ze het wilde oplossen als het pand verkocht werd en de nieuwe eigenaren de bovenverdieping als woonruimte wilden gebruiken. De beide appartementen samen gaven genoeg ruimte aan een klein gezin. En wat moest zij dan? Had ze daar al over gedacht? Natuurlijk had ze erover gedacht, dat snapte hij ook wel, maar wat waren de mogelijkheden? „Dat weet ik niet, Jim," zou ze moeten zeggen.

De volgende dag stapte Geert Pronk aan het einde van de middag de winkel binnen. Sarah loodste hem naar de achterkamer. „Geert, Margreet heeft me verteld wat je vader is overkomen. Hoe is het nu met hem?"

Geert Pronk was tegenover haar aan tafel geschoven. „Niet best," zei hij met een diepe zucht, „het ziet er heel akelig uit. En wij voelen, moeder, Eva en ik en ook de anderen, dat hij zich naast zijn ziekte bezorgd maakt over zijn winkel. Tenminste," Geert keek haar aan en probeerde te glimlachen, maar dat lukte niet echt, „dat veronderstellen we. Je weet hoe vader op zijn zaak gesteld is. Zijn gezin komt beslist op de eerste plaats wat zijn liefde betreft, maar de winkel maakt een groot deel van zijn leven uit. Hij was er van vroeg tot laat mee bezig. En ik denk dat hij 's avonds in bed bedacht wat hij de volgende morgen het eerst moest aanpakken. Maar waarschijnlijk, Sarah," weer een diepe zucht van onmacht, verdriet en zorg, „is hij te ziek om over de winkel na te denken. Hij ligt zo zielig in het bed," Geert schudde zijn hoofd. „Hij was zo'n kordate man, en nu, in de tijd van enkele minuten werd hij volledig uitgeteld."

Ze praatten verder. Over andere ziektegevallen en de afloop daarvan en toen kwam de vraag welke beslissingen genomen konden worden om de zaak draaiende te houden; Geert praatte en Sarah luisterde. Geert stond op. Hij zei: „Ik wist dat je van vaders ziekte op de hoogte was, maar ik wilde er zelf met je over praten."

„Dat stel ik op prijs," en toen vroeg ze, alle moed bijeen rapend, want dit was in deze omstandigheden een moeilijke vraag, maar het was nodig voor haar: „Geert, wat gebeurt er met het pand als je vader de winkel niet kan voorzetten?"

Geert Pronk keek haar strak aan. En op wrange toon zei hij: „Je vreest voor je woonruimte."

„Dat niet in de eerste plaats, Geert, neem me niet kwalijk dat ik hier nu over begin, maar het kan belangrijk voor me zijn het te weten als er plannen worden gemaakt en overeenkomsten worden gesloten. Ik wil namelijk graag een eigen winkeltje beginnen. Ik werk nu bij modehuis Claudette en het bevalt me daar prima," ze moest doorpraten om hem de gelegenheid te geven zijn gedachten te ordenen, „maar mijn droom is in de toekomst een eigen winkel te hebben. In kleding!"

„Ik snap het." Geert Pronk zuchtte diep. „Het voelt hard aan nu al te horen praten over 'als mijn vader niet meer terug kan keren naar de winkel', maar we moeten het ook nuchter onder ogen zien en ik begrijp het van jouw kant. Het kan gebeuren dat er op korte termijn een beslissing wordt genomen die jouw plannen doorkruist. En," hij keek haar recht aan, „aan het ziektebeeld van mijn vader verandert niets. Ik beloof je aan je te denken als het zover is. Maar ik heb geen idee hoe het zich ontwikkelt. Dat begrijp je wel. Vera en ik, en onze echtgenoten, hebben, wettelijk, geen stem in welk besluit dan ook. Dat is de zaak van onze ouders, maar ik neem aan dat ze erop gesteld zijn onze meningen te horen. Ik zal er in elk geval met Vera over praten. Zodat zij niet," opeens gleed een lach over zijn gezicht, „als opeens een vriend of vriendin opduikt die een handeltje wil beginnen, spontaan zegt dat zij wel iets voor hem of haar weet! Het is geen groot pand, dat weet je, maar de locatie is uitstekend."

Zaterdagmiddag was het, zoals gewoonlijk, knus en gezellig in Het Schippertje.

Sarah had een blij, warm gevoel vanbinnen, want vanavond kwam Jim thuis! Nou ja, thuis, niet bij haar, bij haar was zijn thuis nog niet, hij woonde bij zijn moeder en hij wist dat ze verstopt achter de vitrages op hem wachtte. Maar hij kwam als hij alle nieuwtjes aan zijn moeder had verteld zo snel mogelijk naar de Vondelstraat.

Ze zat in de kring, de ellebogen gesteund op het harde tafelblad, veel geroezemoes en gepraat en gelach om haar heen. Eerst kwamen meestal de nieuwtjes uit de kring. „Vertel maar kleine nieuwtjes als er geen hartverscheurende berichten zijn," had Jill eens gezegd, „we moeten toch érgens over leuteren." Maar er was altijd genoeg te leuteren. Echt stil viel het aan de ronde tafel nooit.

„Mijn vader is heel ongelukkig gevallen," begon Hanne, „op het paadje dat rond ons huis loopt. Kleine, gele boerensteentjes, jullie kennen het paadje wel. Het staat leuk, het past ook bij het huis, maar als er een steentje los ligt, is het gevaarlijk en dat was nu het geval. Vader liep snel en hups, daar lag hij. Gelukkig had moeder hem langs het raam zien schuiven, maar hij kwam niet binnen. Eerst dacht ze: Hij kijkt bij de planten, maar zó lang bij de planten…" Hanne kon zo heerlijk uitgebreid tot in de details vertellen. Soms riepen de jongens: „Ja, draai de film maar even door," maar nu zweeg iedereen. „Dus ging ze kijken en daar lag hij. Ze heeft meteen de dokter gebeld, want vader had veel pijn in zijn heup en in de rechterknie. Met de ambulance naar het ziekenhuis, dat snappen jullie wel. Maar er is gelukkig niets gebroken, alleen behoorlijk gekneusd. Nu zit hij met kussens in de rug en onder de knie in de huiskamer. Ik zeg niet zielig te zijn, want vader is geen janker. Maar lekker voelt hij zich niet door dit hele gebeuren."

Daarover werd doorgepraat. Frank kende een man die met zijn heup… Een heel verhaal! Sarah glimlachte er stilletjes om. Jim zei eens dat hij geen schrijver was en geen auteur. Want echte schrijvers kunnen volkomen uit hun fantasie, uit een totaal 'niets tastbaars' een verhaal bedenken. Jim moest een gegeven hebben en daarop voortborduren. Maar dat kon toch niet moeilijk zijn? Hier werden op de zaterdagmiddag genoeg onderwerpen aangedragen!! Zoals de val van vader Kleipoel. Jim kon er een geschiedenis bij bedenken. Het ziekenhuis, verkeerde diagnose van de arts. Maar mogelijk werd het geen spannend verhaal. En ook niet echt leuk om te lezen. In de prullenmand maar met het onderwerp.

Na een paar gesprekjes zei ze: „Vanavond komt Jim thuis van zijn eerste reis als verslaggever. Nou nee, verslaggever is hij niet, hij verslaat geen voetbalwedstrijden of zo, hij zegt zelf dat hij kijkt naar wat hij tegenkomt."

Ze knikten. „Denk je dat hij iets gevonden heeft wat interessant genoeg is voor ons krantje? Zover weg gaan, helemaal naar Duitsland, wie in Millenburg interesseert zich voor wat daar gebeurt?"

„Nou," viel Rob bij, „hij vindt gauw iets wat interessanter is dan alle woorden die nu in de krant staan. Het wereldgebeuren hebben we de avond daarvoor op de televisie gezien en gehoord, daarover staat geen nieuws meer in de krant. En neem nou het plaatselijke geharrewar over de brug over het Zomerveldstroompje; tien voorstanders en tien tegenstanders onder de rubriek lezers schrijven. Ook niet interessant, want de burgemeester heeft al besloten of er wel of geen bruggetje komt."

Zo vergleed de tijd. Tussen de gesprekken door dwaalden Sarah's gedachten naar Jim. Hij reed nu richting huis over de Duitse Autobahn. Jim in zijn kleine Citroën. Als het goed ging met zijn werk moest er binnenkort een grotere en zwaardere auto komen. Maar Jim was geen man die geld uitgaf voor hij het verdiend had en als het wél nodig zou zijn een lening af te sluiten, deed hij dat niet als hij er niet van overtuigd was het geld van de lening snel te kunnen verdienen en de lening weer af te lossen. En in dit geval zou een lening nodig zijn. En zij? Moest zij ook een lening sluiten als ze het pand van Pronk kon huren? Misschien wilde de familie het verkopen als duidelijk werd dat vader Pronk niet meer naar zijn winkel terug kon keren. Dan kwam, wat vader noemde, het geld vrij. En dat was aanlokkelijk. Maar in dat geval was er voor haar geen mogelijkheid. Hoewel, ze kon een hypotheek afsluiten. De last daarvan stond tegenover de waarde van het pand. Maar de rente van de hypotheek moest betaald worden en

verdiende ze dat in het winkeltje terug? Op de lange duur natuurlijk wel, maar de eerste tijd? En de kosten van de verbouwing...
„Sarah, waar zitten je gedachten?" hoorde ze opeens de stem van Harm. Ze keek in zijn richting en zag een bezorgde blik in zijn ogen. „Ik geloof dat ze ver weg zijn. Begeleiden ze Jim op zijn tocht naar huis?"

„Nee, dat niet. Ik zal het jullie vertellen. Meneer Pronk, je weet wel, van de tassenwinkel beneden mijn appartementje, is erg ziek. Hij heeft problemen met zijn hart en ligt in het ziekenhuis. Het gaat niet goed met hem." Ze zweeg even. Ze zag de opgeheven gezichten. „En nu denk ik aan mijn plan voor een eigen boetiekje. Jullie weten daarvan."

„Daar zal het een supergeschikt pand voor zijn!" merkte Rob op, maar Jill wimpelde met een handbeweging zijn woorden af. „Stil nou, laat Sarah vertellen wat haar door haar hoofd spookt."

„Spoken is het niet. Meer nuchter nadenken over de mogelijkheden. Het zou een prachtige kans zijn. Maar, begrijp me goed, ik hoop dat meneer Pronk door deze narigheid heenkomt. Ik heb al met zijn zoon gesproken en deze heeft er weinig vertrouwen in dat het weer helemaal goed komt met zijn vader. Na dat bericht gingen mijn gedachten op de loop. Dat is toch begrijpelijk? Maar eigenlijk is het nog te vroeg. Ik voel me te jong om deze plannen al uit te voeren. Er komt zoveel bij kijken. Ik heb wel geld op de bank en mijn ouders hebben destijds een spaarrekening voor me geopend. Ze stortten daar door de jaren heen maandelijks een leuk bedragje op. Dat is tot een lekker potje gegroeid. En ik wil heel graag een winkeltje, maar misschien is het beter nog een paar jaar te wachten."

„Waarom? Je bent tweeëntwintig, vol energie en plannen, je hebt een vriend, je trouwt straks met hem en je begint een boetiekje!"

„Dat is meidengeklets op kleuterschoolniveau," zei Frank nogal bot, „het is echt een hele onderneming, wat Sarah wil! Een pand kopen, verbouwen, voorraad inslaan, trouwen met een jongen die ze nog niet zo lang kent en die van plan is over de wereldbol te gaan zwerven..."

„Misschien willen de Pronken het pand nog niet uit handen geven," opperde Hanne, „want mogelijk heeft over enkele jaren een kleindochter het plan in de Vondelstraat een schoenenwinkeltje te beginnen. Een pand in de Vondelstraat is veel geld waard. De beste oplossing zal zijn als je het kunt huren. Huren kost ook geld, maar het is niet zo'n groot bedrag ineens als de koopsom, niet zo'n grote belasting ook. Je hoeft je daarvoor niet onder te dompelen in hypotheeklasten. Want als je handeltje mislukt, dan loop je vast, de schuld aan de bank blijft in dat geval in rode cijfers op de papieren staan."

Sarah was nog maar net de kamer binnen toen de telefoon rinkelde. Dat was Jim!!

„Lieveling," zijn stem klonk zo heerlijk dichtbij, „ik ben weer thuis. Ik kom snel naar je toe. Over een halfuur ben ik bij je."

Ze liep door de kamer. Vlug opruimen. De lege melkbeker en het broodbordje van vanmiddag naar de keuken, de stapel kranten die Jim wilde doorkijken, netjes op de vloer naast de bank; het was het vaste krantenplekje. De tas in de kast en de schoenen in het gangetje. Zou Jim koffie willen? Maar zijn moeder had beslist voor koffie gezorgd en ze zou er iets lekkers bij in huis hebben gehaald om zijn thuiskomst te vieren. Sarah dacht het met een lach. „Een week weg, mijn jongen toch!" Maar moeder Dijkema en zij wisten hoe belangrijk deze eerste opdracht voor hem was. Even afwachten maar. Er was van alles genoeg in huis. Ze ging in de stoel voor het raam zitten en keek de straat in. Er liepen nog veel mensen.

Er klonk een kort drukje op de bel. Sarah trok de deur open en Jim rende de trap op, het gangetje door en sloot de deur achter zich. „Mijn schat, mijn Sarah, mijn lieveling, ik ben zo blij dat ik weer bij je ben." Ze kusten elkaar en liepen met de armen om elkaar heen naar de kamer.

„Ga zitten, zeg wat je wilt drinken of eten en vertel hoe alles is gegaan. Ik ben vreselijk nieuwsgierig! Je hebt wel gebeld, maar dat waren korte berichtjes, zoals we hadden afgesproken. Ik popel om je verhalen te horen, mijn reporter, mijn verslaggever!" Ze zei het lachend.

En Jim vertelde. Over het kleine pension, Haus Riesmann. „Je moet je voorstellen dat het eruitziet als een gebouw dat men vroeger in ons land een herberg noemde. Beneden een gelagkamer, een heerlijke benaming, een kamer waar men gelagjes inschonk en opdronk, een brede tap met een koperen bierkraan en grote spoelbakken en natuurlijk tafeltjes en stoelen. Boven kamers die verhuurd worden aan mensen die over het algemeen niet langer dan voor één, twee, hooguit drie nachten onderdak zoeken. Dat is Haus Reismann. En frau Riesmann, die door iedereen die haar langer dan een halfuur kent bij haar voornaam Dinja wordt genoemd, zwaait daar de scepter. Er is wel een meneer Riesmann, een grote, dikke kerel met pretoogjes en een snor, maar hij doet aan het hele gebeuren niet veel. Het type van: het gaat goed zoals zij het doet, tevreden klanten en geld in het laatje; ik voel me er wel bij. Dinja scheldt en moppert op hem, maar dat gaat met een lach, zo van: 'Die kerel van mij, daar heb ik niks aan!!' Maar ze zorgt intussen goed voor hem. 'Hij is nu eenmaal zo,' vertrouwde ze me toe, 'en ik wist dat hij lui was voor ik met hem trouwde. Mijn ouders hebben me gewaarschuwd toen ik met hem omging, trouw niet met die jongen van Riesmann, aber ja, ich möchte ihm so gerne! Edoch, we hebben twee kinderen, een gezin en ik ben niet ongelukkig met Wilhelm!' Daarna lachte ze luid en riep: 'En nu ik hem heb… weet ik dat hij inderdaad lui is!' "

De tweede avond dat ik daar logeerde, heeft Dinja me een prachtig verhaal verteld. Nou nee, prachtig is het niet, eigenlijk is het een vreselijk verhaal. Het was stil in het café, echt een avond voor zo'n vertelling. Ik kan me voorstellen dat in die gelagkamer in voorbije jaren veel verhalen werden verteld. Weinig licht, de regen tegen de ruiten, een stevige wind om het huis, zoals die avond. Er liep niemand over de dorpsweg en dus kwam ook niemand het café binnen. In het zaaltje zat alleen achterin een oude man te drinken en af en toe dommelde hij even weg. Je kent dat type wel: slordig in de kleren, een stoppelige baard, dun, grijs haar en waterige ogen. Echt een man die niet veel plezier in zijn leven heeft. Verder was er niemand. Alleen Dinja en ik.

Ik had Dinja verteld waarom ik bij haar logeerde, gepraat over mijn werk, en die avond zei ze, ze zat tegenover me aan een tafeltje met een glaasje jenever voor zich: „Ik heb een interessant verhaal voor je. En het is een waargebeurd verhaal." Toen volgde de geschiedenis van Das grose Haus. Het stond, en het staat er nog, een kilometer of acht, tien misschien buiten het dorp in de verlatenheid, aan een smalle weg. Het grote huis is geen kasteeltje, het is gewoon een groot huis. Een breed voorpand en achter dat voorpand moeten veel kamers en gangen zijn. Want het is een diep gebouw. Drie verdiepingen hoog en daarboven nog zolders. Het heeft veel ramen en een indrukwekkende voordeur met daarvoor een laag bordes.

Dat pand was vele jaren geleden het bezit van een rijk man. Hoe hij aan zijn geld was gekomen, vertelde Dinja niet en dat was ook niet belangrijk. Ik vermoed dat het in zijn bezit is gekomen door erfenissen. Misschien een rijke vader en ongetrouwde ooms en tantes die veel aan hem nalieten. Bij het huis hoort een groot stuk bosgrond. Mogelijk is het grondbezit vroeger groter geweest dan het nu is en zijn er in de loop van de tijd stukken van verkocht. Dichter om het huis waren veel bomen gekapt en het was tot een prachtig park geworden. Bij het bezit hoorde ook een boerderij. Voor de melk en de kaas en de boter en het vlees, als er dieren geslacht werden. Die boerderij stond op afstand van het grote huis, maar het was, begrijpelijk, over een pad door het park te bereiken. Want de mensen van de boerderij moesten de producten naar de keuken brengen. In die hoeve woonden mensen die het boerenvak goed kenden, maar te arm waren, en arme drommels waren er genoeg, om zelf een boerderij en vee te kopen. Ze pachtten deze bedoening van de rijke huiseigenaar.

Het verhaal dat Dinja vertelde, speelt, schat ik, twee generaties terug. Laten we zeggen tachtig tot honderd jaar geleden. Dus," een lachje van Jim, „Dinja heeft die mensen niet gekend. Ze hoorde de geschiedenis van haar ouders. Het grote huis, zoals Dinja het noemde, stond, met de boerderij erbij, geïsoleerd in het landschap. Er gingen weinig mensen over het toen nog onverharde pad naartoe. Maar er woonden wel meerdere personen in het huis. De eigenaar, zijn vrouw en drie kinderen, neven en nichten en er was natuurlijk personeel om alles schoon te houden en in de keuken bezig te zijn. Voor dat personeel waren boven in het huis, op de zolder, kamertjes met bedden om in te slapen. En op de boerderij woonde de boer, de boerin en hun kinderen.

Het boerenechtpaar dat ten tijde van deze geschiedenis daar het werk deed, had twee jonge dochters, meisjes van, schatte Dinja, rond de twintig jaar. En grote zonen." Jim keek op. Er gleed een plagend lachje over zijn gezicht. Ze luisterde met zoveel aandacht naar hem, zijn lieve Sarah. Hij vervolgde: „Ik vertel je de verdere geschiedenis nu niet. Ik heb alle gegevens die nacht opgeschreven en ik werk ze in de komende dagen uit. Het is een relaas van liefde en haat, van machtsmisbruik, intriges, zich diepongelukkig voelende mensen, van problemen en ruzies en tot slot: van moorden. Twee moorden. En die moorden, vertelde Dinja, werden nimmer opgelost. Het was een dubbele moord in een donkere nacht. Een jonge vrouw die in het huis woonde en een zoon van de boer werden de slachtoffers. Dinja zei: 'Het drama is nooit opgelost. Alles werd in de doofpot gestopt. Met geld afgekocht. Zwijggeld. En de lijken werden begraven en met zerken toegedekt.' Dinja kon heel dramatisch vertellen. Ik moest goed opletten, want het hele verhaal kwam natuurlijk in het Duits en ook nog in het dialect van de streek. Toen ze zweeg, had ik nog vragen. Maar ze wilde ze die nacht niet beantwoorden. Ze zei: 'Kom daar mogen maar mee. Het is al laat.'

Ik knikte instemmend, onder de indruk van alles wat ik had gehoord. Het leven van de mensen in het huis en in de boerderij moet een klein, op zichzelf staand wereldje zijn geweest waar veel gebeurde. Opgekropte verlangens van mannen naar vrouwen en van vrouwen naar mannen. Ook van vrouwen die niet echt verlangden, maar gedwongen werden tot dingen die niets met liefde te maken hadden. Er waren wraakgevoelens en noem maar op. Ik knikte naar Dinja, ja, morgen is er weer een dag. Toen stond de oude man op, die de hele avond achter in het zaaltje had gezeten, en hij liep rechter dan ik verwachtte naar ons toe. Hij bleef aan ons tafeltje staan. Dinja en ik keken allebei naar hem op, hij was groter dan ik had verwacht en hij zei met een zware, donkere stem: 'Ik kan hier nog veel meer over vertellen, vriend uit Nederland, want ik heb de nazaten gekend van de familie waarover je vanavond gehoord hebt.'

Toen werd het verhaal nog interessanter. Dinja uitte een wilde kreet en keek de oude man vol ontzetting aan. 'Joseph...' zei ze alleen en tegen mij: 'Geloof hem niet,' maar de oude man schudde zijn hoofd en zei: 'Het is verleden tijd. Alles is voorbij. Maar het huis staat er nog en de muren bewaren hun geheimen. Alles is daar nu anders. Het verhaal dwaalt in de wijde omgeving rond, hoewel, het is lang geleden gebeurd en misschien interesseren alleen mensen zoals u, die belangstelling hebben voor dergelijke geschiedenissen, zich ervoor. En mensen die er brood inzien.' " Jim lachte even naar Sarah. „Maar de man voegde er die avond aan toe: 'Het was een drama dat echt heeft plaatsgevonden.' Hij had intussen een stoel bijgeschoven aan ons tafeltje en ging zitten. Dinja stond op en pakte de jeneverfles van de tap, ik zag hoe ze met trillende vingers de dop losdraaide. Ze schonk de glaasjes van zichzelf en de man weer vol. Ze was ontdaan, ze was, hoe zegt men dat, ontredderd. En die oude man, Sarah, vertelde het slot van het verhaal."

Jim glimlachte. Sarah keek naar hem, in gedachten bezig met deze geschiedenis.

Na een korte stilte zei Jim: „Dergelijke ontmoetingen gebeuren als je ze niet verwacht. Waarom koos ik juist dit pension uit? Waarom was het die avond zo stil in die tent en hing er een sfeer van geheimzinnigheid in het vertrek? Ik voelde het en dacht dat het door mij kwam, ik was een dergelijke omgeving niet gewend. Het was alsof veel woorden van vroeger waren blijven hangen. Je kon ze niet meer verstaan, maar ze waren er wel. En als je heel goed luisterde, niet met je oren, maar met je geest... Onzin natuurlijk, maar ik geloof er toch een heel klein beetje in. En waarom moest juist die avond die oude man daar zitten; hoewel, de eerste avond van mijn verblijf in Haus Riesmann zat hij er ook. Op dezelfde plaats, aan hetzelfde tafeltje. De volgende morgen zei Dinja tegen me: 'Ik wist niet dat Joseph meer van deze geschiedenis wist. Hij heeft er nooit een woord over gezegd. Tot gisteravond. Dat is toch vreemd.' "

„Het is een bijzonder verhaal, Jim."

„Ja. Ik ben er blij mee. Het zal moeite kosten het op de juiste manier uit te werken, maar," Jim lachte, „dat zie ik als mijn vak, dat moet dus goed komen! Met verbeteringen en veranderingen en stukjes opnieuw schrijven, maar dat hindert niet. Het gaat om een goed eindresultaat."

Daarna vertelde Jim over de volgende dagen. „Ik heb Das grosse Haus natuurlijk opgezocht. Dinja vertelde me hoe erheen te rijden. De weg is verbreed en geasfalteerd. Toen ik er arriveerde, rond vier uur in de middag, stond de brede voordeur wijdopen. In de hal brandden lampen. Het grote huis is een rusthuis geworden.

Er wonen nu oudere mensen, maar ik kreeg wel de indruk dat het een tehuis is voor ouderen die geld hebben om uit te geven voor een goede verzorging. Aan de voorzijde van het huis is een groot terras. Er stonden die middag, een prachtige, zonnige middag, fleurige parasols en witte tafels en stoelen, en het park rondom het huis lokte tot een wandeling. Ik heb er gelopen. Men keek naar me, knikte naar me, maar niemand vroeg wat ik daar deed. Mijn gedachten waren bij het gruwelijke verhaal dat ik de nacht ervoor had gehoord en opgeschreven. En bij de oude man die het vertelde.

De morgen na die nacht was ik, ondanks dat het heel laat was voor ik eindelijk in slaap viel, weer vroeg beneden. Dinja was er ook al. Ze was bezig de tafel te dekken voor mijn ontbijt. Ze zei: 'Zwijg zolang je hier bent over wat Joseph vertelde. Je mag er wel over schrijven als je thuis bent. Ik weet zeker dat Joseph de waarheid heeft verteld. Heeft de geest van de vreselijke moordenaar rust gevonden? En vergiffenis gekregen?'

Ik heb een prachtige rondreis gemaakt door het gebied. Het is er ruim, rustig en mooi. Het is beslist een streek die aan toeristen een heerlijke, ontspannen vakantie biedt. En ik heb de stad Celle bezocht. Ik ben er een kerk binnengelopen, zag mooie oude huizen in oude straatjes en ik heb van alles plaatjes gemaakt." Jim keek haar aan en zei toen: „Dit is dus mijn verhaal, lieveling. Je vroeg me: Vertel alles! Dit was alles. Vertel jij mij nu wat er in de voorbije week in jouw leventje is gebeurd."

Sarah vertelde over de ziekte van meneer Pronk.

Jim knikte. „Veel mensen zullen zeggen dat het eigenlijk niet vreemd is dat hem dit is overkomen. Zo'n druk, opgejaagd mannetje... door zichzelf opgejaagd mannetje. Dat is misschien zo, maar het kan ook rustige mensen overkomen. Het is vreselijk voor hem. En voor zijn familie natuurlijk."

Ze praatten erover door. En na enige tijd kwam onvermijdelijk de vraag ter sprake: Wat gebeurt er met het pand als meneer Pronk niet meer naar de winkel terugkeert omdat hij het werk niet meer kan doen?

Sarah liep hierop niet vooruit, ze wilde afwachten wat Jim zou zeggen. En hij zei: „Sarah, je weet dat ik meeleef met meneer Pronk, maar het is menselijk dat wij van onze kant erover denken wat het voor jouw verlangen naar een eigen zaak kan betekenen."

„Ik heb er ook over gedacht, maar ik denk dat het te vroeg voor me komt als de kans er zal zijn het pand beneden te huren."

„Lieveling, meisje van me, zo'n kans mag je niet laten lopen als het op je pad komt! Zo'n kans komt niet snel weer! Je wilt toch graag een winkeltje openen? Je hebt ervaring, wel in een ander soort kleding, maar je weet precies wat jij in de rekken wilt hangen! En je hebt de benodigde papieren. Maar het belangrijkste is natuurlijk wel: het geld. Daarover moet gepraat worden."

Het onderwerp hield hen bezig. En van dit onderwerp dwaalden hun woorden naar een ander onderwerp. Het was een bijzondere, heerlijke avond. Daarover dacht Sarah niet echt na, ze onderging het. Jim was weer thuis, dicht bij haar. Ze hoorde zijn stem, ze voelde af en toe zijn strelende hand.

Op een wat dromerige toon praatte Jim verder. Misschien werd die toon een beetje gevoed door de vermoeidheid van de laatste dagen, maar beslist niet door drank, want Jim had deze avond koffie gedronken en nu dronk hij langzaam uit het glas cola dat voor hem stond.

„Toen ik zeventien was en serieus naar meisjes keek, heb ik vaak gedacht over het huwelijk. Ik vormde me een beeld van het huwelijk, van míjn huwelijk, van het huwelijk tussen de vrouw van mijn dromen en mij. Het werd in mijn fantasie, en ik heb veel fantasie," Jim glimlachte naar haar, „een gelukkig huwelijk. Ik besefte toen dat daarvoor een vrouw in mijn leven moest komen die bij me paste, bij me hoorde. In de eerste plaats natuurlijk door het voelen van een diepe liefde, en dat ervaren," weer een lachje, „was voor de jonge Jim een heerlijke droom. Liefde is het belangrijkste in het leven. En zou mij dat ooit overkomen? Maar de vrouw die ik voor ogen had, moest ook op een nuchter vlak bij me passen. Want ik wilde, en dat wil ik nog, dat ieder van ons ook een eigen leven zou leiden. Niet heftig in elkaar gestrengeld en elkaar, figuurlijk dan, vasthouden zoals in het huwelijk van mijn ouders en tussen veel echtparen die ik ken. Niets zonder elkaar ondernemen, altijd samen. Met z'n tweetjes boodschappen doen, een nieuwe stoel uitkiezen, in de kamer zitten. Het zijn verkeerde voorbeelden, want het kan voor die mensen best heerlijk zijn zo te leven, maar je begrijpt hoe ik het voor mij, voor ons, bedoel. In mijn fantasie zag ik een afwisselend leven. Los van elkaar en toch samen. Allebei een werkkring om mee bezig te zijn, maar toch aan elkaar gekoppeld. Wetend bij elkaar te horen, en in tijden van tegenslag en verdriet steun vinden bij elkaar. Elkaar helpend het samen te dragen en er, hopelijk, samen doorheen komen.

Ik hoopte die ideale vrouw te ontmoeten, maar ik twijfelde of dat mogelijk zou zijn. Zoeken kon ik haar niet. Ze moest op mijn pad komen. En voortbordurend op dat thema gingen mijn gedachten over het huwelijk verder. En dan zag ik de voltrekking van een huwelijk in het gemeentehuis, voor de wet, zoals dat heet. Dat huwelijk heeft voor mij weinig inhoud. Het is een kwestie van wettelijke normen, maar wélke wettelijke normen? Het betalen van de belasting? Ik zag me staan voor de ambtenaar van de burgerlijke stand, hand in hand met het meisje waarvan ik hield, haar trillende vingers in mijn hand, de man vroeg: 'In goede en in slechte tijden, wat is daarop uw antwoord, Jinze Johannes Dijkema?' en ik antwoordde op vaste toon: 'Ja, ik wil,' en het meisje kreeg een warm gevoel van veiligheid in haar hart, maar als ik haar na zes jaren en twee kleine kindjes in de steek zou laten, is er geen medewerker van de wettelijke macht die me opspoort en me opsluit in een tehuis voor stoute mannen wegens het verbreken van mijn belofte."

„Malle jongen," Sarah lachte. Dit waren echt woorden van Jim.

„Voor mij telt vooral de huwelijksvoltrekking in de kerk. Ik ging in de tijd toen ik dit overdacht, niet dikwijls naar de kerk. Voor die tijd wel. Het was een gewoonte, met vader en moeder mee op zondagmorgen. Eerst ontbijten, naar de kerk en daarna koffie drinken. Voor mij chocolademelk, in een beker met beertjes toen ik klein was, later in een glas. Maar ik kende veel van de onderwerpen uit de bijbel die de dominee uitwerkte tot de preek die hij zijn gemeenteleden wilde voorhouden. Ik had de overtuiging dat ik zo langzamerhand wist wat hij bedoelde. Maar al die wijze woorden haalden in het totale wereldgebeuren niet veel uit, stelde ik in mijn nog kinderlijk denken vast. Want het leven was moeilijk voor miljoenen mensen op de aardbodem. Oorlogen, machtsstrijd, armoede, honger en ziekten. Maar God greep en grijpt niet in." Jim keek naar Sarah en zij keek naar hem met een vreemde ontroering en ze wist: deze avond vergeten we nooit. De herinnering aan deze avond bewaren we allebei in ons hart. Ze luisterde weer.

„Maar ondanks die vreselijke waarheden geloof ik in de kracht van God en in zijn aanwezigheid in mijn leven en in jouw leven. Ik geloof in de allesomvattende kracht van God. In Zijn wijsheid en goedheid. Maar veel mensen zien het niet. Beseffen niet dat de werkelijke waarde van ons bestaan niet in aardse rijkdommen zit en macht uitoefenen over anderen, maar in liefde, alleen in liefde. Als dat door zou dringen, dacht ik als zeventienjarige, werd het beter op aarde. En als ik de juiste vrouw voor mij zou ontmoeten en ik de juiste man voor haar zou zijn, zou ons huwelijk in de kerk bezegeld worden. En tegen God en tegen onszelf zeggen we dan: 'Ja, dat willen wij.'

Ik hou van je, Sarah. Het kan geen toeval zijn dat wij elkaar tussen de vele duizenden mensen zijn tegengekomen. Wij houden van elkaar en ik wil met je trouwen. Dan ben je voor de wet mijn vrouw, maar dat is voor mij niet het belangrijkste, voor mij ben je dan ook voor God de vrouw die ik voor mijn verdere leven heb gekozen. En ik heb het gevoel dat God ons dan glimlachend zal gadeslaan. Want zo wil Hij het voor ons. En mij en ook jou, maar ik spreek vanuit mijn denken, geeft het de verantwoordelijkheid ervoor te zorgen dat wij gelukkig blijven in onze liefde. Ik weet dat ik vanavond praat in een roes van rozengeur en maneschijn, maar ik voel me zo gelukkig, lieveling, zo gelukkig met jou. Ik hou van je en ik heb vertrouwen in onze toekomst."

Ze zaten dicht naast elkaar op de bank. Jim had zijn schoenen allang uitgetrokken, hij steunde met zijn kousenvoeten op de rand van de lage tafel. Sarah leunde tegen hem aan, zijn arm was om haar heen, in beiden was een blij gevoel van geluk om deze avond, om het bij elkaar zijn, het weten van hun liefde, het gevoel dat dit nooit verloren zou gaan. Dit gevoel verbond hen ook over grote afstanden heen.

„We hebben allebei een weg voor ogen wat onze werkzaamheden in de toekomst aangaat. Ik ben al een beetje op pad, jij begint eraan zodra de mogelijkheid daartoe zich voordoet. Nuchter gezien zijn het twee normale werkterreinen. Veel mannen en vrouwen moeten voor hun werk op reis. Er zijn genoeg beroepen op te noemen die dat in zich houden. Van ministers tot handelsreizigers in speelgoed of linnengoed. En hoeveel mensen leiden een winkel? Groenteboeren en slagers en mannen en vrouwen in de kledingbranche. Niets bijzonders. Wij willen dit werk graag in de toekomst doen. Maar het belangrijkste zal in die toekomst altijd ons huwelijk zijn. Want daarin zit de liefde. De aandacht voor elkaar. Als we het geluk mogen beleven kinderen te krijgen, Sarah, vinden we oplossingen om op de goede manier voor die kinderen te zorgen."

Sarah ging rechtop zitten. Even een andere houding. Even opstaan en lopen. Drinken inschenken. En nootjes uit de keukenkast halen om te knabbelen.

„In dit verband, en ook in verband met jouw denken over het burgerlijk huwelijk, hoorde ik enkele dagen geleden een schrijnend verhaal. Wás het maar een verhaal. Helaas is het bittere werkelijkheid. Ik pak eerst een wijntje voor mij en een biertje voor jou."

Even later ging Sarah verder. „Vorige week dinsdagmiddag tikte Nettie Molendaal tegen zes uur aan de winkeldeur. Ik heb je eerder over Nettie verteld. Ze is al jarenlang een goede vriendin van Caroline. De winkeldeur was al op slot gedraaid, Caroline en ik ruimden één en ander op in de zaak. Daarna gingen we, wat we elke dag na sluitingstijd doen, even zitten in de kakeka, de afkorting voor kamer, keuken, kantoor, om wat te drinken. Om even uit te rusten en te praten over de gebeurtenissen van de voorbije dag, de verkoop, de klanten, maar vaak ook komen er compleet andere onderwerpen op tafel.

Nu kwam Nettie en het was duidelijk aan haar te zien dat ze diep in de put zat. Ik vertel haar verhaal in het kort. Nettie was getrouwd met Ronald Molendaal. Ze ging dat huwelijk in met net zoveel overtuiging als jij hebt wat betreft óns huwelijk. Het bleef, daarvan was ze overtuigd, hun leven lang goed en heerlijk en waardevol tussen hen. Ze begrepen elkaar volkomen en konden op elkaars hulp en steun door dik en dun rekenen. Er werden drie kinderen geboren in huize Molendaal, twee jongens en een meisje. En Nettie en Ronald houden allebei dolveel van hun kinderen.

Nettie is een intelligente vrouw, ze is hartelijk en vriendelijk, maar het is geen vrouw die het onmiddellijk zegt als er iets is wat haar niet zint. Waar ze moeite mee heeft. Ze denkt erover na en ze denkt er nog eens over na, ze bekijkt het van de rechterkant en daarna van de linkerkant. Caroline noemt het: 'Ze kauwt het voor zichzelf uit', maar ze komt er niet mee voor de dag. Het blijft vanbinnen doorpruttelen, ze blijft het niet leuk vinden, er moeite mee hebben, maar verder dan in haar eentje tobben komt het niet. Ze komt niet voor zichzelf op. Wie komt er dan wel voor haar op als het problemen zijn in haar huwelijk? In elk geval Ronald niet. Hij is een grote kerel, een leuke vent om te zien en hij kent manieren om mensen voor zich in te nemen. Hij werkt op een groot makelaarskantoor en kan zijn woordje goed doen. Met overtuiging. Dat is in dic branche belangrijk. Hij verdient goed, ze bewoonden een aardig huis, alles in het verleden dus goed en aardig.

Maar na tien, elf jaar was voor Ronald een beetje de aardigheid af van het huwelijk met Nettie. Er waren geen verrassingen meer. Hij keek al zo lang tegen haar gezicht aan, het werd een steeds chagrijniger koppie; nu wist hij het wel. En Nettie kon zo doorzagen over in zijn ogen totaal onbelangrijke dingen. Er kwamen ruzies tussen die twee.

Voor Nettie was Caroline dikwijls een praatpaal. Ze moest ergens haar verhaal kwijt. Bij haar ouders was praten moeilijk, want haar moeder barstte meteen in snikken uit bij het horen over die vreselijke Ronald. 'Wat vreselijke, kind…' en dan had Nettie meer moeite haar moeder op te beuren dan dat ze zelf woorden van begrip kreeg. En haar vader stelde vast dat ze haar zo vaak hadden gewaarschuwd voor die mooiprater, maar nee, ze zóu Ronald Molendaal hebben. Ze had hem dus zelf uitgekozen en daarom moest ze hem nu maar nemen zoals hij was. Ze had toch een goed leven? Een mooi huis en geld in de portemonnee, laat die vent.

Maar er was meer, veronderstelde Caroline. En omdat het Caroline erg bezighield, tenslotte was Nettie een vriendin vanaf de middelbare school, praatte ze er met mij over. Ik hoorde alles aan en ik had medelijden met Nettie. Ik zou er een kort verhaal van maken," Sarah glimlachte naar Jim, „maar je moet één en ander weten om het te begrijpen. Ronald stuurde Nettie, en mogelijk in aanvang niet eens met opzet, in de rol van een treurige, klagende vrouw. Ze kreeg diep medelijden met zichzelf. Wat kon zij eraan doen dat het zo was gelopen? Wie kon tegen een vent als Ronald Molendaal op als hij verkeerd wilde? Ze zag het niet meer zitten, ze wist niet wat ze moest doen. Ze praatte met de huisarts en deze stuurde haar naar een bureau voor geestelijke hulp, het Riagg of Welzijnswerk. Dat soort instanties. Maar het praten met die medewerkers hielp niet, het werd alleen erger.

Intussen had Ronald vriendschap gesloten met een vlotte, jonge vrouw. Hij ontmoette haar regelmatig in het kantoor van een verzekeringsmaatschappij waarmee zijn bureau samenwerkte. En, veronderstelde Caroline, er waren tweemansvergaderingen in knusse restaurants. Waarschijnlijk ook in de flat van de jongedame. Er groeide een verhouding tussen die twee. En op een boze dag stelde Ronald Nettie voor te gaan scheiden. En Nettie, die allang geen vreugde en geluk meer vond in hun huwelijk en ook niet verwachtte dat er verbetering zou optreden, stemde daarmee in. Waarschijnlijk werd zij rustiger en vond ze nieuwe wegen om in te slaan als ze zonder hem verderging. Voor de kinderen was het ook beter in een huis te leven zonder dit voortdurende geharrewar tussen de ouders. Maar toen bleek dat Ronald de kinderen onder zijn vleugels wilde nemen. Hij was hun vader, hij verdiende genoeg om ze alles te geven wat nodig was, ook in de toekomst wat hun opleidingen betrof. En de hupse vriendin wilde wel voor zijn kinderen zorgen. Uit liefde voor Ronald en omdat ze lief en gehoorzaam waren.

Vanuit de hulpverlening moest men toegeven dat Nettie inderdaad wat labiel was en als haar man uit huis zou gaan, werd het er mogelijk niet beter op. Haar vraag om hulp keerde zich dus tegen haar.

Nettie zit bij buien nog diep in de put. Ronald woont met dat vrouwtje in de Meidoornstraat. Een ruim huis, voor elk van de kinderen staat er een prachtige, eigen kamer klaar. Ze wonen nog bij Nettie, in afwachting van de uitspraak, maar ze fietsen regelmatig naar papa en tante Cobi. Daar is het vrolijk, papa lacht en bedenkt leuke plannetjes en tante Cobi speelt gezellig mee. Het is er fijner dan bij mama. De kinderen zijn nog jong, twaalf, tien en zeven jaar en ze doorzien het toneelspel van hun vader niet. Mogelijk wil hij ze graag bij zich hebben, het zijn tenslotte ook zíjn kinderen. Maar Nettie gaat kapot aan het denken over de komende beslissing van de overheid, en het advies van de Raad van Kinderbescherming ligt boven op de map. Daarin staat, vermoedt ze, dat de vader beter voor de kinderen kan zorgen dan de moeder.

Vorige week praatten we er met z'n drietjes over. Want voor Nettie is het geen bezwaar dat ik van haar problemen weet. 'Kind, Sarah,' zei ze toen, 'Pas goed op voor je in het huwelijkbootje stapt!' "

Sarah zweeg even en vervolgde toen ernstig: „Toen jij vanavond praatte over de weinige waarde die je aan een burgerlijk huwelijk toekent, dacht ik aan Nettie. We hebben die avond gepraat over andere mogelijkheden. Voor Nettie is het te laat, maar voor nieuwe slachtoffers in de toekomst misschien niet." Sarah grijnsde even. Op Jims gezicht was verbazing te lezen en twijfel, waren deze woorden haar ernst of niet?

„Carolien bracht de mogelijkheid van een geregistreerd partnerschap naar voren. Ja, Nettie kende het bestaan daarvan, maar dat helpt niet in dit geval, want de wettelijke vader blijft voor de wet de vader."

„Zo," zei Jim nu, „dat is een groot probleem. En ik zie, in mijn fantasie, de opbouw van de hele geschiedenis. Van die man tot deze climax. Zoals je vertelde: mogelijk dacht hij er in het begin niet over na het spel zo te spelen. Cobi was nog niet echt in zicht, zijn vrouw huilde en klaagde vaak en gezellig was het niet meer met haar, het ging niet goed met hun huwelijk, dat was verdrietig voor allebei, ja toch? Maar toen Cobi steeds meer in beeld kwam en hij besefte hoe prettig het leven met haar zou kunnen zijn, veranderde zijn gedachtegang. En stelde hij vast wat zijn doel voor de toekomst was: Nettie loslaten en met Cobi en de kinderen verdergaan. Als de liefde voorbij is in een huwelijk is er toch geen andere oplossing dan uit elkaar gaan? Vooral als om het hoekje van een nieuwe huisdeur een lachende vrouw wenkend lokt? Zo denkt men tegenwoordig. Vroeger waren de mogelijkheden niet gemakkelijk voor een vrouw om te scheiden. Waarvan moest zij met haar kinderen leven? En de schande telde ook mee. Nu zegt men: je leeft maar één keer op deze aarde, het is niet goed daarvan vele jaren diep ongelukkig te zijn. En je kunt je toch in de keuze van vrouw of man vergissen als je nog jong bent en in het leven en de liefde niet veel ervaring hebt?

Gaandeweg de achteruitgang van Nettie zag Ronald in die richting een kans om zijn kinderen bij zich te kunnen houden. En zolang hij nog niet gescheiden is en nog niet met de nieuwe liefde getrouwd, zal die vrouw aardig zijn voor zijn zoons en dochter. Maar een man trouwen en daarbij drie kinderen in huis krijgen, is wel een behoorlijke opgave! Maar wie weet," Jim lachte naar haar, „is ze echt dol op dat drietal en verlangt ze naar een leven met drukte en vrolijkheid in huis. En misschien hebben de mensen van de Raad van de Kinderbescherming, die veel ervaring hebben, gelijk als ze van de overtuiging uitgaan dat het voor de kinderen beter is in zo'n omgeving op te groeien dan bij een kwijnende moeder. Maar voor Nettie zal het vreselijk zijn. Een moeder haar kinderen afnemen..." Hij schudde zijn hoofd, maar Sarah dacht: Voel je écht hoe heftig deze klappen zullen aankomen?

Jim reikte naar het schaaltje met nootjes, hij nam er een klein handjevol uit en vroeg: „Zijn jullie tot een oplossing gekomen?"

„Ja." Sarah lachte luid. „Niet voor Nettie, maar zij heeft mij wel een oplossing aangedragen! Als er in onze vriendschap, dus geen huwelijk, kinderen komen, zijn het míjn kinderen als ik geen toestemming geef ze op jouw naam te zetten." Ze zag de verbazing op zijn gezicht, het onbegrip; ze praatte verder: „Toen ik je vanavond met minachting hoorde praten over de huwelijksvoltrekking in het stadhuis, dacht ik aan Netties woorden." Ze keek nog lachend naar Jim, maar ze wist, Jim kennende, hoe hij deze woorden in zich opnam. Erover zou nadenken. En erop terug zou komen.

De volgende dagen en weken klaterden als een waterval over Sarah heen. „Als een wilde, sprankelende, kolkende waterval," dikte Jim het aan, maar, meende Sarah, die woorden ontsproten aan zijn fantasierijke geest. En de mooie of lelijke beelden en gedachten te versterken door met bijvoeglijke naamwoorden te werken. Maar hij had in dit geval wel gelijk, want wat gebeurde bracht voor haar – en ook voor hem – grote veranderingen.

Het begon met de komst van Geert Pronk op een maandagavond.

„Je hebt met me gepraat over de winkel, Sarah, en over jouw plannen voor de toekomst. Ik vond dat toen een naar, vervelend gesprek. Maar ik begreep jouw bedoeling ermee wel. Je kon achter het net vissen als er door ons besluiten werden genomen in een andere richting omdat we van jouw plannen niet op de hoogte waren. Ik kon er nuchter gezien begrip voor opbrengen, maar het deed toch pijn. Vader was zo ziek en wij praatten al over wat in de toekomst met zijn winkel moest gebeuren. Maar het is toch goed geweest dat je erover bent begonnen. Vader gaat heel langzaam-aan vooruit. De hartspecialist heeft met hem gepraat en er is een gesprek geweest tussen hem, vader en moeder. Vader kreeg te horen, maar hij had dat zelf in heldere momenten ook al overdacht en begrepen, dat hij niet meer in de winkel zal kunnen werken. De ziekte heeft hem, zoals hij het zelf noemt, gelouterd. En het bracht hem naar wat vanaf nu het belangrijkste is in zijn leven. Hij heeft na alle angsten en pijnen en zich vreselijk ziek voelen nog maar één wens en dat is in leven blijven. En redelijk kunnen leven zon-der benauwdheden en verdere ongemakken. Hij wil bij moeder zijn, zijn kinderen en kleinkinderen ontmoeten en hij wil er getui-ge van zijn hoe het verdergaat met wat vader noemde mijn dier-baren. Als je erover nadenkt, weet je dat die dingen belangrijk zijn voor een mens die de dood in de ogen heeft gekeken. De cardio-loog heeft gezegd, voorzover de man in de toekomst kan kijken, gezien dus vanuit zijn ervaringen in het vak, dat vader hier door-heen kan komen als hij overtuigd is van dat wat voor hem vanaf nu belangrijk is. Hij moet berusten, de omstandigheden aanvaar-den en blij zijn, min of meer blij zijn, met de mogelijkheden voor hem!"

Geert Pronk zweeg en glimlachte naar Sarah. Hij nam het kof-fiekopje dat ze voor hem op de tafel had gezet in de hand en dronk het langzaam leeg.

„Maar het is goed dat jonge mensen, die het leven nog voor zich hebben, plannen maken. Verwachtingen voor de toekomst koeste-ren en zich doelen stellen die ze willen bereiken. Dat doe ik, dat doet mijn vrouw Jennie en dat doen jij en je vriend ook. Jouw ver-langen is een vrouw te worden met een eigen bedrijf. Een mode-zaak in dit geval. Daar is het pand beneden uitstekend geschikt voor. Het is niet te groot, zodat het voor dat doel te onoverzichte-lijk zal worden. En niet te klein, zodat je er te weinig in kunt onderbrengen. Als je het goed inricht, maar dat is een kwestie van smaak, zal het een gezellige winkel worden. En jij zult, als alles verloopt zoals jij graag wilt, hier kunnen blijven wonen. Trap af, steegje door, sleutel in het slot van de winkeldeur en je bent op je werkplek! We hebben er met z'n vijven over gesproken, moeder, Vera en haar man Thijs, mijn vrouw en ik. Vader, vanaf het ziekenhuisbed, heeft gezegd dat hij met al onze besluiten instemt. We willen het pand nog niet verkopen. We willen dat terwille van vader nog niet doen, want hij spreekt verstandige woorden, maar in zijn hart hangt hij toch nog aan de winkel en die liefde hoeft niet direct over te zijn als het pand zijn eigendom blijft. Dan is het toch zijn winkel, zijn bezit. Het wordt nu een kwestie van geld tellen." Geert Pronk keek haar recht aan. „En daarover moet gepraat worden. Wil je dat als zelfstandige zakenvrouw," hij grijnsde naar haar, „alleen doen of wil je Jim erbij betrekken? Wil je je vader als raadsman nemen?"

Sarah lachte naar hem. „Natuurlijk is Jim erbij betrokken. We willen op korte termijn trouwen. We zijn allebei zeker van onze liefde en we verlangen ernaar samen te zijn. We willen de verantwoordelijkheid voor elkaar dragen. Ik zal er snel met Jim over praten. En met mijn ouders. Mijn vader is in geldzaken meer thuis dan Jim, hij is ouder en heeft er ervaring mee, maar je moet je op dit punt niet in Jim vergissen. Hij heeft een ruime fantasie, maar hij staat wel met beide benen op de grond. De kern van alles waarover hij schrijft, berust op werkelijkheid, maar hij voegt er veel fantasie aan toe. Wat financiën betreft, heeft Jim een nuchtere instelling. Maar vader en moeder erbij zal fijn zijn. En goed."

Toen Geert was vertrokken, draaide ze meteen het nummer van Jim. Het was laat in de avond, er was veel gepraat tussen Geert en haar, maar Jim sliep nog niet. Hij werkte na thuiskomst van het fotoatelier van Jan Stevens – er moet geld op tafel komen – aan de uitwerking van wat hij noemde de Celle reis en was bezig met het ontwikkelen en afdrukken van de foto's.

„Met Jim," klonk zijn stem.

„Met Sarah. Lieverd, ben je nog druk bezig?"

„Ja, ik wil alles goed en keurig op papier zetten, want de eerste indruk is een daalder waard. Maar, lieveling, ik neem aan dat er iets belangrijks is waarover je me op dit late uur belt."

„Dat is ook zo. Geert Pronk is hier vanavond geweest en Jim, ze gaan de winkel verhuren!"

„Meisje, wat een kans!"

Ze praatten erover. Jim had voorgesteld snel naar de Vondelstraat te komen, maar dat wimpelde Sarah af. „Nee, dan wordt het nachtwerk, want er is veel over te zeggen. Jij moet morgenochtend weer op tijd in de studio zijn en ik in de winkel. Maar ik moest het je vertellen! Ik ben er zó blij mee! Alles is nog lang niet in kannen en kruiken, want we hebben zelfs niet over een huursom gepraat. En ik heb nog geen gedetailleerd overzicht van alle kosten, maar dat komt wel. Lieveling, het idee alleen. Het is nu te laat om pap en mam te bellen, zij slapen al, maar ze moeten er wel bij betrokken worden. Ze zullen zo meeleven... Ze weten dat ik dit plan al heel lang koester en nu wordt het mogelijk werkelijkheid. Ik zie het als een voordeel dat de Pronken willen verhuren. Ze doen dat vooral voor vader Evert. Hij was gehecht aan zijn winkel en op deze manier blijft het zijn winkel. En voor ons telt dat een maandelijkse huur sneller is op te brengen dan een groot bedrag ineens voor een koopsom, met de last van hypotheekrente en aflossing. En als ik er eenmaal zit met mijn handel is het voor hen moeilijker om te verkopen. Lieverd, kom je morgenavond praten?"

„Natuurlijk. Direct na het schaaltje vanillevla. Ik schuif het relaas over Celle op de tafel naar de 'komt nog wel hoek' en kom zo snel mogelijk naar je toe. Wil je je ouders er al bij hebben?"

„Nee, niet direct. Misschien later op de avond. Ik wil er eerst met jou over praten."

Na nog wat lieve woordjes en malle opmerkingen legde Sarah de hoorn terug op het toestel. Ze legde een kussen op de armleuning van de bank, strekte haar benen languit op de zitting en droomde weg in alles wat ze in het verleden over haar verlangens naar een eigen winkel had gefantaseerd en in gedachten had opgebouwd. De inrichting; ze kende het pand beneden goed genoeg om de mogelijkheden te weten. En ze wist naar welke adressen ze zou gaan om kleding in te kopen. Als eerste stond op haar lijstje het atelier van Jeanette van Straten. Ze kende Jeanette, omdat Caroline en zij meerdere malen bij haar waren geweest om inkopen te doen. Caroline zocht de kleding uit die ze voor haar klantenkring het geschiktst vond, zij, Sarah, snuffelde in de tijd waarin de dames spraken over inkoopprijzen en de stofsoorten, in een afdeling waar meer was te vinden voor jonge meisjes en vrouwen die een uitdaging aandurfden. En die vrouwen, wist Sarah, waren er genoeg. Want ze hoorde meer dan eens in Carolines winkel: „Het is prachtig, maar niet echt mijn smaak. Meer voor mijn moeder!" Ze ging ook beslist naar het atelier van Sander Rademaker. Een jongeman met heerlijke ideeën op het terrein van de mode. Hij ontwierp kleding die in het atelier achter de ontvangstsalon door goede naaisters werd gemaakt. Een collectie van Alexander Rademaker zou in haar winkel zeker succesvol zijn. Toen ze voor de eerste keer met hem kennismaakte en hem aankeek, had ze het vreemde gevoel dat ze deze man al kende nog voor ze hem die middag zag. Het was een wonderlijke gedachte en ze begreep het niet, maar Sander Rademaker had voor haar iets bekends. Er was iets in hem wat haar deed denken dat hij eerder in haar leven was geweest, maar hoe ze ook zocht in herinneringen, nergens vond ze een aanknopingspunt. Niet in de lagere schooltijd, niet in één van de opleidingen daarna.

Sander Rademaker was een man van normale lengte, niet te groot en niet te klein. Zijn ogen waren grijsblauw, maar er was meer blauw in dan grijs en dat gaf zijn ogen een aparte uitstraling. De wenkbrauwen waren donker, de mond breed met smalle lippen en witte tanden. Sander Rademaker was geen knappe man, eigenlijk heel gewoon, maar hij was een innemend mens; dat was de goede benaming. Zoals Caroline over hem zei: „Een fijne vent met een goede kijk op zijn vak."

Het gesprek van die middag kabbelde voort tussen Caroline en hem. Sarah zat erbij en luisterde mee – „Je kunt er wat van leren," had Caroline gezegd – maar ze hield zich natuurlijk buiten de zakelijke beslissingen. Hij had haar stille verbazing aangevoeld. Hij keek af en toe naar haar met een licht lachje. Misschien, ja, misschien was het dat zijn gezicht een vage herinnering opriep aan het beeld dat ze zich vroeger droomde van een denkbeeldige broer. Toen ze rond de vijf, zes jaar was, was er een broertje, een blond jochie met blauwe ogen, dat in haar fantasie met haar meespeelde. En altijd deed wat zij wilde. Een heerlijk kameraadje. Later was de fantasie veel minder sterk, want ze wist dat ze geen broer had, maar een broer hebben, zoals Jill, zou toch gezellig zijn.

Van het inkopen van de kleding en van Sander Rademaker dwaalden haar gedachten naar de inrichting van de winkel. Zag ze het tot nu in vage vormen voor zich, nu kregen de beelden uitstraling. Daarna hield ze zich in gedachten bezig met het kosten-briefje, nou, briefje, het zou wel een brief worden.

Het was heel laat voor ze eindelijk in bed lag. En ze was zo moe van alle plannen, mogelijkheden en gedachten die in haar hoofd woelden, dat ze snel in slaap viel.

De volgende avond kwam Jim al vroeg. Eerst was er een innige omhelzing en veel woorden over de geboden kans. Na veel gepraat stelde Jim vast: „Wat de inkoop en de inrichting betreft, weet je wat je wilt doen. Een belangrijk punt is het geld."

„Ja. En daar wil ik pap en mam bij hebben. Ik heb ze vanmorgen onwijs vroeg, nog voor papa de deur uitging, gebeld over het bezoek van Geert. En ik heb ze gevraagd vanavond hier te komen, maar," ze lachte, „ heb ze gezegd hoe belangrijk jij voor mij bent, zodat ik eerst één en ander met jou wilde bespreken. En mijn verstandige vader antwoordde: 'Dat is goed, kind. Je bent en blijft onze dochter, maar in de toekomst moet Jim de man zijn waarmee je besluiten neemt. Maar,' voegde hij eraan toe: 'We willen graag komen om de plannen te horen en mee te praten. Mogelijk kunnen we helpen het financiële gedeelte op een goede manier rond te krijgen.' "

En dat gebeurde ook.

Die zaterdagmiddag schoof ze als laatste aan de ronde tafel in Het Schippertje waar de anderen al gearriveerd waren. Harm opende met: „Wie het meest interessante, verdrietige of gelukkige verhaal heeft mag beginnen."

„Ik denk dat ik dat ben," haastte Sarah zich meteen te zeggen. Ze keek de kring rond, in haar ogen dansten sterretjes van blijdschap en plezier dit de jongens te vertellen.

Harm knikte haar toe. „Begin jij dan maar. Of zal ik alles verraden? Nee, dan is voor jou de aardigheid eraf."

„Wat denken jullie dan dat het is?" vroeg Sarah, want ze verwachtte het antwoord al en vijf stemmen riepen: „Je gaat trouwen met wereldreiziger Jim!!"

„Ook dat," zei Sarah en ze voegde er zachter aan toe, „maar dat is niet zo belangrijk als mijn nieuws voor vanmiddag." Ze had een binnenpretje, want over deze woorden zou ze plagend aangevallen worden, en terecht. „Het is iets heel anders. Ik ga hoogstwaarschijnlijk binnenkort mijn eigen winkel beginnen!! Als jullie allemaal het geld van je bankboekje nemen om geldschieter te worden! Grapje!"

Ze boog zich ver over de tafel, de anderen deden hetzelfde. „Dit is de verklaring van de koppen bij elkaar steken," verklaarde Rob eens met een ernstig gezicht toen ze hetzelfde deden bij een belangrijke mededeling; ze knikten toen, ze hadden het begrepen. Het betekende dat er een mededeling volgde die niet voor alle bezoekers van Het Schippertje bestemd was.

„Ik kan waarschijnlijk de winkel van Pronk huren. Jullie weten dat de man ziek is, gelukkig gaat het nu goed met hem, maar de winkel voortzetten zal voor hem te zwaar worden. Dat ziet hij zelf ook in. En daarom heeft hij besloten, in overleg met vrouw en kinderen, om met de winkel te stoppen. Ik had zoon Geert al een hint gegeven dat ik eventueel belangstelling had."

„Wat hondsbrutaal en bijzonder grof tegenover de zoon van de zieke man," schudde Frank overdreven met zijn hoofd, daarna boog hij zich naar Sarah toe, „maar wel verstandig, want anders viste je misschien achter het net! En als je het op de juiste manier hebt gedaan en dat geloven we, meelevend als je bent, is het goed geweest."

De reacties barstten los. Ze kenden haar plannen, maar meer dan plannen waren het tot nu toe niet geweest. Er was in het verleden met dolle voorstellen op gereageerd. Maar nu was het serieus. Ze spraken over de mogelijkheden van het pand, het kostenplaatje, zoals Harm het noemde, en Jill zei: „Als de boel verbouwd moet worden, de stellingen van de wanden gehaald en weggedragen, kunnen wij helpen. De sterke jongens doen het zware werk en wij, de meisjes, dragen alles naar de container. Hanne en ik willen graag helpen met de inrichting. Advies over hoe en wat zal niet nodig zijn, want dat plan zit al jarenlang in je hoofd."

Het werd een gezellige middag. Sarah genoot van het eerlijke medeleven, de oprechte belangstelling en de aanbiedingen te willen helpen waar dat mogelijk was. Fijn, zo'n vriendenkring.

De winkel werd ontruimd. Een met Pronk bevriende handelaar in lederwaren uit Amersfoort nam een groot deel van de voorraad over en een winkelier in Kortenhoef was bereid de handschoenen, sleutelhangers en portefeuilles, de kleine handel, in zijn winkel uit te stallen. Daarna volgde een korte uitverkoop en op een zaterdagmiddag was het pand volkomen leeg.

Geert had gevraagd of Sarah de stellingen langs de wanden, waaraan de tassen hadden gehangen, wilde laten zitten. „Een verfje erover en je kunt er je japonnetjes aan uithangen," dacht hij, maar Sarah wilde het pand volkomen leeg hebben om het een totaal nieuw gezicht te geven.

Jim was vol geestdrift over haar plannen. Hij hielp zoveel hij kon met adviezen en voorstellen. En haar ouders waren enthousiast.

„Dit is wat je vroeger al wilde, Sarah. Als kind haalde je dikwijls al je kleren uit de kast. Jij was de verkoopster en de mannequin die de modellen showde. Van je goede smaak was ik al overtuigd toen je nog jong was. Ik ging wel mee om nieuwe kleren te kopen. Om alleen te gaan was je nog te klein, maar je wist precies wat je wilde en wat je niet wilde. Ik heb er vertrouwen in dat je voor je klanten de juiste keus gaat maken. Want voor wat je in de winkel gaat verkopen, is natuurlijk de smaak van het publiek belangrijk."

Sarah had erom gelachen. „Mam, ik weet het. En daarover hebben Caroline en ik ook dikwijls gepraat. De smaak van het publiek. Onberekenbaar, maar interessant om te volgen."

Caroline kende de plannen die Sarah allang koesterde, en het nieuws kwam voor haar dan ook niet onverwachts. „Ik vind het erg jammer dat je hier weggaat," zei ze „want je bent een prima verkoopster en we kunnen goed met elkaar opschieten. Maar nu je deze kans wordt geboden, moet je hem met twee handen aanpakken. Je zult geen concurrente van Claudette worden en ík zal dat voor jou niet zijn, want ik weet in welke richting jij het zoekt. Minder deftig, minder chique."

Twee maanden later werd het huwelijk gesloten tussen Jinze Johannes Dijkema en Sarah Marianne Laverman.

Ze wilden dolgraag trouwen en Sarah besefte dat het goed was getrouwd te zijn nu grote veranderingen in haar leven plaatsvonden, ook op financieel terrein. En ze vond het idee samen te wonen niet prettig. Jim zou haar dan voor moeten stellen als mijn vriendin; ze wilde hem 'mijn vrouw' horen zeggen. Met blijheid en trots in zijn stem. Ze wilden beiden officieel man en vrouw zijn, voor de wet en vooral voor God. Want zo was het goed.

Het huwelijk werd in de meimaand gesloten, op een prachtige zonnige dag. Er waaide een fris voorjaarswindje, dat, zo voelde Sarah het, geluk en liefde naar hen toedroeg. Dit huwelijk, hun huwelijk, werd een gelukkig huwelijk. Niet elkaar elke dag lieve woordjes toefluisteren, dat zou ook vreselijk saai en vervelend worden, ook niet te vaak elkaars hand vasthouden, maar het verbond ervaren een echtpaar te zijn dat liefde voor elkaar voelde. En vanuit die liefde voor elkaar wilde zorgen.

„We zijn elkanders klankbord, lieveling. We kunnen wat ons bezighoudt, blije dingen en nare dingen, aan de ander voorleggen. En er samen over praten. De vreugde delen en in het verdriet kracht en steun geven."

Sarah had de diepe waarheid erin gevoeld, maar ze had er toch een glimlach voor. Het waren echt woorden van Jim. Jim hield van woorden. Hij wilde ze goed rangschikken in zijn verslagen, maar hij kon ze, naar haar toe, ook vol warmte brengen. Ze voelde ze aan zoals hij ze bedoelde. Ze begrepen elkaar. En meningsverschillen, zelfs ruzie, zouden ze op de enige goede manier oplossen: luisteren naar de zienswijze en het inzicht van de ander, deze overdenken en tot elkaar komen. Het klonk allemaal zo mooi, maar Sarah geloofde erin. Het was mogelijk als het gedragen werd door een liefde zoals er tussen Jim en haar was.

Jan Stevens was aanwezig om de foto's te nemen. „Zie je," fluisterde Jim voor ze uit de trouwauto stapten, terwijl familie en vrienden lachend keken op het bordes voor het stadhuis, „hij staat al met de camera in de aanslag. Jij moet straks half in en half uit de auto hangen en naar mij lachen en ik moet je galant de hand reiken om je te helpen. Daarom heb ik een hekel aan bruidsreportages. Maar, lieveling, we gaan ervoor! Lachen naar het vogeltje!"

In het stadhuis werd het een korte plechtigheid. „Ik weet," zei de ambtenaar, „dat u vandaag veel wijze woorden zult horen, hier en in de kerk, ik zal het dus niet te lang maken. Houd van elkaar, vertrouw elkaar en help elkaar." Toen ze tegenover elkaar stonden in de mooie zaal, Sarah in een prachtige, witte bruidsjapon en Jim in lichtgrijs en de ambtenaar hun de bekende vragen stelde, lachten ze naar elkaar en wisten ze waaraan ze dachten. Aan de avond waarop ze gesproken hadden over de vrijheid die hun door deze belofte werd ontnomen. Maar ze hadden er nu allebei vertrouwen in dat dit de goede weg was.

Daarna volgde een goede, warme plechtigheid in het kerkgebouw. De dominee had de woorden gekozen die al dikwijls zijn gezegd, maar steeds weer wordt duidelijk hoe belangrijk ze zijn in mensenlevens. Vooral op een dag als deze, hun trouwdag, hun jawoord, dat klonk voor hun verdere leven: geloof, hoop en liefde.

De vriendenclub was natuurlijk de hele middag en avond aanwezig. Harm had intussen een vriendin, Joke, een leuke, blonde meid die goed in de kring paste. Jill was met Stefan gekomen. „Hij is nog niet mijn verloofde," vertelde ze over de jongen met de bruine ogen en donkere haren, „maar hij maakt een goede kans." En er was veel familie, er waren collega's en vrienden.

Het werd een fijne en mooie dag.

Heel laat in de avond waren ze terug in de woonruimte boven de winkel. „Voorlopig blijven we hier zitten," had Jim hun beider standpunt enige tijd daarvoor verwoord. „In de eerste plaats omdat dit plekje lekker dicht bij jouw werkvloer is, in de tweede plaats omdat we het een gezellig nestje vinden, niet te groot en niet te klein. En het is niet duur, want we moeten met onze plannen op de centjes letten. Door jouw werk zitten we financieel toch een beetje klem. Het is een aardig huursommetje elke maand, maar je winkeltje loopt nu al goed, we hebben er vertrouwen in. Met mijn bezigheden gaat het ook lekker. Elke week een column in de krant en de reportages scoren tot nu toe goed. Prima reacties van de lezers en ook van redacties van andere bladen. Berkenrode wil dat ik voor een reportage naar Spanje vertrek. Ik moet daar de gang van zaken in een groot hotel onder de loep nemen, ook achter de schermen kijken, en een bezoek brengen aan wat Joop Broekman een opgraving noemt."

Jim had toen naar Sarah gelachen. „Ik kon meteen vertrekken, maar nee, dat wilde ik niet! Net getrouwd en dan weggaan van mijn vrouwtje, dat gebeurt niet! Broekman had er alle begrip voor. Ik wil met al deze woorden zeggen dat we onze plannen goed op de rails hebben. We zijn dolgelukkig met elkaar en we hebben allebei een werkkring waarin we ons kunnen uitleven. Het is niet alleen werk, we doen het ook met plezier. En we kunnen elkaar veel vertellen. We zullen ons niet vervelen, lieveling."

℘4℘

Twee jaren gingen voorbij.

In grote lijnen was er in die twee jaren in hun leven niet heel veel gebeurd. In elk geval geen schokkende dingen, geen tegenslagen. Weken en maanden gleden voorbij zoals zij er plannen voor hadden gemaakt.

De winkel liep uitstekend. Sarah had twee verkoopsters aangenomen zodat alle klanten met geduld en aandacht geholpen konden worden. Ina, blond, jong en hartelijk, deed het werk, in Sarah's ogen, precies op de goede manier. Willeke was ook hartelijk en vriendelijk, maar soms, vond Sarah, ging het op een ietwat onderdanige manier, te lief. Willeke was het te vaak met de klant eens en dat was niet nodig. Maar alles verliep prima. Sarah was tevreden.

Het werk van Jim draaide naar wens, zoals hij het omschreef. Hij was op dit moment op weg naar Lapland om daar een geweldige reportage te maken voor Ruime Nieuwsblik. Hij had de reis zorgvuldig voorbereid. Zijn doel was met een bijzondere reportage over het land in het hoge noorden van Europa en zijn bewoners thuis te komen. Er waren in het verleden meerdere reportages over de Noordkaap en het noorden van Lapland geschreven, maar Sarah had er vertrouwen in dat Jim een goed, nieuw verhaal zou brengen. Vooral als hij erin slaagde gesprekken met de bewoners te voeren. Met oudere mensen die met hem wilden praten over het werk en de leefomstandigheden van toen, en bewoners van nu die beslist interessante en bijzondere gebeurtenissen konden vertellen. Want, was Jims overtuiging over zijn werk, de verhalen van mensen brengen de spanning in alles wat hij opschreef. Via een reisbureau dat tochten naar Scandinavië organiseerde, had hij de naam en het adres van een jonge, Hollandse vrouw gekregen die in de zomermaanden in Lakselo woonde en werkte.

Op hun bovenverdieping was iets prettigs gebeurd. Ongeveer een jaar geleden kwam Margreet hun vertellen dat ze ging verhuizen. Ze wilde naar de woongemeenschap in de Van der Doeslaan. Twee van haar vriendinnen hadden daar inmiddels hun intrek al genomen en het beviel de dames uitstekend. Mensen om zich heen die contacten wilden leggen, maar niet al te bindend. Leuk met elkaar omgaan was de bedoeling, maar elk toch een eigen leven leidend achter de gesloten voordeur van het appartement. „En als ik over enige jaren met pensioen ga," had Margreet eraan toegevoegd, „zal ik me minder eenzaam voelen dan op mijn kamer hier."

Jim en Sarah vonden het een verstandig besluit van Margreet en voor hen kwam het prachtig uit, want nu konden ze dat deel van de bovenverdieping erbij huren. Voor Jim werd de vroegere woonkamer ingericht als werkvertrek en wat eens Margreets slaapkamer was, gebruikte Sarah nu als kantoor.

De heerlijke bijeenkomsten op zaterdagmiddag in Het Schippertje waren helaas voorbij. Sarah kon op die middag niet in de winkel gemist worden. Zaterdag was de drukste dag van de week. En Hanne had Claus; het was een aardige jongen, maar hij paste niet echt in de groep. Hij was stil, een beetje verlegen en Hanne zei: „Jullie walsen goedmoedig over hem heen. Jullie menen het niet zoals je het zegt, maar Claus voelt zich er niet prettig bij." En hij kwam dus liever niet met haar mee.

Ook voor de anderen waren er veranderingen gekomen. Maar ze zagen elkaar toch nu en dan, en als alles goed werd afgesproken, in Het Schippertje.

Deze mooie zomeravond zat Sarah in de huiskamer. Ze had het raam wijdopen geschoven. De zomerwind streek over de stad. Over de huizen en de parken, waar planten en struiken en bloemen getuigden van een vol leven; het eeuwigdurende wonder van de jaargetijden, zo mijmerde Sarah. Met een lachje om de mond.

In de Vondelstraat liepen nog mensen, maar de winkeliers hadden de deuren allang gesloten. Naar mooie dingen in de etalages kijken was nog de enige mogelijkheid en dat was dikwijls leuk om te doen. „Kijken," merkte Jill eens op, „is heerlijk. In een impuls denk je: Dat wil ik hebben! maar door rammelen aan de deur gaat die deur toch niet open en de volgende dag, als je de winkel wel kunt binnengaan, denk je: Laat ook maar, ik ben zonder die aankoop ook gelukkig, en dan hou je je guldentjes in je zak."

Sarah hoorde stemmen roepen, het blaffen van een hond en alle geluiden die een stad voortbrengt. Auto's die over de Piet Heynkade achter de Vondelstraat reden en verder weg het geluid van een voortdenderende tram. Het leven was goed en heerlijk.

In het begin van de avond had Jim gebeld. Hij had natuurlijk deze tijd van het jaar uitgekozen om de reis te maken omdat het nu prachtig weer kon zijn in het noorden en omdat nu in Lapland de zon niet onderging. De Noordkaap was zijn doel.

Zijn stem had ver weg geklonken; hij wás ook ver weg. „De verbinding is slecht, maar ik versta je wel. Alles is goed met me."

„Met mij ook. Het is prachtig weer in Nederland."

„Hier ook en het is heel bijzonder mee te maken dat de zon niet ondergaat. Het blijft de hele nacht licht! Ja, dat weet je natuurlijk, er is al vaak over geschreven, maar het is toch een belevenis!" Na nog wat lieve woordjes voor elkaar was de verbinding verbroken.

En nu zat ze hier, voor het geopende raam. Met een lachje dacht ze: Vrouw aan het venster. Vrouw boven de winkel van haar dromen. Vrouw met de stem van de man die ze liefheeft nog in de oren: Lieveling, ik mis je.

Haar gedachten dwaalden naar de winkel. Ze wist al jarenlang dat ze de juiste kleding kon kiezen waar een ruim, jong en enthousiast publiek blij mee zou zijn. De ontwerpen van Sander Rademaker vond ze de mooiste. Ze hield daarvan. Jeugdige modellen, de stoffen fris van kleur. Zijn ontwerpen waren jong en zwierig, maar niet té zwierig. Heerlijk om elke dag te dragen. Sander Rademaker... Ze ontmoette hem voor de eerste keer toen ze nog bij Claudette werkte en Caroline haar vroeg mee te gaan naar zijn atelier in Amsterdam om inkopen te doen.

„Zijn meeste ontwerpen zijn niet echt geschikt voor Claudette, maar ik koop wel prachtige blouses bij hem. Hij gebruikt mooie stoffen en rustige kleuren. Voor jou, met je droom over een eigen boetiek, is het, denk ik, een ideale plaats om je hart op te halen."

En dat was ook zo. Ze had Sander tijdens dat bezoek verteld hoe ze over zijn collectie dacht. Het volgende voorjaar kreeg ze een uitnodiging om zijn modeshow bij te wonen. Ze was er met Caroline heen gegaan. En nu kocht ze zelf in bij Huis Rademaker.

De eerste keer dat ze inkopen ging doen voor haar eigen winkel, reisde ze met Jim naar Amsterdam. Ze werden ontvangen in wat Sander De Salon noemde. „Je moet in deze business stijl hebben." Het was een prachtige ontvangstruimte in het grote gebouw waar achter in de ateliers waren gevestigd. Nadat de inkopen waren gedaan, dronken ze koffie, met z'n drietjes om een tafeltje.

„Babbelen jullie maar met elkaar," stelde Jim toen voor, „twee mensen met oog voor blousjes en rokjes; ik heb geen verstand van kleren."

„En van kleuren nog minder," voegde Sander daar toen aan toe, „want Sarah heeft me verteld dat je graag zwart draagt. Je zou voor mij dus geen goede klant zijn."

„Nee. Ik let ook niet op het model of de maat. Als ik een broek, jasje of overhemd aantrek, moet het lekker zitten, dan is het goed."

Haar tweede bezoek aan Sander was om de herfst- en wintercollectie uit te zoeken. Jim was in die tijd in Zuid-Frankrijk om voor de speciale reiseditie van de krant, die binnenkort zou uitkomen, te schrijven over dat deel van Frankrijk. Niet de Middellandse-Zeekust, maar het gebied iets noorderlijker, waar de rivier de Tarn zich een weg zoekt langs rotsen en door kloven. De gorges. „Daar kan ik prachtige foto's schieten," was Jims overtuiging.

Zij reisde toen alleen naar Amsterdam. Nadat ze een uitgebreide order had geplaatst, stelde Sander voor samen te lunchen in het restaurant om de hoek. Sarah wist: dit biedt hij me aan omdat ik een goede klant kan worden. Dat is zakelijk gezien juist. En zij vond het prettig niet alleen ergens iets te gaan gebruiken voor ze doorreed naar Jonge Mode in Den Haag.

Het gesprek met Sander die middag was achteraf een bijzonder en intensief gesprek geworden. Hij gaf, zoals Sarah dat voor zichzelf noemde, veel van zichzelf weg. Van zijn privé-leven. In het begin was het onderwerp natuurlijk de mode en wat daarbij hoorde: verkooptechnieken, de inrichting van een winkel, en noem maar op, maar het gesprek dreef langzaamaan naar hun persoonlijke leven.

Sander Rademaker vertelde dat hij zijn vriendin, zijn maatje in het leven, drie jaar daarvoor aan de dood had verloren. Ze heette Lotte. Ze waren nog niet getrouwd. Niet omdat ze niet wilden trouwen, plannen voor een huwelijk waren er zeker, maar het was er door drukke werkzaamheden, zoals voor hem de verbouwing van het bedrijfspand, niet van gekomen. „En we vonden het allebei niet nodig halsoverkop te trouwen. We wilden van onze huwelijksdag een heerlijke feestdag maken, en zonder de officiële papieren waren we ook gelukkig. Want geluk is iets wat uit jezelf komt, daar zorgt het boterbriefje niet voor. Maar opeens werd Lotte heel ziek en van trouwen kwam niets meer."

Sander vertelde die middag ook: „Lotte en ik hadden elk een werkkring op totaal verschillende terreinen. Zij werkte in het verzorgingstehuis De Wielewaal en ze deed dat met grote inzet, liefde en toewijding. Ze praatte het laatste jaar niet meer over de bezigheden die ze in het tehuis verrichtte, 'want,' zei ze, 'die ken je onderhand. Er verandert niet veel. Het leven gaat er elke dag opnieuw voorbij zoals het zich in de dagen daarvoor afspeelde.'

In het begin van onze relatie vertelde Lotte erover om mij inzicht te geven in haar bezigheden. Ze vond dat ik daarvan moest weten en ik vond het belangrijk om het te weten. Zoals ik háár vertelde over míjn werk en míjn plannen. Toen hoorde ik over het echt vuile werk wat de verpleegkundigen in dergelijke tehuizen moeten opknappen. Bedden verschonen van patiënten die zich ernstig bevuild hebben, mensen wassen en in schone kleren helpen en noem maar op. Je kunt je er zelf wel een voorstelling van maken hoe het daar toeging. Die werkzaamheden deed Lotte omdat het moest gebeuren, omdat het erbij hoorde.

Haar liefde voor het werk uitte zich in de omgang met de bewoners, mensen die ertoe veroordeeld waren het laatste deel van hun leven in het tehuis te slijten. Veel patiënten hadden in hun lange leven familieleden en vrienden verloren aan de dood, er bleven voor hen weinig mensen van vroeger over om naar hen om te kijken. Die mensen zocht Lotte in haar vrije tijd op. Ze liet ze praten over vroeger, ze luisterde naar de verhalen. Vaak hoorde ze dezelfde verhalen, maar daaruit maakte Lotte op hoe belangrijk de gebeurtenis voor de man of vrouw was geweest. Ze had medelijden met de ouderen die wél familie hadden, kinderen, maar die die kinderen bijna niet zagen omdat deze het druk hadden. Vader of moeder werd in De Wielewaal goed verzorgd, vader of moeder was goed opgeborgen. Als de dag van overlijden was aangebroken, kwamen ze wel.

Er woonden mensen, vertelde Lotte me, die elke dag weer naar de deur van hun kamer keken in de verwachting dat die dag een dochter of zoon of een kleinkind zou komen. En als de dag voorbij was gegaan, hoopten ze op morgen: morgen komt Jan... morgen komt Annie... Vooral de ouderen waarvan het lichaam het liet afweten, maar die nog goed van verstand waren, hadden het daar zwaar mee.

Lotte vertelde eens dat de familie het vreselijk vindt als vader of moeder dement is geworden en niet meer weet hoe de wereld om hem of haar heen draait, maar Lotte was door de jaren heen tot de overtuiging gekomen dat die mensen, minder dan de patiënten die nog wel goed konden denken, verdriet ondergingen om het wegblijven van hun kinderen, broers en zusters. Voor de laatsten was het leven dikwijls zwaar en Lotte probeerde daaraan zoveel ze kon toch een tintje van begrijpen en liefde te geven."

Sarah had naar hem geluisterd en hem toegeknikt, ze begreep alle woorden.

Na het overlijden van Lotte was het leven van Sander Rademaker anders geworden. „De eerste tijd was heel moeilijk. Ik had het gevoel dat ik niet zonder haar kon leven, maar," hij had het met een glimlach gezegd, „het leven ging voor mij toch door. De tijd spoelt eerst de heftigste pijn weg en schaaft daarna ook langs de trieste gevoelens die zijn achtergebleven, en ten slotte komt het berusten. Het is niet anders. Ik leef nu zonder Lotte. Ik heb een druk leven. Veel mensen om me heen, veel gesprekken, afspraken en noem maar op. Dat betekent afleiding. En daarbij het ontwerpen en toezien op het juiste uitwerken van alles wat in romantische uren op de tekentafel in mijn hoofd opkwam. Het denken over stoffen en kleuren, nou ja, je zit wel niet in het vak van ontwerper, maar je begrijpt dat er één en ander komt kijken voor een japonnetje, dat geboren werd in mijn gedachten, aan een knaapje op het rek in de showroom hangt."

Sander Rademaker was voor Sarah een mens geworden die ze kende. Waarvan ze het verleden wist. Het verdriet van toen. Maar, hij had in kleine opmerkingen, zonder er nadruk op te leggen, laten weten dat hij ervan overtuigd was dat God het sterven van Lotte niet kon voorkomen, maar dat God hem in dat verdriet de kracht had gegeven om op zijn levenspad verder te gaan.

Toen ze het jaar daarop belde om een afspraak te maken om naar de nieuwe collectie te komen kijken, had ze gezegd: „Ik weet dat je inmiddels een leuke assistente hebt die jouw plaats bij de rondleiding uitstekend kan innemen, maar ik vind het prettiger als jij dat voor me doet."

Hij lachte vanaf de andere kant van de lijn. „Sarah, zo denk ik er ook over. Er zijn klanten die ik met veel plezier doorschuif naar Bettine, zo heet die assistente, maar er zijn een paar relaties waarmee ik graag zelf een praatje maak en contact hou. Jij bent daar één van. Ik sla mijn agenda nu open, want ik wil dat je in de namiddag komt, zodat we, als je één en ander hebt uitgezocht, want je zult zeker slagen, samen in De Corner een hapje gaan eten. Natuurlijk praten we dan over kleding en mode, dat kan niet anders, maar ik wil ook een gesprek over andere dingen die ons bezighouden in het leven. Voor jou het werk van Jim bijvoorbeeld. Zijn werk vind ik bijzonder interessant. Ik heb vorige week Het Journaal gekocht omdat bij de inhoudsopgave stond dat er een reportage van Jim Dijkema in was afgedrukt. Een prachtig en interessant verhaal en schitterende foto's! Die man van jou kan er wat van! Je zult trots op hem zijn."

„Ja," had ze bijna juichend geroepen. Leuk dat Sander dat blad had gekocht, daaruit sprak belangstelling en ze voelde er vriendschap in; aandacht voor elkaar die niets met het werk en geld verdienen te maken had. „Ja, ik ben erg trots op hem!"

Ze maakten een afspraak. En na een goede inkoop zaten ze tegenover elkaar in De Corner. Het gesprek begon – bij de cocktail – over hun werkterreinen, maar ze wisten beiden dat het een opening was om de voorbije maanden te overbruggen. Beiden wilden naar andere onderwerpen. Misschien, hoopte Sarah, vertelde hij over Lotte. Lotte was dood, weg uit het leven, maar ze had voor Sander veel betekend en Sarah wilde daarover weten. Niet uit nieuwsgierigheid, maar uit belangstelling voor mensen die haar interesseerden. Het leven van Sander interesseerde haar. Zoals de levens, de plannen en de toekomstverwachtingen van vriendinnen en vrienden dichter om haar heen: Jill, Hanne, Frank, Bob en Harm. En, op een andere manier, meer in het verleden, het leven van Jims moeder. Uiterlijk een rustige, wat stille, evenwichtige vrouw, maar hoe was haar leven naast Jims vader? Kort na de eerste kennismaking was de indruk een goed huwelijk, maar langzaamaan kwamen kleine wonden naar voren die eigenlijk grote wonden waren geweest. Sarah wist de woorden die de vrouw zei zich nog precies te herinneren. „Ik vertelde hem over mijn verlangen naar een tweede kind, maar vader wilde dat niet. Want Hedde wilde dat ons kind het verder zou brengen dan voor hem was weggelegd. Geen opleiding na de lagere dorpsschool van meester Polman, maar werk zoeken. Geld verdienen om het grote gezin te steunen. Maar ons kind zou de kans krijgen hogerop te komen. Studeren, meetellen in de maatschappij, trots kunnen zijn op zichzelf. Dat kostte geld. En daar spaarden we voor."

Die avond, na de cocktail, allebei een glas rode wijn in de handen, met kleine slokjes nippend, zei Sander: „Ik wil met jou praten over iets wat me erg bezighoudt. Want naast rokjes en bloesjes en kantjes en biesjes zijn er belangrijker zaken. Daarvan ben jij ook overtuigd.

De mens is belangrijk. De mens is een geweldige schepping van God. De werking van de functies in een lichaam, het werken van hart, longen, spieren en noem maar op, is een groot wonder. En het gaat maar door, de ademhaling, de hartenklop. Vanaf het moment van de geboorte tot het moment waarop God het leven terugneemt. En naast dat lichamelijk functioneren, is er het denken. Het verstand van de mens. Leren, weten, plannen maken, dromen hebben, verdriet moeten ondergaan, ermee kunnen leven. Het houdt me bezig, Sarah."

Ze glimlachte toen naar hem. Ze wilde hem niet uit deze gedachten halen, want ze was nieuwsgierig hoe het verderging, maar ze zei toch, als een antwoord: „De mens is inderdaad een groot wonder."

„We zijn allebei met de warmte van het geloof opgegroeid. Men zegt soms op een beetje neerbuigende toon dat het er met de paplepel werd ingegoten en dat was bij mij thuis beslist zo. Ik zou bijna zeggen: met hapjes zoete vla. Ik was nog een jongetje en vader en moeder waren mensen die alles wisten en alles goed deden. Dat was voor mij, zonder nadenken, een zekerheid. Mijn vader was een fijne vader en mijn moeder was de moeder uit prettige, genoeglijke kinderverhalen. Altijd thuis, altijd bereid te troosten, te helpen en mee te lachen om mijn grapjes. Die twee wilden me opvoeden tot een man die een plaats in het leven zou krijgen en het leven aankon. Hun geloof en mijn geloof, was een steun en toeverlaat. Als je dat vanaf je kinderjaren meekrijgt vormt het een belangrijke leidraad en steun in je leven."

Sarah keek naar zijn ernstige gezicht met de grijsblauwe ogen,

90

de smalle mond die de woorden uitsprak. Ze knikte weer naar hem, maar ze zei niets. Hij had gelijk. Zij voelde het ook zo.

„Ik heb dat na het verlies van Lotte ondervonden. Ik had het gevoel dat God me in het diepste verdriet opnam en beloofde me erdoorheen te dragen. Tijdens haar ziek-zijn hielp het me niet, daarvoor was het verlies en mijn medelijden met Lotte te groot. Ze moest het leven verlaten waarin ze nog zoveel wilde doen, met mij trouwen, een gezin stichten, werken in een tehuis om oudere mensen te helpen, maar het mocht niet zo zijn."

Het gesprek was verdergegaan. De ober had intussen de hoofdmaaltijd gebracht; ze genoten ervan.

Het gesprek dwaalde naar een andere, lichtere richting en Sarah zei: „Het is nu meer dan drie jaar geleden, Sander, dat Lotte is gestorven. Jouw leven ging verder. Het gaat goed met je werk, je hebt succes. Is er een vrouw die je boeit? Bettine misschien? Ze is je secretaresse, vaak om je heen en ze doet haar werk uitstekend. Ik heb haar ontmoet. Het is om te zien ook een mooie meid. Ze heeft veel wat jou moet aantrekken, ja toch? Ze voelt voor de modewereld, ze heeft er kijk op, ze heeft er verstand van, ze zou voor jou een ideale partner zijn."

Ze verwachtte dat Sander dit zou beamen, want heimelijk had ze het gevoel dat er iets groeide tussen Bettine en hem. De manier waarop de jonge vrouw naar hem keek bij hun laatste gesprek in zijn kantoor, haar manier van lopen, een tikkeltje uitdagend; Sarah veronderstelde dat Sander het haar wilde vertellen, tijdens dit etentje. Er was een goed gevoel van vriendschap tussen hen en dit was geen geheim, dit was een prettig onderwerp om over te praten: de liefde.

„Je hebt in zoverre gelijk," zei hij, en in zijn woorden klonk bedachtzaamheid door, „dat Bettine nuchter gesproken voor mij een goede levensgezellin zou zijn. Ze is geschikt om mij te helpen bij mijn werk. Onlangs zei Philip, hoewel ik dat een vreselijke opmerking vond, 'Als je met Bettine trouwt, makker, is ze je vrouw, ze doet hetzelfde werk voor je, maar je hoeft haar geen maandsalaris te betalen.' Die opmerking viel slecht bij me. Want in dat licht wil ik mijn toekomstige vrouw niet zien. Wel," hij legde zijn handen op het zachtblauwe tafellaken, zijn bord was leeg, hij had heerlijk gegeten, „wel heb ik me na de komst van

Bettine verdiept in de vraag over een vrouw na Lotte. Ik deed dat beslist niet met nuchtere overwegingen, want ik ben ervan overtuigd dat dat de goede manier niet is om te denken over een vrouw in het leven van een man, de vrouw met wie hij een gezin wil, kinderen, een toekomst.

Bettine is een geweldige secretaresse. Ik kan me geen betere bewaakster van mijn agenda voorstellen. Ze denkt overal aan, let op alles, ze is geweldig. Bovendien heeft ze liefde voor mode en verstand van dit werk. Al met al bracht het me in de stroom van gedachten die me bezighoudt als ik alleen thuis ben. Als ik op de bank hang of in de nacht in het donker van de slaapkamer wakker lig. Dan zijn er veel gedachten. En dan is Lotte er weer. Ik hield van Lotte, zij was een goede vrouw voor mij. Maar Lotte had totaal geen interesse in mijn werk. Dat was jammer, maar niet meer dan dat. Het was gewoon zo. Zij praatte over haar patiënten, ik over mijn klanten en klantjes. Mijn klanten zijn mensen zoals jij: boetiekeigenaren. En de klantjes zijn de jonge meisjes en vrouwen die in jullie winkels hun kleding kopen. Ik weet wat ze willen dragen. En dat ontwerp ik voor hen. Het geeft een onzichtbare band.

Lotte was de vrouw waarvan ik hield, zoals een man van een vrouw moet houden. Dat is Bettine zeker niet voor mij. Ik heb ontdekt dat zij wel iets in mij ziet, maar ik geef haar geen enkele aanmoediging, want die gevoelens zijn er bij mij niet.

Ik heb wel overdacht," hij leunde toen over de tafel heen dichter naar haar toe, „dat het heerlijk moet zijn als twee mensen in een huwelijk dezelfde ambities hebben. Dat moet fijne gesprekken opleveren. Ook storingen, want de één zal over een bepaald voorstel anders denken dan de ander, maar je kunt erover praten. Mogelijk eerst bekvechten omdat elk zijn wil wil doordrijven, maar door blijven praten en begrip voor elkaars inzicht moet je er uitkomen."

Ja, ja, dacht Sarah en ze lachte naar hem. Ze zag het in gedachten voor zich. Zo zou het zeker vaak gebeuren. Maar je moest tot elkaar kunnen komen. Desnoods op basis van 'nu jij je zin, ik de volgende keer'. Het zou inderdaad prettig zijn over gezamenlijk werk te kunnen praten. Niet zoals het tussen Jim en haar ging wat háár werk betraf. De gesprekken tussen Jim en haar liepen wat dat betrof meestal niet soepel. Ze moest nu niet aan hen samen denken. Dit was een gesprek met Sander. Zo dacht ze tijdens het opruimen van de tafel door de lange, slanke ober. En tijdens het brengen van het dessert. Een kleine coupe ijs met verse aardbeien en slagroom. Heerlijk. Langzaam lepelen, dat was goed na de overvloedige maaltijd, hier stilletjes van genieten. Zoet en zacht op de tong.

Op de achtergrond zeurde de vraag, het weten eigenlijk: Hoeveel belangstelling heeft Jim écht voor mijn werk? Ze wist: heel weinig. Hij begreep er ook niets van. Hij voelde er niets bij. Dat was hem toch niet kwalijk te nemen? En wat voelde zij voor zíjn werk? Zijn werk was voor vrouwen goed te begrijpen. Ze konden de verhalen mooi vinden en van de foto's genieten. Meer dan mannen háár werk begrepen en leuk vonden en Jim was één van die mannen. Dat was een nuchter gegeven. Maar wat was zijn werk méér dan op pad willen zijn? Dingen zoeken die interessant waren om er anderen over te vertellen? Maar soms wist hij niet waarnaar hij zocht, hij moest het tegenkomen. Ze lachte inwendig om deze malle gedachten.

Sander ging rechtop in de stoel zitten. Zijn rug tegen de leuning gedrukt. Een beetje ongemakkelijk, dacht Sarah, hij is opeens gespannen. Ze voelde dat hij haar nóg iets wilde vertellen en ze was er nieuwsgierig naar. Was er tóch een nieuwe liefde in zijn leven? Niet Bettine, maar een andere jonge vrouw? Vond hij het moeilijk haar daarover te vertellen? Maar hij hóéfde het haar toch niet te vertellen? Ze konden goed met elkaar opschieten, ze dachten wat hun werk betrof in dezelfde richting, maar echte vrienden waren ze niet. Daarvoor zagen ze elkaar te weinig. Waarom zweeg hij niet gewoon over een nieuwe liefde? Ze hoefde het niet te weten. En hij hoefde er niet over te praten.

Toen de ober de koffie had gebracht zei Sander – hij kwam er plompverloren mee, een beetje gehaast ook, alsof hij dit wilde zeggen, even aarzelde, maar toen besloot het toch te doen – „Ik begrijp niet goed, Sarah, waarom jij met een man als Jim bent getrouwd. Hij kan jou niet volgen in je werk en hij kan je er niet in helpen."

Ze was verbaasd over deze woorden en voelde iets van ongenoegen. „Ik ben met Jim getrouwd omdat ik van hem hou. En Jim is met mij getrouwd omdat hij van mij houdt. Liefde is het belangrijkste in het leven." Ze wilde eraan toevoegen: Dat moet jij, na Lotte, toch weten. Maar ze wilde Lottes nam niet noemen. En wat had hij, Sander, begrepen van háár grote medelijden met de mensen in het tehuis?

„Jim is een lieve, beste jongen, begrijp me alsjeblieft niet verkeerd, maar zijn interesse en belangstelling liggen op een ander vlak dan jouw interesse en belangstelling."

„Jims werk is mensen ontmoeten, ze zien, hen volgen en observeren, hun verhalen aanhoren om erover te schrijven. Hij vertelt me over zijn belevenissen en ik kijk door zijn ogen met hem mee. Jim merkt dingen op die de meeste mensen ontgaan. Hij schrijft daarover in zijn columns. Soms draag ik hem een onderwerp aan, want ik ontmoet veel mensen. Jim werkt dat uit, maar als het op papier staat is het onherkenbaar voor de man of vrouw die het mij in handen gaf. Daarvan zien we allebei de lol in."

Haar lichte gevoel van boosheid was weggeëbd. Het was een minder tactische opmerking van Sander geweest, hij besefte dat nu zelf vast ook. Zij verdedigde Jim. „En mijn winkel; voor het werk daarin kan hij geen echte interesse opbrengen. Hij ziet het verschil niet tussen een klokkend rokje en een recht rokje en hij snapt niet waarom een wit kraagje nu juist een aardig effect geeft aan een blauw jumpertje. Jim ziet in het geheel weinig in kleding. Hij vindt zwart een goede kleur. En donkerblauw gaat ook nog wel. Ik heb daarin begrip voor hem. Maar hij volgt zeer zeker het wel en wee van de winkel. Maak je geen zorgen," voegde ze er lachend aan toe, „we hebben een heel goed huwelijk."

„Daaraan twijfel ik niet," antwoordde Sander ook lachend, maar de woorden die hij eraan toevoegde had ze in haar denken opgesloten, „Je bent een bijzondere vrouw, Sarah Dijkema. Ik vermoed dat ik je met mijn opmerking van zo-even verbaasde. En je enigszins van je stuk bracht. En eigenlijk, lieve Sarah, was dat mijn opzet." De gespannen houding was uit hem weggetrokken. Hij leunde met zijn ellebogen op het tafelblad en naar haar toegebogen zei hij: „Ik heb veel nagedacht na Lottes dood. Ik vertelde dat al. Ik heb je over mijn bijna kinderlijke geloof verteld. Maar nu zie ik de hand van God anders in mijn leven. Ik denk nu dat we zelf in het leven min of meer onze weg moeten kiezen, geleid door het verstand dat God ons heeft gegeven. Goede dingen doen, juiste beslissingen nemen en niet uit zijn op macht en geld. Ik zeg niet dat Lottes sterven daarmee iets te maken heeft. Dat denken zou volslagen kolder zijn. Lottes lichaam was heel ziek. En herstel was, ondanks alle hulp van knappe chirurgen en doktoren, onmogelijk.

Ik moet nu na een lange periode van verdriet en onbegrip een nieuwe weg inslaan. Voor mij ligt die weg in het werk wat ik doe. Zoals jij een weg met soortgelijk verlangen bent ingeslagen. Het is overdreven te zeggen dat we het als levensdoel zien, het is tenslotte werk en niet anders dan werk, maar het is voor ons allebei toch belangrijk. Het was al vanuit de kindertijd een verlangen dit te doen. Jij en ik kunnen moeilijk voor andere arbeid kiezen."

„Het klinkt waarschijnlijk erg dom, Sander," ze had net als hij haar ellebogen op de tafel geplant, ze voelde de sympathie tussen hen en ze wist dat Sander het ook voelde, „maar ik begrijp niet in welke richting jouw denken is gegaan. Of," ze lachte opeens, „of ik moet uit je woorden opmaken dat je in de toekomst graag een vrouw naast je wilt die je in je werk begrijpt? Naar je plannen luistert en je raad kan geven?"

„Je begrijpt het dus heel goed, Sarah. Ik ben ervan overtuigd dat het samen bezig zijn met datgene waarmee je je geld verdient en waarin je je energie legt, een goed verbond geeft. Ik heb in de vele voorbije uren alleen in mijn huis vol gedachten ook jou en Jim de revue laten passeren. Ik zie toch een licht gevaar in jullie sterk afwijkende belangen wat betreft werk. Het is iets waar ieder van jullie veel mee bezig is. De wegen van jullie interesses lopen zover uiteen, het moet op den duur tot wrijvingen leiden. Want, dat vertel ik je nu, wrijvingen zijn er ook tussen Lotte en mij geweest. Ondanks onze liefde voor elkaar. Ik miste haar meedenken en meeleven met de bezigheden die zo'n belangrijke plaats in mijn leven innamen. Het is veel meer dan alleen werken. Het beheerst mijn leven en mijn denken. Dat zal voor jou ook zo zijn. Op die vele momenten is de man of vrouw die naast je moet staan, los van je. Mogelijk wel lichamelijk dichtbij in de kamer of in de keuken, maar met je geestelijke bagage sta je alleen. Lotte had haar gedachten bij de mensen in het tehuis en Jims denken zal over het doen en laten van de dorpsbevolking in een gehucht in Frankrijk gaan of zullen zijn bij de vissers van een stadje aan de Italiaanse kust; ik noem maar wat.

In de eerste tijd die we samen waren, luisterde ik naar Lotte als ze vertelde over de bewoners van De Wielewaal. En ik vond het goed en lief dat ze met deze mensen meeleefde. Maar langzaam-aan ging het me irriteren en ik zei er iets van. Die mensen hadden toch familieleden en kennissen die naar hen moesten omkijken? Zij kon toch niet voor ál die mensen de reddende engel zijn? Dat was haar taak toch niet? Toen viel Lotte uit: 'Het zijn levende zie-len, ze hebben een hart dat klopt en ze hebben verlangens en zor-gen. Jij bent de hele dag bezig met stukjes lap en welke knoopjes je zult kiezen en welke jonge meid in je bloesje aan de wandel gaat.'

Je voelt het verschil. Nuchter gesproken zit er waarheid in. Maar ik vond dat ík gelijk had. Lotte was daar aangenomen om bedden te verschonen en de mensen te helpen met eten en desnoods aan de arm een stukje mee te nemen over de gang om ze in beweging te houden; dat was haar werk.

Na die avond praatte Lotte niet meer over het tehuis. Zo was haar natuur. Ze sloot zich snel af, ze sloot mij buiten haar denken en zorgen; tenminste wat haar werk betrof. Maar dat werk was heel belangrijk voor haar. Als ik er een enkele maal naar vroeg, zei ze alleen dat alles naar wens verliep. Maar meerdere avonden trok ze haar jack aan en stapte ze op de fiets om meneer Degeling, ik noem maar een naam, of mevrouw Makkes op te zoeken. Om voor de lange nacht kwam nog even met hem of haar te praten. Daarover ben ik boos geweest. En ik ging als répresaille in de avond naar mijn werkkamer om een ontwerp voor een zomerjasje op papier te zetten. Een schets te maken. Zo groeide tussen ons een verwijdering.

Tijdens haar ziekte ebden die gevoelens weg. Ik steunde haar zoveel ik kon en zij wilde me in haar nabijheid hebben. Maar we wisten allebei dat er dingen waren geweest die ons uit elkaar had-den gedreven. Als je die zaken nuchter tot hun werkelijke waarden terugbrengt, zijn het onze verschillende werkkringen geweest die daarvan de oorzaak waren."

Nu, maanden later, zat Sarah alleen in de kamer voor het geopende raam en besefte hoe sterk ze dat gesprek met Sander in zich had opgenomen. Ze dacht er de eerste dagen daarna over, het kwam in flarden in de avonden en ook in de nachten, als ze wakker lag. Er waren stille vragen gegroeid. Had Sander het gesprek voorbereid om haar te vertellen over de verwijdering tussen Lotte en hem? En hoe diep was die verwijdering in werkelijkheid geweest, ook al leek vanbuiten alles goed. Lotte en Sander samen aan tafel om te eten, allebei de krant lezend in de avonduren, maar de verwijdering groeide tussen hen.

Sander had spijt van zijn woorden van afweer over Lottes betrokkenheid bij meerdere bewoners van De Wielewaal. Want waarover oordeelde hij? Hij kwam nooit in het tehuis, hij kende de mensen niet. Hij zag hun verdriet niet, en het was waar dat Lotte dat verdriet niet kon oplossen en ook niet kon wegnemen, maar lieve woorden van medeleven deden veel goed. Hij had het veroordeeld, en daarmee Lotte gekrenkt.

Het gevoel groeide in Sarah dat Sander voor zichzelf een psychisch probleem opriep; dat probleem was al in hem gegroeid. En hij had haar uitgekozen om erover te praten en zij had naar hem geluisterd, maar echt geholpen had ze hem niet. Ze moest hem binnenkort bellen om erover te praten.

Ze stond op en sloot het raam. Het weinige rumoer van de Vondelstraat werd buitengesloten. Ze liep naar de keuken en dronk, leunend tegen het aanrecht, met kleine slokjes een glas water leeg. Ze moest hem nú bellen, wist ze opeens. Als hij er niet was, was een gesprek niet mogelijk, maar dan was hij ergens waar zijn gedachten werden afgeleid, maar als hij alleen thuis was... Ze voelde het als een aanwijzing, een raadgeving, maar ze lachte erom, van wie dan?

Terug in de kamer draaide ze zijn nummer.

„Sander…" kwam zijn stem.

„Sander, met Sarah."

„Hè, Sarah, fijn dat je me belt. Ik voel me niet echt happy."

„Alleen?"

„Ja, ik ben alleen, maar dat is op zich geen probleem, want ik ben al veel jaren veel avonden alleen. Maar, zoals ik je een poos terug vertelde, komen de problemen steeds sterker op me af. Ik weet dat het geen enkele zin heeft daarover te denken en nog minder erover te piekeren. Lotte is dood, zij heeft geen pijn meer over mijn houding tegenover haar werk, maar voor mij gaat mijn houding van toen steeds sterker spreken. Toen we besloten samen te gaan wonen en ons huwelijk voor te bereiden, beloofde ik haar te helpen en bij te staan en dat heb ik in nuchtere dingen ook gedaan, zo slecht en gemeen was ik nu ook weer niet." Sarah hoorde een licht lachje. „Maar steeds moeilijker wordt het denken over mijn houding tegenover haar werk. Het laat me niet los. Het gaat, hoe zal ik het zeggen, steeds meer aan me knagen, aan me vreten. Het houdt me bezig. Voor Lotte was het zó belangrijk en ik wilde niet meegaan in haar denken daarover.

Lotte vertelde op een avond over mevrouw Westerterp. Haar naam zit intussen in mijn hoofd alsof ik haar goed heb gekend. Zij had in het verleden en in de goede jaren een leuk gezin. Een aardige man en vier kinderen. Twee zonen en twee dochters. Ze zorgde voor de kinderen, ze kende in hun kinderjaren hun verdrietjes en zorgjes en ze hielp ze zo veel mogelijk. Ze was toen wat Lotte noemde: het middelpunt van het gezin. Zoveel moeders zijn dat in de jeugdjaren van hun kinderen. Mevrouw Westerterp was gelukkig. Ze was er ook van overtuigd, zonder daarover echt na te denken, dat ze een goede moeder was. En een goede vrouw voor haar man. Alles voor elkaar dus.

De kinderen kregen verkering en trouwden. Met de keuzes van de zonen van hun vrouwen was ze het niet eens geweest, maar ze had er weinig over gezegd. Omdat de jongens zelf moesten beslissen met welke vrouw ze hun verdere leven wilden doorgaan. Verstandige moeder toch?' In Sanders stem was een ironische klank. „Mevrouw Westerterp vertelde erover als Lotte in rustige kwartiertjes bij haar aan tafel schoof om haar te laten praten. Zich te uiten en het hopelijk losser te maken als het naar buiten kwam. Om het verhaal van de zonen kort te houden: er was geen contact meer tussen de schoondochters en de schoonmoeder. Mevrouw Westerterp was ervan overtuigd dat zij aan die breuk niet schuldig was. Maar, had ze Lotte toevertrouwd, die twee meiden praatten veel met elkaar en ze vonden het allebei een goede oplossing dat ze zich niet meer met de moeder van hun mannen hoefden te bemoeien. En als je zo'n plan wilt uitbroeden, is er altijd een oorzaak te vinden waarom je niet meer naar haar toegaat. Het gevolg was dat de zonen ook sporadisch naar De Wielewaal kwamen. Dat deed mevrouw Westerterp veel pijn. Jan en Gert, hoe fijn was het vroeger met hen in huis geweest, mama voor en mama na en nu leek mama vergeten, was ze al weg uit hun levens nog voor ze dood was.

Ze vertelde ook over de twee dochters. De één was met haar man naar Zuid-Afrika vertrokken omdat hij daar een goede baan kon krijgen. In het begin schreef ze lange brieven om moeder op de hoogte te houden van het wel en wee van haar gezin, maar op een dag kreeg mevrouw Westerterp een brief waarin de dochter schreef dat het weinig zin had over hun doen en laten van elke dag te schrijven, omdat alles in dat verre land zo anders ging dan in Holland. Van de kleinkinderen kende ze alleen de namen, ze kende de kinderen zelf niet. En ze leerde ze ook niet kennen uit de beschrijvingen van Janna. Hun schoolleven, hun vriendjes, hun voorkeuren... De brieven werden steeds korter en uiteindelijk werden het kaarten met vriendelijke groetjes. Maar weinig per jaar.

De andere dochter woonde in Nederland, maar ver bij De Wielewaal vandaan. Ook dat contact was gering. Met de man van Hettie kon mevrouw Westerterp niet opschieten. Haar man en zij hadden die dochter nog zo gewaarschuwd voor ze met hem trouwde. Lieve kind, doe het niet, met hem ga je je ongeluk tegemoet, maar je weet hoe dat gaat, verliefde mensen zijn blind.

Ik vertel je dit uitgebreid, Sarah, met de woorden waarin Lotte het mij bracht. Ik weet die avond nog. Ik zie onze kamer voor me, de schemerlamp op het tafeltje in de hoek, de kopjes waaruit we koffie hadden gedronken. Het is bijna niet te geloven, maar het is waar: ik hoor de laatste tijd haar stem zoals ze over mevrouw Westerterp vertelde. Ik zie haar tegenover me op de bank zitten. Ze had een beige pantalon aan en beige slofjes aan de voeten. Die voeten met die slofjes zie ik steeds voor me. Ik weet dat je nu denkt dat het een obsessie voor me is geworden, een waandenkbeeld, want het is voorbij en dat beeld is alleen een herinnering, maar het dringt zich steeds weer aan me op. Op een trieste manier. Ik kan er niet van loskomen. Ik heb het er moeilijk mee. Ik heb die mevrouw Westerterp nooit ontmoet, maar Lotte bracht haar die avond voor me tot leven. Een flinke vrouw en moeder en vooral een vrouw die ervan overtuigd was dat ze het goed had gedaan met haar kinderen. Maar ze was ondanks dat een vergeten moeder geworden. Ze hoopte elke dag opnieuw een berichtje van één van de kinderen te krijgen. Of, dat zou helemaal heerlijk zijn, dat één van de vier haar kamer binnenstapte en haar met oprechte liefde begroette en met belangstelling met haar praatte. Maar als de jongste dochter soms kwam, was het een kort bezoekje en in haar woorden kwam naar voren 'moeder weet niet alles meer zo goed', dus werd er over koetjes en kalfjes gebabbeld. Voor mevrouw Westerterp onbelangrijke dingen, terwijl ze zo graag andere onderwerpen had aangeroerd tussen haar en haar kind. En het kind ging zo snel mogelijk weer weg. Als je het uitrafelt en voor je ziet, Sarah, is het een trieste geschiedenis. Het was lief en goed van Lotte zich te bemoeien met een bewoonster van het huis; Lotte noemde de mensen in De Wielewaal nooit patiënten. En Lotte mocht en kon niet meer doen dan luisteren en proberen warmte te geven. Contact zoeken met één van de Westerterpkinderen lag buiten haar werkterrein.

Ik heb mevrouw Westerterp als voorbeeld genomen voor de vele trieste verhalen die Lotte met zich meedroeg. En mijn probleem van nu ligt natuurlijk niet bij mevrouw Westerterp. Ze is waarschijnlijk intussen overleden en ze heeft haar zorgen en verdriet meegenomen in het graf. Mijn probleem is dat ik niet naar Lotte heb geluisterd en vooral dat zij voelde dat ik geen enkel medeleven toonde met de mensen die zij dagelijks in haar werk ontmoette. Haar woorden: 'Jij denkt in lapjes stof en rode knoopjes.' hoor ik nog altijd en vooral de klank daarbij in haar stem. Daaruit sprak ontreddering en teleurstelling. Dat hoorde ik er toen niet in. Want ik was boos; steeds dat gemeier over de mensen in het huis met hun ongemakjes. Maar hoe vaker ik aan die stem denk hoe duidelijker het me wordt wat erin verborgen lag: Vooral het gemis aan aandacht van de enige mens in haar leven waarmee ze hierover kon praten. Na die avond heeft ze geen woord meer gezegd over haar werk in De Wielewaal. Het was haar dagtaak, zoals mijn werk en jouw werk delen van ons leven zijn. Maar zij leefde dat deel zonder mij. Nu gaat het een steeds grotere rol voor me spelen. Want ik vraag me af of alle frustraties invloed hebben gehad op haar ziektebeeld. Ze leed eronder, ze wilde erover praten, maar met wie? Eigenlijk, Sarah," zijn stem klonk opeens anders bij deze woorden, „is het geen onderwerp om via de telefoon te bepraten. Maar ik zat hier alleen, denkend aan dit alles en jij belde... En ik móest een en ander kwijt. Ik ben dankbaar voor je luisterend oor."

„Je hebt gelijk, Sander, dat dit onderwerp een andere entourage vraagt. Maar ik geloof dat het goed is dat je erover praat. Want je moet ervan loskomen. Je kunt er niets aan veranderen. Praten met Lotte is niet meer mogelijk. Maar jezelf in waarheid zeggen dat je spijt hebt van je tekortkomingen van toen, kan je misschien helpen het van je af te zetten."

„Het zal moeilijk zijn. Ik besef nu dat onze relatie eronder heeft geleden. Maar het leek zo onbelangrijk."

„Wíj kunnen er nog eens over praten. Misschien helpt dat."

„Ik heb een voorstel. Zal ik zaterdagmiddag, nadat ik de deur van de salon heb afgesloten, naar Millenburg komen? Het is maar een uurtje rijden. Dan heb jij intussen je winkel afgesloten. Ik wil die winkel graag bekijken! Zien hoe je het hebt ingericht en wat je naast mijn ontwerpen aan mooie dingen aan je klanten biedt!" Er klonk een bijna vrolijke lach aan de andere kant van de lijn. „Daarna kunnen we ergens een hapje eten. En met elkaar praten over Lotte. Mijn lieve Lotte, die ik zoveel pijn heb gedaan."

„Het is een goed plan, Sander. We spreken het zo af. Zaterdagavond rond half zeven zie ik je in de winkel."

Die zaterdagmiddag was het druk in de zaak. Sarah, Ina en Willeke waren voortdurend met klanten bezig. Er werd goed verkocht en Sarah had een blij gevoel vanbinnen. Ze wist dat een groot deel van dat blije gevoel kwam omdat Sander Rademaker straks zou komen. Ze vond het leuk om hem te ontmoeten, hij was langzaamaan toch een fijne vriend geworden, maar vooral het weten dat zij hem, door met hem te praten, zou kunnen helpen, gaf een gevoel van voldoening. Ze had overdacht in welke richting ze het gesprek moest sturen. Ze moest niet overdreven sentimenteel zijn over Lottes zorgen, Sander wel wijzen op zijn tekortkomingen van toen, maar daarna naar voren brengen dat het geen zin had daarover nu nog te tobben. Het was voorbij. Alles wat fout was gegaan, kon niet meer hersteld worden en niet meer worden overgedaan. Waarschijnlijk dikte hij door het denken erover de pijnlijke plek te veel aan en was het in werkelijkheid minder belangrijk voor Lotte geweest hem erover te vertellen. In die richting moest ze het sturen. Sander moest loslaten.

Ina en Willeke waren vertrokken. De winkel was opgeruimd. Alle kledingstukken hingen op de goede manier op de hangertjes aan de stangen. Er was een dun kleed overheen getrokken, dat deden de meisjes elke avond om ronddwarrelend stof van de kleding te weren. Vanavond was dat eigenlijk niet nodig geweest, want straks wilde Sander de pakjes, jasjes en japonnetjes zien. Maar Ina en Willeke hadden er niets mee nodig dat zij hem op bezoek kreeg.

Ze dronk een kopje koffie, kon nog even uitrusten, want het was een vermoeiende dag geweest vanaf vanmorgen acht uur. Ze hoorde de winkelbel. Sander stond voor de deur. Hij had bloemen voor haar meegenomen. Een kleine attentie, noemde hij het, maar ze wist hoe hij erover dacht: kleine attenties onderhouden de vriendschap. Ze begroetten elkaar als goede vrienden.

Sander liep langzaam over het zachte tapijt en knikte goedkeurend. „Sarah, je hebt een prachtige winkel! Smaakvol, goed van kleur, niet te vol en niet te druk, maar toch keus genoeg. Je hebt mooie dingen van Jeanette de Korte en ook schitterende jumpertjes en bloesjes van Martine le Coultre."

Na de bezichtiging sloot Sarah de winkel af en met z'n tweetjes liepen ze naar een knus restaurant in de Frans Halsstraat, om de hoek van de Vondelstraat.

„Ik stel voor geen zwaar menu uit te zoeken," zei Sarah, „zodat we straks allebei na een drukke zaterdag en te veel eten onderuit gezakt en slaperig in de kamer zitten. We kiezen een licht menu en gebruiken het als inleiding op ons gesprek, straks, bij mij thuis. Daar drinken we koffie. En daar is het rustig om ons heen."

Sander knikte instemmend. Een goed idee. Geen uitgebreid voorgerecht dus en een klein, fris toetje als nagerecht.

In haar appartement wandelde Sander door de vertrekken. „Prettig dat je zo dicht bij je winkel woont, Sarah, en wat hebben jullie een ruimte! De werkkamer van Jim, nou, nou, hij heeft veel mappen en dozen en apparatuur staan! En jouw kantoor, ja, je administratie goed op orde houden is vreselijk belangrijk. We vinden ons werk heerlijk, mooie vrouwen in mooie kleren steken, maar het ontvangen van het geld is beslist niet onbelangrijk. En wat hebben jullie een gezellige woonkamer en een ruime keuken."

Toen de koffie klaar was, schonk Sarah in en droeg de kopjes naar de kamer, ze zette een schaaltje met koekjes op de tafel en ging tegenover hem op de bank zitten.

Het gesprek kwam langzaam, ook een beetje moeilijk op gang. Want er was al veel tussen hen over dit onderwerp gezegd. Maar Sander was hier om over deze geschiedenis in zijn leven te praten. Over zijn angst dat dat alles Lottes ziekte had beïnvloed.

„Ik begrijp dat het gemakkelijk is te zeggen dat je moet loslaten." De woorden kabbelden voorbij.

Sander knikte, ja, nuchter gesproken was het zo en dat besefte hij ook wel, maar het bleef hem achtervolgen en door er te veel over te denken was het een obsessie geworden. „Samengevat is de conclusie," zei hij, hij keek Sarah aan, „dat ik haar alleen had kunnen helpen door naar haar te luisteren. Meer hoefde ik niet te doen. Haar de kans geven haar gevoelens te uiten. Maar zelfs dat deed ik niet."

Sarah was ervan overtuigd dat het gesprek hem goed deed. Zijn woorden kregen een lichtere klank, hij snapte wat ze bedoelde, maar zo moeilijk te snappen was dat natuurlijk niet, hij nam zich voor er losser van te komen. Het werd later en later en eigenlijk was het onderwerp voldoende aan bod geweest. Alles wat ze erover wilde zeggen, had ze gezegd.

Toen zei Sander: „Weet je, Sarah, dat ik het gevoel heb dat mijn problemen een waarschuwing inhouden voor Jim en voor jou?"

„O nee, bij ons ligt het heel anders! We hebben allebei wel een aparte werkkring, zoals Lotte en jij dat hadden, maar ik heb begrip voor Jims werk. Ik vind het heerlijk dat hij dit doet. Het is zijn lust en zijn leven. Als hij op reis is, verlang ik naar hem en hij naar mij, dat is logisch. Twee jonge mensen en nog niet lang getrouwd… maar in verhouding is Jim per jaar niet zoveel op reis. Niet altijd van huis. Hij maakt van alles wat hij onderweg ziet en beleeft uitgebreide notities en veel foto's, en als hij thuis is, werkt hij dat allemaal uit. Dan ben ik overdag in de winkel en Jim werkt boven. Of hij is in gesprek met een uitgever. Of hij denkt over een nieuw project, zo noemt hij het officieel, want hij zegt," ze lachte naar Sander: „Je moet jezelf een beetje ophemelen. Niet zeggen: 'Ik maak er wel een stukje van.' "

Sander knikte. „Heeft hij belangstelling voor jóuw werk?"

„Ja, beslist. Maar er is een groot verschil tussen zijn en mijn werk. Ik kan goed met hem meegaan als hij over zijn belevenissen en avonturen vertelt. En Jim kán leuk vertellen. Hij fantaseert er dingen bij die in werkelijkheid niet hebben plaatsgevonden, maar waaraan hij dacht, en die dingen verwerkt hij soms in één van de reportages. We lachen samen om dolle voorvallen en praten ernstig over minder prettige dingen die hij heeft gezien en gehoord. Zoals de levensomstandigheden in vroeger tijden, toen was het leven voor mensen zwaar en moeilijk.

Over mijn werk is minder te vertellen. Ik kan een lang verhaal bedenken over een lastige klant, want ik kom natuurlijk ook mensen tegen waar je compleet ziek van wordt, maar het zijn geen gezellige verhalen en die vertel ik Jim dus niet. Ze zijn niet belangrijk. Maar in tegenstelling tot Lotte tob ik er niet over. Ik denk soms: Hoe zal zo'n vrouw thuis zijn bij man en kinderen? maar verder gaat het niet. Er zíjn nu eenmaal lastige mensen. Maar er komen in de winkel veel meer prettige, gezellige klanten. Ik praat natuurlijk met Jim over de financiële kant van de zaak. En die feiten hoort Jim met belangstelling aan. Want, zoals jij al opmerkte, een winkel of een salon runnen is leuk om te doen, maar je moet er wel mee verdienen! En dat lukt me uitstekend! Nee, wat dat betreft is er geen vergelijking te trekken tussen Jim en mij en Lotte en jou."

„Het lijkt mij heerlijk een vrouw naast me te hebben die met me meevoelt in mijn werk."

Sarah keek naar hem, haar hoofd een beetje schuin. „Ik geloof niet dat ik het prettig zou vinden met Jim samen de winkel te leiden. Ik ben mijn eigen baas en neem zelf de beslissingen. Zó wil ik het en zó doe ik het. Geen man naast me die zijn wil wil doorzetten. Ik vind het op deze manier goed. En Jim doet zijn werk zoals híj denkt dat het goed is. Als ik met hem op reis zou gaan, wellicht zou ik zeggen: 'Er is totaal geen moois in dit stadje te zien, instappen en doorrijden!' maar Jim wil overal op zoek gaan, kijken en vinden."

Ze veranderden van onderwerp. Wat gezegd moest worden had Sarah gezegd en ze had het gevoel dat Sander zou proberen ernaar te leven. Ze dacht dit stilletjes vanbinnen en met een klein, onzichtbaar lachje.

104

Sander vertelde over zijn familie, zijn vrienden en vriendinnen, het onderwerp politiek kwam op tafel, manieren van zakendoen en nog meer. Het werd later en later. Sarah schonk wijn in en zette kleine, hartige hapjes op tafel.

Tegen één uur keek ze met een zijdelingse blik naar de klok, zo laat al en Sander moest nog minstens een uur rijden voor hij bij zijn woning achter de salon was aangekomen. Ze zei het hem.

„Ja, meisje, je hebt gelijk. Maar ik zit hier heerlijk en we praten gezellig. Ik heb genoeg mensen om me heen waarmee ik kan praten, maar met jou is het anders. En vreemd, vanaf de eerste keer dat je met Caroline meekwam naar de salon had ik het gevoel dat ik jou al jarenlang kende. Toen al was je een vertrouwd persoontje voor me. Heb jij dat gevoel ook gehad?"

„Zo erg niet, maar ik mocht je wel." Ze wilde niet zeggen wat zij toen voelde, dat hoefde Sander niet te weten. En haar gedachten, destijds, dat hij leek op de broer die ze graag had willen hebben om mee te praten, om geheimen en zorgen mee uit te wisselen; een maatje... Een broer kon een maatje zijn. Sander kon ook een maatje zijn, maar het voelde anders. Ze waren toch een man en een vrouw. Ze zei: „Je hebt ondanks de japonnetjes, roesjes en strikjes iets mannelijks over je." Ze lachte zelf om die woorden.

„Je moet je over mij geen zorgen maken. Ik ga geen enkele avond voor één uur naar mijn bed. Maar jij moet slapen. Je hebt een drukke dag gehad. Maar, Sarah, ik wil deze avond rekken. Ik voel me rustig, ik voel me hier, en bij jou, een beetje thuis." Hij keek naar haar, zijn grijsblauwe ogen lachten. Sander was een knappe man, een innemende man ook, hij had een sterke, mannelijke kant in zich. En die kant lag haar wel.

„Ik vraag me af, Sarah, of jij, als je meerdere avonden alleen in deze kamer zit, niet heftig naar Jim verlangt. Als je man om mee te praten, als je man om mee naar bed te gaan."

Aan de ene kant vond ze de opmerking niet prettig, dit ging een klein stapje te ver, aan de andere kant was de verhouding tussen hen zo dat hij dit mocht vragen. En ze kon er direct een eerlijk antwoord op geven.

„Natuurlijk verlang ik naar Jim, ik wil hem graag bij me hebben! En dat is wederzijds. Jim gaat niet op reis omdat hij liever ergens anders wil zijn dan hier. Maar zijn vak brengt het mee. In deze huiskamer ontmoet hij geen Schotse zanggroep om over te schrijven. Het is zijn werk, maar hij is blij als hij met een dikke map met volgeschreven blaadjes naar huis rijdt. En ik wacht vol ongeduld op hem. De dagen die wij samen zijn, waarderen we echt. Allebei intussen bezig met ons werk, maar wetend dat de avond komt, gezellig met z'n tweetjes." Ze overdreef één en ander, want ze had vaag het gevoel dat dat goed was in deze omstandigheden. Ze waren tenslotte allebei jong, een man en een vrouw. Sander was niet meer dan een vriend en een man waarmee ze zaken deed, maar Sander was alleen en miste een vrouw. Ze zei, met een warme klank in haar stem: „Het leven is heerlijk voor ons." Misschien had ze het milder kunnen brengen om hem geen pijn te doen, maar hij moest weten hoe de verhouding tussen hen lag.

Toen hij was opgestaan om te vertrekken, zei hij: „Ik geef je een klein kusje op je wang, Sarah Dijkema. Je moet daar niets achterzoeken. Ik zie je als een vrouw waarop ik gesteld ben en die ik waardeer in haar werk. Maar," er kwam een lachje op zijn gezicht waarin ondeugd te zien was, zo voelde Sarah het, „ik wil graag een vrouw zoals jij naast me in mijn verdere leven. Het lijkt me heerlijk met jou samen te werken. We zouden de salon tot grote hoogte kunnen brengen. Een belangrijke plaats gaan innemen in de wereld van de mode. Naar buiten toe uiterlijk vertoon van pracht en praal, en achter de schermen het geld tellen wat in de kassa is gerold."

Deze dag, een vrijdag in juli, kwam Jim thuis van zijn reis naar Lapland. Hij belde de avond ervoor vanuit het pensionnetje in Soltau. „Dat wordt een beetje een familieadresjes van me," had hij lachend gezegd, „Frau Dinja begroette me bijna als een verloren zoon! Maar zonder gekheid, het is een goed adres en een uitstekende tussenpost om de afstand te overbruggen. Het is er niet duur, het is er schoon en het eten is goed. Ik stap morgenochtend op tijd in de wagen en ik rij naar je toe, lieveling! Ik verlang naar je! Ik heb veel te vertellen en ik wil jouw stem horen en alle verhalen die jij hebt beleefd. Het zal minder spectaculair zijn dan mijn reis, want het was werkelijk fantastisch! Maar daarover hoor je morgen alles."

Na nog een paar lieve woordjes over en weer en een 'slaap lekker en droom over me,' werd de verbinding verbroken.

Nu wachtte ze op hem in de winkel. Ze had Ina en Willeke over Jims thuiskomst verteld. „Als het op het moment dat hij thuiskomt niet druk is, ga ik naar boven. Dat begrijpen jullie wel."

De meisjes knikten lachend. Ja, dat begrepen ze wel! Als je je man zoveel weken niet hebt gezien en hij komt terug van zo'n verre reis... „We redden het wel met z'n tweetjes. Als het echt aanloopt, kunnen we een seintje naar boven geven. Dan maak je je los uit zijn armen en ren je de trap af."

Tegen half vijf rinkelde de telefoon en Sarah wist: dat is Jim. „Met mij, schattekind, ik sta in onze kamer! Alle bagage zit nog in de auto, maar, lieveling, ik ben weer thuis."

„Ik kom."

En daar stond hij, in de deuropening van de kamer en het gangetje: groot, gebruind en lachend. Ze liep op hem toe, hij ving haar op in zijn armen, ze kusten elkaar.

„Sarah, lieveling, ik ben zo blij dat ik weer bij je ben! Op reis gaan is heerlijk en ik heb een prachtige en goede reis gehad, maar jij bent toch mijn geweldige einddoel!"

In de avond zaten ze naast elkaar op de bank. Veel papieren op tafel, foto's, die Jim met de direct klaar camera had gemaakt. En veel, veel verhalen. Maar Sarah bedacht het met een glimlach omdat ze zich er na deze terugkeer bewust van was geweest – hij had allereerst gevraagd hoe voor haar de voorbije weken waren verlopen. Ze vertelde erover. Misschien uitgebreider dan andere keren. Onbewust was het verhaal van Sander op de achtergrond; de aandacht die hij níet voor Lottes verhalen had getoond. Omdat hij die aandacht niet hád. Jim wel. Hij luisterde, vroeg en veronderstelde. De schat, ze hield zoveel van hem.

Die zaterdag waren ze allebei aan het werk, maar de avond wilden ze samen zijn.

„Ik heb vanmorgen naar onze ouders gebeld. Jouw vader en moeder en mijn moeder. Ik zei dat ik weer thuis was en dat we morgen bij hen langskomen. Met leuke presentjes. Ik heb prachtige trollen uit Noorwegen meegenomen, jij mag de mooiste uitkiezen. Ook poppetjes uit Lapland en nog een paar dingetjes. Morgen vertel ik ze veel verhalen, we drinken lekker koffie en eten appeltaart. Maar vanavond zijn we voor niemand bereikbaar."

Jim vertelde over zijn rit door Finland, de meren, de bossen, de vele dunne berkenbomen langs de lange, smalle wegen. De verdere tocht naar het noorden, naar zijn doel: Lapland. Rendieren en elanden op de wegen, kale velden aan weerszijden daarvan. Hij verhaalde van zijn ontmoeting met de jonge vrouw Tessa, die in de zomermaanden in het hotel in Lakselo werkte. Ze had hem geholpen het contact te leggen tussen hem en de bewoners van het rendierenland. De maaltijd in een restaurant in Luolo. Gebouwd als een grote blokhut, alles van hout dus. Er werden diepe borden op de tafels gezet, een meisje in klederdracht kwam met een grote pan aardappelpuree en Jim hield niet van aardappelpuree, maar er was geen protest mogelijk. Hij kreeg een flinke kwak met een grote soeplepel op zijn bord en met die lepel drukte ze een kuiltje in de puree en daarin ging een flinke schep rendiervlees. En het was heerlijk!! Hij vertelde van de avond die hij met een groep Engelse toeristen had doorgebracht in een wintertent, een käta. Die tenten werden nu niet meer als onderkomen gebruikt, maar in het verleden wel. Wintertenten werden opgetrokken uit boomstammen en bedekt met tentdoek of graszoden. De koffieketel hing boven een groot vuur, door een opening aan de bovenkant van de tent trok de rook weg. Jim vertelde en Sarah luisterde. Hij bracht alles heel beeldend, hij liet foto's zien en ze beleefde de reis met hem mee. Het bezoek aan de Noordkaap, het grote geluk een prachtige, heldere nacht te treffen, want dikwijls ligt de kaap gevangen in een dichte mist en is er van de zon weinig te zien. Zo waren er veel verhalen.

Toen werd het tijd om naar bed te gaan en Sarah zei: „We zullen niet direct slapen, ik heb je zo gemist." Maar Jim zei: „Kom nog even dicht naast me zitten. Mijn arm om je heen. Het wordt geen lang verhaal, maar ik móet er met je over praten. Lieveling, ik ben onderweg veel bezig geweest met mijn werk, maar er waren ook uren waarin ik andere gedachten had. 's Avonds in een vreemd bed in een vreemde kamer, denkend en dromend over jou en over ons leven, en in die uren, vrouwtje van me, groeide mijn verlangen naar een kindje van ons beiden. Als de Here God ons die zegening tenminste wil schenken. Ik heb veel hummeltjes gezien en gehoord op deze reis. Leuke kinderen en ik verlang ernaar een kindje van ons samen te hebben."

De woorden overvielen Sarah. Natuurlijk dacht zij nu en dan ook aan een baby. „Een kindje dat in liefde verwekt werd en met blijdschap verwacht", zoals moeder dat zo mooi kon zeggen. Het zou een grote rijkdom zijn, maar een kind vroeg veel zorg en aandacht... En denken: We zien dan wel hoe we het oplossen, was haar stijl niet. Nu, verliefd en gelukkig en dicht bij Jim, was het heerlijk eraan te denken. De bezegeling van hun liefde, want een kind zou een deel zijn van hem en een deel van haar, hen nog dichter bij elkaar brengen en aan elkaar koppelen, zodat een verwijdering onmogelijk was.

„Ik heb er ook aan gedacht. En erover gedroomd, want een kindje in ons leven zal een heerlijk bezit zijn. Ik ben veel avonden alleen en dan slaan mijn gedachten en dromen vaak op de vlucht. Op één van die avonden las ik een artikel dat geschreven was door een vrouwelijke kinderarts. Het was een interessant artikel. Daarin stond precies waarover ik zelf ook had nagedacht. Namelijk dat voor een baby kort na de geboorte en na negen maanden zo sterk verbonden te zijn geweest met zijn moeder, het leven los van haar een grote verandering moet zijn. Wij weten niet wat baby's voelen, we zien alleen een slapend kindje en je denkt: Als het op tijd voeding krijgt, een schone luier en kan slapen in een warm wiegje, is het voor het kindje genoeg. Maar dat kleine mensje heeft hersentjes in zijn bolletje. Die hersentjes groeien met hem mee en kunnen hem later leren denken en voelen en dingen verklaren en uitleggen. Nee, Jim, lach nu niet. Je vindt het allemaal overdreven, maar dat is het niet. Het is namelijk gebleken dat de kleine wondertjes de warmte en de aandacht van de moeder niet kunnen ontberen, en natuurlijk ook niet van de vader als hij in de buurt is en niet op Corsica om foto's te schieten; dat de behoefte aan een gevoel van veiligheid na die negen maanden sterk aanwezig is. En rust in zijn leventje brengt. Steeds dezelfde stem of stemmen horen, dezelfde gezichten zien die zich over zijn wiegje buigen, hem in badje stoppen, hem aankleden en tegen hem praten. Het leven is heel onzeker voor zo'n klein ding. Ik heb zelf in die richting gedacht en ik geloof erin. Door dat artikel werden mijn gedachten versterkt. En, Jim, als wij een kindje krijgen en ik heb het negen maanden bij me gedragen, wil ik er ook voor zorgen, wil ik bij de baby zijn. Misschien kan het kindje na een halfjaar, als het een beetje aan het leven is gewend, door iemand anders verzorgd worden, maar het merendeel wil ik zelf doen." Ze keek naar hem, ze was overtuigd van de waarheid achter deze woorden en ze zag aan zijn gezicht dat langzaamaan haar bedoeling tot hem doordrong. „Ik wil geen baby om hem door iemand anders te laten verzorgen. En alleen in de avond, als het kind slaapt, naar hem kijken. Ik wil de héle ontwikkeling volgen. Het eerste lachje zien, het eerste tandje, de eerste geluidjes horen, het eerste mama of papa, het eerste stapje. Dat zijn toch geweldige belevenissen! Je weet dat ik daar weinig tijd voor zal hebben. Ik heb de winkel en ik ben er blij mee. Ik heb jarenlang verlangd dit werk te doen. Het heeft veel geld gekost en we hebben schulden. Ik laat het beslist niet los. Maar het is nog niet zover dat Ina en Willeke als ervaren verkoopsters de leiding in handen kunnen nemen. Dat wil ik ook niet. Mijn klanten willen dat ook niet. Ze weten dat ik, als één van de meisjes hen helpt, op de achtergrond in de gaten hou of alles naar wens verloopt."

Sarah leunde na deze woorden terug tegen de rug van de bank. Ze keek naar Jim en vervolgde: „We hebben afgesproken over alles wat op ons pad komt openlijk en eerlijk te praten. Dit is een belangrijk gegeven Maar het is niet zo dat ik in ons leven geen kind of kinderen wil. We weten niet hoe het in de toekomst gaat. Misschien ben ik nu nog te jong om echt naar een kind te verlangen en daarvoor alles, ook de winkel, op te geven. We hebben allebei gekozen voor de werkkring van ons verlangen. We hebben dat afgesproken omdat we daarin gelukkig zijn. We laten elkaar vrij, ook al valt dat niet altijd mee. Als jij weg bent, verlang ik naar jou en jij verlangt naar mij, maar de dagen samen zijn daardoor juist heerlijk. We komen aan sleur in ons huwelijk niet toe. Een kind krijgen is iets wat ík moet doen. De zwangerschap, de geboorte; en ik wil de zorg voor de baby niet uit handen geven. Jij kunt naast je werk, je carrière, vader worden. En vader zijn." Ze lachte opeens bijna schaterend.

Jim keek naar haar, maar meelachen deed hij niet. „Nu je erover praat, Sarah, en ik erover denk, dan zal ik als bij ons een hummeltje in de wieg ligt, graag elke dag bij hem willen zijn. Maar dat is onmogelijk. Ik kan niet alleen over hém schrijven en foto's van hem maken en die aanbieden. Maar ik zal dikwijls genoeg thuis zijn om elkaar goed te leren kennen."

„Het ligt gevoelsmatig misschien ook iets anders voor een man dan voor een vrouw," zei Sarah, „hoewel ik me jou heel goed als een enthousiaste papa kan voorstellen."

Er viel een stilte. We voelen beiden aan, wist Sarah, wat de zorgen erover zijn. Hoewel, zorgen, we zijn nog jong, er is nog tijd. Jim sprak de woorden uit die zij dacht. „We zijn nog jong, Sarah. Wie weet wordt in jou het verlangen naar een gezin zo groot dat het op de eerste plaats komt. En mogelijk is in die tijd de zaak zo gegroeid dat je een verkoopster als cheffin kunt aanstellen die jouw volle vertrouwen heeft dat alles goed gaat als jij met kleine Hedde bezig bent. Of met onze dochter Stieneke. Of," hij lachte, „komen er twee kindertjes in ons huis."

De weken daarna, waarin hij thuis bezig was met het uitwerken van de reportage over Lapland, waren heerlijk. Overdag waren ze allebei bezig met de arbeid die ze graag wilden. „Het is voor mij geen werken," zei Jim erover, „het is een hobby," en dat gold ook voor Sarah. Zij was druk met de winkel, de klanten, waarvan velen goede kennisjes waren geworden.

„Even binnenlopen, kijken wat je aan nieuwe spulletjes hebt; leuk, Sarah."

Jill en Hanne, die op een zaterdagmiddag kwamen om voor Jill nieuwe dingen uit te zoeken. „Vroeger hield ik van blauw. Blauwe broek, blauwe trui, blauwe sokken. Maar die tijd is voorbij. Ik zoek het nu in rood en wit." En tussen het verkleden en showen door wisselden ze de laatste nieuwtjes uit.

In de avond – want dan werkten ze niet, mits er dringend iets moest gebeuren – hadden ze tijd voor elkaar. Ze praatten veel, keken naar een goed programma op de televisie en bespraken nieuwe plannen en denkbeelden. In het weekend bezochten ze Sarahs ouders en de moeder van Jim.

Maar de dag kwam waarop Jim zijn koffers pakte en alles in de ruime stationcar laadde om de volgende dag te kunnen vertrekken. Dit keer naar Frankrijk.

De eerste twee nachten voelde Sarah zich eenzaam. Het huis was leeg zonder Jim. Ze miste zijn lach, zijn woorden, zijn kussen, zijn armen om haar heen. Ook het samen bezig zijn in de keuken met de maaltijden en daarna het eten aan een keurig gedekte tafel in de woonkamer; dat was er nu Jim weer weg was, niet meer bij.

111

Een kleedje over het tafeltje in de keuken gaf genoeg ruimte voor haar bord, vork, mes en lepel. Maar dit leven wílden ze en dit leven hádden ze. En na de eerste nachten alleen in het brede bed wende dat ook weer. Ze wachtte op het telefoontje in de avond; als het mogelijk was belde Jim rond zeven uur. Even elkaars stem horen en met elkaar praten. De eerste avond na zijn vertrek belde hij vanuit Frankrijk. „Ik zit in een klein hotelletje. Beneden, in de gelagkamer, is het goed uit te houden, maar de slaapkamer is bijzonder kil en ongezellig. En jij ligt niet naast mij in bed, dat mis ik ontzettend. Maar het is voor één nacht. Morgenochtend vroeg rijd ik door naar Bestiac."

Het verslag van Jims reis naar Scandinavië was fantastisch geworden. Een prachtige reportage met mooie foto's. Er kwamen enthousiaste berichten van de redactie van De draaiende aarde en brieven van lezers en lezeressen die schreven hoe ze van dit artikel hadden genoten en plannen hadden de reis ook te gaan maken.
  Een nieuwe opdracht kwam eruit voort. Jim maakte op zijn heenreis door Finland in Mikkeli kennis met een Nederlands echtpaar dat in Zuid-Frankrijk woonde. In de streek Ariège, tussen Carcasonne en de Pyreneeën. De familie had geen oude ruïne omgebouwd tot een kasteeltje, maar bewoonde een ruime, moderne woning vlak bij het plaatsje Bestiac. Het was een prachtige streek met voor Jim interessante bezienswaardigheden. Er waren grotten, vertelde Paul Wiegmans, waar prehistorische tekeningen te zien waren die tienduizend tot dertienduizend jaar geleden in de rotswanden waren aangebracht. En het echtpaar vertelde dat het een kunstschilder kende die in de bergen een houten huis en atelier had gebouwd. Hij woonde daar met zijn vrouw en drie grote honden.
  Jim had een routebeschrijving gekregen hoe dat echtpaar te bereiken met daarbij de waarschuwing de eventuele ontmoeting voorzichtig aan te pakken, want de schilder was weliswaar niet mensenschuw, maar ook niet erg gesteld op bezoek. En als Jim zijn reis naar Frankrijk plande in een tijd dat de Wiegmans thuis waren, kon hij bij hen logeren en zou Paul het pad naar de schilder voor hem effenen. De man maakte bijzondere schilderijen, onder andere van vormen, figuren en gedaanten die hij zag in de

bomen en struiken in de bossen om hem heen. „Op het eerste gezicht," had Suzanne gezegd, „zie je alleen stammen en takken en bladeren, maar als je langer met de schilder meekijkt, zie je ook gezichten en figuren."

Het echtpaar gaf Jim hun adres in de vallei van de Ariège; hij zou welkom zijn in hun huis.

5

Zo ging de eerste week voorbij en de dagen keerden terug in hun eigen ritme en de omstandigheden waaraan ze gewend was.

Op een van de volgende avonden belde Sander.

„Hallo," begroette ze hem na het horen van zijn stem en er lag een blije klank in dat woord.

„Meisje, ik wacht al enige weken op het telefoontje waarin je me vertelt dat je mijn nieuwe herfst- en wintercollectie komt bewonderen."

„Dat plan is er, want ik heb nieuwe dingen nodig, maar Ina heeft een behoorlijke griep opgelopen en zit flink in de lappenmand. Je kent dat wel. Ze voelt zich niet ziek genoeg meer om in bed te blijven, maar de hele dag in de winkel staan zal zeker niet lukken. En dus kon ik nog niet weg, want Willeke alleen in de zaak, kan niet. Maar ik kom gauw."

„Zullen we een afspraak maken? Dan hou ik die middag of morgen, wat je wilt, voor je vrij."

„Goed. Ik pak mijn agenda."

Na enig overleg werd besloten dat Sarah maandagmiddag naar Amsterdam zou afreizen om Sanders nieuwe collectie te zien en daaruit dingen te kiezen die haar klanten waardeerden.

„Ik heb, Sarah, speciaal voor jou een leuk pakje ontworpen. Jij kunt het dragen, maar ik denk dat het jouw klanten ook zal aanspreken. Jong, sportief en toch gekleed."

„Je maakt me nieuwsgierig, Sander; tot maandag!"

„En je bent die middag niet aan tijd gebonden? Je hoeft geen aardappelen te schillen om een warme hap voor Jim op tafel te zetten?"

„Nee. Hij is naar Frankrijk vertrokken. Hij bezoekt grotten."

Die maandagmiddag reed ze naar salon Alexander Rademaker. Ze begroette hem en bekeek met hem de nieuwe collectie. Mariëtte, een van de mannequins, showde een paar prachtige modellen.

„Ik heb een tafel gereserveerd in Beau Monde en daarna wil ik je mijn woning laten zien. Ik ben tenslotte ook in jouw woning geweest!" Hij zei het met een glimlach en Sarah knikte. Ja, dat was inderdaad zo.

Na het etentje reden ze in Sanders wagen terug naar de salon. Achter het grote pand was de woonruimte waar Lotte en hij hadden gewoond. Sarah verwachtte er de sfeer van Lotte terug te vinden. Ze kon niet precies omschrijven wat ze daarmee bedoelde, ze dacht er ook niet echt over na, het zouden geen pluchen kleedjes zijn zoals in De Wielewaal op de tafels lagen, en ook niet de theepot onder een patchwork muts, maar ze verwachtte toch een beetje dezelfde sfeer aan te treffen. Maar in de woonkamer was daarvan totaal niets te bespeuren. Ze zag een ruim, vierkant vertrek met een moderne zithoek; twee grote banken en vier moderne stoelen. Een lage, grote tafel waarop een sierlijke vaas stond. Een brede boekenkast en twee kasten met dichte deuren, Een prachtig schilderij, een zeegezicht, aan een van de wanden. Maar geen foto van Lotte.

„Het is anders dan ik verwachtte," antwoordde ze op zijn vraag hoe ze het vertrek vond.

„Ja. Ga zitten. Ik schenk wijn voor ons in." Terwijl hij naar de keuken liep om de wijnfles te halen en terug in de kamer glazen uit een van de kasten pakte, zei hij: „Ongeveer een jaar geleden kreeg ik het gevoel dat de kamer zoals hij was toen Lotte nog leefde, me benauwde. Alle dingen die er stonden had zij erin aangebracht, vanaf de dag waarop we, na een poosje in een klein huis in de Rozenstraat te hebben gewoond, de beschikking kregen over deze woonruimte. Ik had het in die tijd erg druk en ik vond alles mooi wat Lotte mooi vond en ik vond alles goed wat Lotte deed. De inrichting van ons huis was voor mij, en dat was eigenlijk vreemd voor iemand met gevoel voor kleuren en vormen, niet echt belangrijk. Belangrijk was dat Lotte zich hier prettig voelde. En Lotte hield, het klinkt misschien wat onaardig, maar zo bedoel ik het niet, Lotte hield van huiselijke kneuterigheid. Voor mij telde: als zij zich maar prettig voelt. En als Lotte maar bij me is."

Hij had intussen de wijn ingeschonken en de glazen op de tafel geplaatst.

„Het eerste jaar na haar dood wilde ik alles laten zoals het was. Niet in een onbewust gevoel van 'als ze terugkomt moet het zijn zoals zij het achterliet', want ik wist heel goed dat Lotte dood was en nooit terug zou komen. Maar ik weet dat mijn moeder gedachten in deze richting koesterde toen mijn vader was overleden. Niet echt 'als hij terugkomt', maar wel dat het moest blijven zoals het was om de herinneringen levend te houden. Te weten hoe het was. Vader in zijn stoel, zijn pijp en de asbak naast hem op het tafeltje. En ik liet het zo omdat het me niet interesseerde hoe de woning was. Ik voelde alleen het gemis.

Maar na dat jaar benauwde het me opeens. De meubelen waren log en van donker eikenhout. Ik had soms het gevoel dat ze vijandig op me afkwamen. Toen heb ik alles eruit laten halen en dit gekocht. Maar opeens was alles zo anders dat ik me er schuldig bij voelde. En dat schuldgevoel breidde zich uit tot naar wat ik je erover verteld heb. Maar," hij was intussen tegenover haar gaan zitten, „maar na ons laatste gesprek, wil ik nu loslaten. Niet Lotte uit mijn herinnering bannen, maar wel mijn schuldgevoelens tegenover haar. Omdat het niets oplost, zoals jij zei. En omdat ik mezelf er ziek mee maak doordat ik het me meer en meer aanpraatte."

Sarah knikte. Sander was een gevoelige man. Misschien iets té gevoelig in het dagelijks leven waarin veel nare dingen gebeurden. Veel mensen ondervonden dat. Het verlies van man, vrouw, vader, moeder, kinderen. Zij had nog niets ondervonden. Alleen de dood van oma de Wit. Maar oma De Wit was oud toen ze stierf en papa had haar toen verteld over de Here God die ons een periode laat leven op deze aarde en ons dan opneemt in zijn hemelrijk. Voor oma was die tijd gekomen. Ze zou bij God gelukkig zijn.

Het werd een gezellige avond met warme woorden. Sander vroeg hoe de weken thuis met Jim waren geweest en Sarah vertelde over hun leven samen. En opeens vertelde ze over het verlangen van Jim en haar naar een kind. Ze had niet het plan hierover te praten, met niemand, ook niet met haar ouders, maar er was een goed gevoel tussen hen. Als tussen een broer en een zus die elkaar goed begrijpen. Ze waren vrienden.

„Het zou anders zijn als je getrouwd was met een man die in hetzelfde vak zat als jij. Stel dat je met mij getrouwd was, dan kon een probleem als dit gemakkelijk worden opgelost. Als we een kledingzaak hadden, was ik in de winkel als jij je tijdens een zwangerschap niet prettig voelde, en later zou altijd een van ons tweeën bij het kindje kunnen zijn. Ook in mijn werk zou er een oplossing gevonden kunnen worden. Maar zo ligt het tussen Jim en jou niet. En eigenlijk, Sarah," hij keek haar recht en ernstig aan, „verwacht ik dat je zult moeten kiezen tussen je werk, wat je graag doet en waarvoor je schulden hebt gemaakt om het goed op poten te zetten, en een kind. Uit de manier waarop je praat over de verzorging van zo'n kleintje, maak ik op dat de simpele weg van een kindermeisje voor jou onaanvaardbaar is."

„Je stelt het wel erg rechtlijnig." Sarah wist niet wat te zeggen. Ze had hierover niet moeten praten en ze wílde er nu niet meer over praten. Dit was geen onderwerp voor Sander en haar, dit was een onderwerp voor Jim en haar. Ze moest het gesprek snel een andere wending geven, eerlijk zijn tegenover Sander. Ze zei: „Ik praat er liever niet over. Het is iets tussen Jim en mij, het gaat alleen Jim en mij aan. En er komt een oplossing." Ze glimlachte naar hem en ze zag aan de blik in zijn ogen dat hij haar begreep, maar er juist wél dieper op in wilde gaan.

„Het zal moeilijk voor je zijn te kiezen: je werk of het moederschap."

„Ik heb nog tijd. Ik ben nog jong."

Sander veranderde van onderwerp, maar het was of de woorden in de kamer bleven hangen en ze ze niet echt konden loslaten. Maar het bracht geen verwijdering, eerder iets van vertrouwen. Hij wist iets belangrijks van haar, maar ze was met dit weten niet ongelukkig. Sander was een vriend. En ze wilde vrienden vertrouwen schenken, zoals ze dat in het verleden had gedaan met Jill, Hanne, Harm, Frank en Bob.

Toen ze opstond om weg te gaan, liep Sander op haar toe en legde, voorzichtig, in een gebaar van alleen vriendschap, zijn armen om haar heen en hield haar even vast. Er ging een lichte trilling door haar heen en Sander voelde het. „Meisje toch," zei hij, „dit betekent niets." In zijn stem was een schorre, bewogen klank. Sarah dacht: Dit mag niet, maar Sander voegde eraan toe: „Ik voel als een broer voor je. Ik wil als een broer voor je zijn, als dat mag." Hij drukte heel voorzichtig een kus op haar wang.

Het betekende niets, wilde ze denken, Sander is emotioneel, we hebben gepraat over Lotte. Denken over Lotte houdt hem nog steeds bezig, zijn liefde voor haar is er nog. Hij heeft mij in vertrouwen verteld over zijn schuldgevoel en ik vertelde hem over een eventuele zwangerschap voor mij; kunnen een broer en een zus over deze dingen praten? Natuurlijk wel. Maar Sander en zij waren geen broer en zus. Haar gedachten gingen flitsend, ze wilde zich losmaken uit zijn armen, maar ze wilde hem niet kwetsen, niet teleurstellen. Sander was een eenzame man die verlangde naar liefde. Hij had liefde gekend en had die liefde verloren. Eigenlijk al toen de vrouw waarvan hij hield nog leefde.

Sarah reed de auto van het parkeerterrein af, ze stak een hand op naar Sander die haar naar de wagen had gebracht. Ze zette de radio uit. Probeerde na te denken. Was er echt iets gebeurd waarover ze zich druk moest maken? Een vriend die haar even vasthield en haar kuste? Maar ze wist dat het van Sanders kant meer was.

Ze reed op de snelweg. Ze moest zich concentreren op het rijden. „Een auto is een verraderlijk ding," zei Hanne vroeger, „Je zit in een zachte stoel, lekker warm, muziekje erbij of een spreker met een interessant verhaal, maar intussen kan er, door één ogenblik van onoplettendheid, een vreselijk ongeluk gebeuren. Kijk naar de weg, hield Sarah zichzelf voor, straks, thuis, denk je er nuchter over na en zie je dat er niets is om je zorgen over te maken. Het is Sander, een vriend, niet meer dan een vriend.

Eenmaal in huis draaide ze de huisdeur op slot, trok haar pyjama aan, nam een glas water mee naar de kamer en ging op de bank zitten. Ze wilde denken over de rokken, bloesjes en pakjes die ze had ingekocht. Het donkergroene pakje was beslist iets voor mevrouw Waterbeek. En voor Jannie Kavelaar, altijd keurig, zelfs een beetje stijf gekleed, zou het donkerblauwe pakje met de lange rok mooi zijn. Voor Jill iets in het rood. Sarah wilde hierover denken, maar ze kon haar gedachten er niet bij houden. Die dwaalden naar Sander. Hij hield haar alleen even vast en drukte een kus op haar wang. Hoe dikwijls gebeurde zoiets niet tussen vrienden? Hij mocht haar graag, ze moest niet zo kinderachtig zijn, zo overdreven preuts, zo was ze toch niet? En zij mocht hem toch ook? Ze kende zijn achtergronden, ze begreep dat hij een nieuwe weg in zijn leven wilde inslaan, maar ze wisten allebei dat zij daarin niet paste.

De volgende avond belde Jim vanuit de woning van de familie Wiegmans. „Een prachtig huis, zeg!" jubelde hij, „en een schitterend uitzicht! Het is hier zo mooi! Ik heb vandaag de grotten bezocht. Dat was een belevenis." Jim praatte er enthousiast over. Sarah glimlachte er stilletjes om. Fijn dat hij zo'n goed onderwerp had en heerlijk dat hij bij die familie kon logeren; dat was prettiger dan een kale hotelkamer. En mogelijk hoorde hij nog meer over de omgeving.

„Morgen ga ik de kunstschilder en zijn vrouw opzoeken. Maar ik moet dat heel voorzichtig aanpakken. Uit de verhalen van Paul over de man, maar vooral uit de verhalen van Suzanne, maak ik op dat het een bijzondere vent is."

Een halfuur later belde Sander. „Sarah, schikt het je als ik donderdagavond de kleding bij je kom brengen? Ik heb een grote order van Stella in Weerdongen en ik beloofde hun alles te brengen, dus zit ik in jouw richting."

„Dat is prima." Hij wilde het gebeuren als voorbij beschouwen en dat was goed. „Donderdagavond? Hoe laat ben je hier ongeveer? Negen uur, kwart over negen. Een mooie tijd. De koffie staat klaar."

Een gewoon gesprek. Zoals ze veel gesprekjes hadden gevoerd.

Die donderdagavond vulde ze tegen negen uur het apparaat met koffie. Ze zette kop en schotels op het aanrecht en nam de twee koeken die ze bij bakker Beurling in de Vondelstraat had gekocht, uit het doosje.

Ze had alles over de afgelopen maandag overdacht en ze was tot de conclusie gekomen dat ze zich aanstelde door zo'n drukte te maken over een lichte omarming. Want meer was het toch niet geweest? En een kusje. Ze was een moderne vrouw en dan zo kinderachtig.

Sander meldde zich. Ze liep naar beneden met de sleutel van de winkel. Alles werd meteen in de zaak aan een rek gehangen. Toen alles hing, liepen ze naar boven. Sander liet zich in een stoel zakken. „Hè, het was een drukke dag en dan in de avond nog dit ritje, maar Tanja en Kees wilden de spulletjes graag voor het weekend in huis hebben en zo kon ik het één met het ander combineren."

Sarah had intussen de kopjes volgeschonken en bracht ze naar de kamer. Sander praatte rustig. Hij vertelde over het verdriet van één van de meisjes van het atelier. „Het is het oude liedje. Het lieve kind, want het is echt een lief kind, heeft een vriend, maar haar ouders vinden die jongen niet geschikt voor haar. Ruzies thuis dus, en nare woorden, maar van haar kant de overtuiging dat dit de grote liefde is in haar leven. Och, hoe oud zal ze zijn, vierentwintig misschien? Vanmorgen kwam alle narigheid naar buiten. Snikken, tranen en wilde plannen er met die knaap vandoor te gaan."

Hij praatte er nog even over door, Sarah luisterde en knikte en toen vroeg hij opeens: „Heb je nog nagedacht over maandagavond?"

„Nee, waarom zou ik? Is er dan iets bijzonders voorgevallen? Ik schrok even toen je me vasthield, dat was tot dan toe niet gebeurd tussen ons en dat moet ook niet weer gebeuren, maar tussen vrienden is het niet iets bijzonders."

„Voor mij was het wél heel bijzonder."

Ze keek hem aan. „Wél bijzonder, Sander, je bedoelde er toch niets mee?"

„Ja, Sarah. En ik zal eerlijk tegen je zijn. Ik hou van je. Jij bent de vrouw die bij mij past."

„Maar ik pas niet bij jou," zei ze op besliste toon, „want ik hou van Jim. Ik ben met Jim getrouwd. Jim en ik horen bij elkaar."

„Je bent verliefd op hem, want het is om te zien een aparte vent en je bewondert hem om zijn werk, dat vind je interessant. Maar ik vraag me af of het echt een grote liefde is. Zoals je me maandagavond vertelde over je verlangen naar een baby, maar je voegde er niet aan toe dat Jim bereid zijn werk op te geven als er…"

„Dat speelt absoluut niet mee," viel ze hem op bitse toon in de rede. „Jim heeft zijn werk en hij houdt van zijn werk. We zoeken samen een oplossing voor ons probleem, nou, nee, een probleem is het niet. Als God ons een kind wil geven, zullen we een oplossing vinden, goed voor het kindje te zorgen. Daar komen Jim en ik zeker uit."

Sander was opgestaan. Hij kwam met kleine pasjes naar haar toe. Ze zat op de bank, hij ging naast haar zitten. „Sarah, ik hou van je. Ik weet dat je getrouwd bent, maar een scheiding tussen twee mensen is iets wat veelvuldig voorkomt. Ik weet ook hoe gelukkig jij en ik samen zullen zijn…"

„Dat zullen we nooit zijn, want ik ben getrouwd met Jim en ik blíjf bij Jim."

Opeens was er iets van een snik in zijn stem, Sarah schrok ervan, wat ging er nu gebeuren? Ze moest sterk zijn, dit wilde ze niet; hij moest weggaan, dit mocht niet en dit wilde ze niet. Ze vond Sander aardig, maar niet meer dan dat, wat haalde hij in zijn hoofd.

„Ik ben eenzaam, Sarah. Ik hou van jou. Er zijn genoeg jonge vrouwen om me heen, in het atelier, tussen de verkoopsters en in mijn vriendenkring, die een leven met mij wel willen, maar ik hou niet van ze zoals ik van jou hou."

„Sander, je moet nú weggaan. Ik wil dat je weggaat. Dit zal onze vriendschap verbreken en ik verwacht dat je dat niet wilt laten gebeuren."

„Sarah, omwille van die vriendschap, om wat tussen ons is, laat me vannacht bij jou blijven, één nacht bij jou zal me zo goed-doen..."

Bij mij in ons bed, dacht ze verschrikt, in vredesnaam, hoe was dit mogelijk. „Nee," riep ze, „dat kán niet! Dat wíl ik niet! Ik wil het zelfs geen naam geven, geen ontrouw aan Jim, helemaal niets, alleen: ik wíl het niet." Ze was opgestaan en stond nu recht voor hem met een blik in haar ogen waaruit angst sprak. Want wat kon ze beginnen als hij doorzette. Hij was een man, sterker en groter dan zij, maar ze moest flink zijn. „Je moet weggaan. Ik pak je jas." Ze liep naar de kamerdeur, opende die en nam de jas van de haak en reikte hem die toe. „Je moet nu gaan. We horen nog van elkaar," voegde ze eraan toe, maar ze wist niet wat ze zei, ze tril-de over haar hele lichaam: hij moest weggaan en ze vroeg zich niet af of er na dit nog een 'horen van elkaar' kon zijn.

Als een diep teleurgesteld mens zag ze hem door de deur gaan. Ze had medelijden met hem, maar dit was de enige goede oplos-sing. Ze hoorde zijn voetstappen op de trap, langzaam, tree voor tree naar beneden, daarna het dichtvallen van de buitendeur. Sarah schoof de grendel op de deur van het appartement. Ze liep naar de keuken en liet een glas met water vollopen. Bij moeilijke en nare gebeurtenissen dronk ze veel water. Toen het glas leeg was, vulde ze het opnieuw en nam het mee naar de kamer.

Ze ging op de bank zitten en ze voelde het veel te snel kloppen van haar hart en haar hijgende ademhaling. Probeer rustiger te worden, Sarah Laverman, ja, zo heette ze vroeger, nu was ze Sarah Dijkema. Probeer alles op een rij te zetten, en dat lukt je. Sander is weg. Je bent alleen in huis, de benedendeur is in het slot gevallen en de deur boven is afgegrendeld. Maar Sander zal niet terugkomen. Sander is geen overvaller, geen verkrachter. Sander is een zielige man, die verlangt naar een nieuwe liefde in zijn leven nadat hij zich heeft verzoend met het verlies van Lotte. Hij is nog een jonge kerel. Sander is maar acht jaar ouder dan ik. Hij heeft liefgehad, hij weet wat het leven hem in goede dagen aan moois en warmte kan geven met een vrouw naast zich. Samen plannen maken, samen de nachten doorbrengen in één bed. Hij had zich in het hoofd gezet dat zij die vrouw voor hem was. Om hun goede verstandhouding, hun praten over mode, kleding en zakendoen. En in kleine problemen met een leverancier of de belastingdienst, belde ze hem om te vragen wat te doen. Hij hielp haar dan. Zo was hun vriendschap.

Sarah schudde haar hoofd. Ze had medelijden met Sander. Ze zag hoe hij was en ze kende zijn verlangen. Sander was emotioneel en gevoelig. Maar hij vergiste zich als hij dacht dat zij dezelfde gevoelens voor hem koesterde als hij voor haar. Zijn vraag deze nacht bij haar te mogen blijven, werd hem ingegeven door zijn verlangen naar een samenzijn met de vrouw waarmee hij dacht gelukkig te kunnen worden. Hij had niet goed nagedacht over haar verlangens. Het was een verlangen dat in hem groeide en tot een obsessie werd. Als hij straks in zijn huis was, hopelijk zonder ongelukken te maken, maar als hij thuis was en nadacht en tot zichzelf kwam, moest hij het weten. Hij zou blij zijn dat zij had ingegrepen. Het verlangen van een verliefde man naar lichamelijke liefde kon sterk zijn. Ze glimlachte ondanks alle gedachten. Het glas was leeg. Ze bleef heel stil zitten. En ze ging die avond pas laat naar de slaapkamer.

De volgende dag, tijdens de lunchpauze, belde moeder. „Ha, mam," zei Sarah blij toen ze de bekende stem hoorde; ze besteedde te weinig aandacht aan haar ouders. Ze had het druk met alle werkzaamheden en vader en moeder begrepen dat wel, maar toch.

„Je hoort tegenwoordig niet anders dan druk, druk, druk," merkte vader enige weken geleden op een gemaakt mopperige toon op, „en dan beginnen mannen en vrouwen, met allebei een baan, ook nog over het huishoudelijke werk. Maar daar zijn toch uitsteken-

122

de hulpmiddelen voor? De wasmachine, de stofzuiger, noem maar op."

Moeder glimlachte toen naar hem en zei: „Nee, Bert, ik ga er niet op in, want je weet drommels goed wat er moet gebeuren om in huis alles op rolletjes te laten lopen."

Nu hoorde ze mama zeggen. „Kind, Sarah, luister. Papa gaat vanavond met Klaas Werenkamp naar een kegelavond en ik dacht, maar je moet het eerlijk zeggen als het je niet past, als Sarah tijd heeft, ga ik een avondje naar haar toe."

„Mam, gezellig! Kunnen we lekker kletsen! Kopje thee erbij en ik heb nog bonbons in een doosje. Leuk! Hoe laat kom je? Niet zo laat, hè? En komt papa je halen?"

„Dat moet nog geregeld worden. Jij hebt me gezegd dat ik beter moet organiseren," in moeders stem klonk een lach door, „want al is ons huishoudentje maar een klein bedrijfje, het heeft toch overleg nodig. Zoiets zei je. En in dat kader dacht ik: Ik besteed nog geen aandacht aan de terugweg als ik niet zeker weet of er een heenweg is!"

„Knap, mam! Maar nu je weet dat je hierheen gaat regel je dat dus."

„Goed, meisje. Tot vanavond."

In Sarah was opeens een licht gevoel, een blij gevoel ook. Een avondje nietsdoen, de papieren die ze wilde uitzoeken op een stapeltje schuiven en lekker babbelen met moeder.

In de loop van de middag, terwijl ze bij een klant stond die een schattig jurkje paste – „Jurken zijn een beetje uit de mode," zei het vrouwtje, „maar ik vind het leuk af en toe een jurkje te dragen in plaats van een broek" – kwam de gedachte: Ik kan er met moeder over praten. Niet over het gebeuren met Sander, dat bewaarde ze als een geheim van haar alleen. Daarvan hoefde niemand te weten, ook Jim niet. Want dan keek hij met andere ogen naar Sander. En als alles ten goede kon worden opgelost, wilde ze de vriendschap met Sander behouden, en hem houden als leverancier van mooie artikelen in de winkel. Zakelijk en persoonlijk belang dus. Ze grijnsde er stilletjes om.

„Misschien," zei ze tegen het vrouwtje, „kunt u het jurkje nog even een maatje kleiner passen. Hier en daar valt het even te ruim."

In de avond kwam Stieneke Laverman naar de Vondelstraat. Ze zaten tegenover elkaar. Moeder begon met een verhaal over de buurvrouw, die op het stoepje voor de voordeur van haar huis was gevallen. „Dat zijn van die domme dingen. Annet is al honderden keren over dat stoepje gelopen en het ging altijd goed, maar gisteren, boem, daar lag ze. En het is hard aangekomen."

Na nog wat oppervlakkig gebabbel zei Sarah: „Mam, ik wil iets met je bepraten. Ik vertel eerst hoe ik erover denk en dan zeg jij wat jij ervan vindt." Moeder knikte.

Sarah vertelde over het gesprek tussen Jim en haar over een baby. En aansluitend haar gedachten over de verzorging van een klein kindje, over het artikel van Helena van Ittersen en dat als zij een kindje mochten krijgen, zij er graag zelf voor wilde zorgen. En alle veranderingen in het groeiproces wilde meemaken. Het eerste lachje voor mama, het eerste tandje...

Toen ze zweeg, zei Stieneke Laverman: „Ik kan me voorstellen dat jullie, ondanks de drukke werkzaamheden, verlangen naar een kind. En je weet zelf dat het niet gemakkelijk samen zal gaan, want je hebt veel aandacht voor de winkel nodig en alles wat daaromheen draait, en daarnaast verlang je je kindje goed te verzorgen. En, dat is het voornaamste, je wilt er veel aandacht aan geven. Je wilt bij de baby zijn. Maar zoals jij het stelt, Sarah, is het toch te zwart-wit. Ik kan me voorstellen dat je er niet voor voelt de baby al na de eerste weken na de bevalling naar een crèche te brengen als jij weer in de winkel moet zijn. Maar," ze keek naar Sarah, „mijn grootmoeder had vroeger een prachtig gezegde: 'Tussen dit en dat is ook nog wat'. Ik denk daar dikwijls aan. Het is niet zo dat je moet kiezen tussen een baby die je meteen in een crèche onderbrengt of geen kindje in je huwelijk geboren laten worden. Naast jou zijn er meer mensen die kunnen helpen. Hier in huis, in de eigen kinderkamer. Een oma misschien," moeder glimlachte, „en de vader. Want Jim is per jaar enige maanden van huis, maar hij is ook dikwijls wél thuis. Dan kan ook hij voor de baby zorgen. Het is, denk ik, een kwestie van organiseren. 's Morgens is het in de winkel niet druk. Willeke en Ina kunnen zich dan best redden. Als je half tien, kwart voor tien naar beneden gaat, is dat de meeste dagen vroeg genoeg."

Sarah knikte. „Mam, ik denk dat je gelijk hebt wat de winkel betreft en in overleg met Willeke en Ina zal het moeten lukken. Vooral Ina voelt de bezigheden in de zaak goed aan. Zij kan een klant opvangen die even moet wachten. Een kort praatje maken zodat de mevrouw weet dat er aandacht voor haar is en ze niet de winkel uitloopt. En Jim zal zijn bezigheden zo moeten regelen dat hij tussen het schrijven van een verhaal even tijd vrij kan maken om zijn zoon of dochter een schone luier te geven." Sarah lachte. „Hij kan in de avonduren, als ik boven ben, werken. Hij zal het met liefde doen, want Jim verlangt naar een kindje"

„Een kind is een heerlijk bezit, Sarah. Je kunt je niet voorstellen hoe het zal zijn, maar het verandert je leven. Men zegt soms dat met de komst van een kind angst en onrust je leven binnenkomen en dat is ook zo. De angst dat het kind iets overkomt, de verantwoordelijkheid het beste voor het kind te kiezen, maar daarnaast komt ook veel moois en goeds. Blijheid, vrolijkheid en liefde. Het maakt je huwelijk dieper en waardevoller."

Er werden nog veel woorden over gesproken. Sarah had een geluksgevoel in zich, een blijheid die anders van inhoud was dan de andere keren waarin ze zich blij voelde. Dit was een ander verwachten. Een kind… als het toch eens zo mocht zijn dat Jim en zij een kindje kregen. Ze besefte dat het moeilijk zou worden aan het werk uren te onttrekken die aan de baby besteed moesten worden, maar het moest mogelijk zijn.

En Stieneke Laverman dacht: Het zal je tegenvallen wat het werk betreft, Sarah, maar het zal je veel geluk brengen mama te worden.

Om kwart over elf ging de bel. Dat moest papa zijn, en nadat Sarah de deur had opengetrokken, stommelde deze naar boven.

De volgende morgen, zaterdag, belde Jim. „Een kort berichtje, lieveling. Ik sta klaar om te vertrekken vanuit Bourges. Als alles meeloopt, kan ik vanavond thuis zijn. Het zal wel laat worden, maar ik heb een sleutel van onze huisdeur!"

„Heerlijk, Jim. Ik wacht op je! Al wordt het drie uur in de nacht!"

De dag ging snel voorbij. Het was gezellig bedrijvig in de zaak zoals Willeke het noemde en er werd goed verkocht. De kleding die Sander had gebracht en die ze op een in het oog vallend plekje had opgehangen, kreeg veel aandacht en toen ze om zes uur de sleutel in het slot van de winkeldeur omdraaide, waren van de tien pakjes er vier verkocht. Nog even napraten en iets drinken met de meisjes, daarna pakte Sarah het geldkistje op en de papieren vol notities en liep naar boven. Vanavond was Jim weer thuis. Ze zou het willen roepen, aan iedereen vertellen, maar voor niemand was het zo'n heerlijk gebeuren als voor haar. Ze zou hem zijn verhalen over de reis laten vertellen en de foto's bekijken die hij op de grote tafel uit zou spreidden. Met hem meekijken op de detailkaarten die hij van elk voor hem nieuw gebied kocht en waarop hij de plaatsen aanwees waar hij verbleef. En ze zou luisteren naar alles wat hij vertelde over het prachtige landschap en over de mensen die hij ontmoette. In dit geval Paul en Suzanne Wiegmans en hun dochter Jolette. Als dat alles voorbij was, had Jim het gevoel dat zij zijn voorbije dagen kende. En ze wílde ze graag kennen. Daarna zou ze komen met wat ze voor zichzelf 'het nieuwe denken over onze baby' noemde. Het nieuwe denken hoe een belangrijke en goede plaats voor hun kind in hun drukke leven ingepast kon worden. Het zou wel laat in de nacht gebeuren.

En laat in de nacht ook gingen ze naar de slaapkamer. Ze waren allebei moe na de lange dag, maar ze wilden nog niet slapen, ze wilden het geluk van deze uren vasthouden. Er zo lang mogelijk van genieten. Ze zaten in het brede bed, de kussens in hun rug. In de kamer brandden twee kleine lampen, het licht vloeide zacht om hen heen.

„Ik vind het tot nu toe steeds weer heerlijk om op stap te gaan," zei Jim, zijn arm om haar heen, „het is mijn werk en ik doe het graag. Het onverwachte erin trekt me aan: wat zal ik zien en horen, welke interessante of malle mensen kom ik tegen, maar ik ben ook weer heel blij als ik alle papieren in de tas stop, de camera opberg en de hele rataplan achter in de auto laad. Tijdens het eerste stuk van de lange reis terug speelt alles nog door mijn hoofd: hoe zal ik het uitwerken, wat voeg ik aan het artikel toe en wat laat ik weg, maar al snel komt er, meestal plotseling, als een gedachteflits, een juichkreet „Ik ga naar Sarah!!! Ik ga naar huis! Sarah wacht op me, ik verlang naar haar en zij naar mij en dan ben ik zo gelukkig, lieveling."

Ze kusten elkaar. Jim trok aan het koord van de lichtschakelaar en de duisternis gleed om hen heen. Hij nam haar in zijn armen en Sarah dacht nog: Ik praat morgen wel over een baby, daarna verloor ze zich in hun liefde.

De volgende morgen werden ze te laat wakker om naar de kerk te kunnen gaan. „Snel een belletje naar onze ouders," zei Jim. „Ik kwam laat thuis, maar alles is goed, we laten van ons horen." Hij liep al naar de telefoon.

Later, in de huiskamer, met koffie op de tafel en koekjes op een schaal, wilde Sarah haar gesprek beginnen. „We hebben gepraat over een baby…"

„Ja," nam Jim het gesprek meteen over, Sarah luisterde verbaasd maar met een glimlach, „ik heb er ook over nagedacht. Want, Sarah, ik wil heel graag een kindje van ons samen, maar ik zie in dat het te veel, vooral van jou, zal vragen. De winkel heeft veel aandacht nodig, maar jij wilt de winkel graag houden. En ik weet hoe je denkt over het contact tussen ouders en kinderen. Ik vind dat je daarin gelijk hebt. We zijn allebei opgegroeid in gezinnetjes waar veel aandacht voor ons was toen we klein waren en mogelijk daardoor," Jim glimlachte, „zijn wij rustige, zelfstandige mensen geworden. Ik weet uit mijn jeugd van jongens en meisjes die in gezinnen opgroeiden waar het minder harmonieus toeging. Daar waren ruzies, narigheid, te weinig aandacht voor de kinderen, en meerderen van hen zijn nu onevenwichtige, moeilijke mensen. Vragen veel te veel aandacht en zijn vreselijk eigenwijs. Ik ontmoet ze nog wel eens: Bart Nijboer, Joost Tellingen, Annelies ten Zande Maar een baby, Sarah, lijkt me heerlijk."

„Ik heb er met mijn moeder over gepraat."

„Met je moeder?" Hij keek verbaasd naar haar. Dit onderwerp… met haar moeder, niet met hem, maar ja, hij was er niet. Daarom voegde hij eraan toe: „Het is goed dat dochters met hun moeders praten. Dat moet onze dochter later ook doen. Want haar moeder is een verstandige vrouw. Wat zei je moeder?"

„Ik vertelde haar over het artikel van die kinderarts. En de conclusie die ik daaraan voor mezelf verbind. Niet dolgraag een kind willen en dan de baby naar een kinderdagverblijf brengen. Moeder zei dat ik het te zwart-wit zie en dat er in ons geval, met overleg en organiseren, mogelijkheden moesten zijn."

Ze vertelde over het gesprek van vrijdagavond tussen moeder en haar. Jim luisterde, knikte en zei: „Ik denk dat ze gelijk heeft. Maar je moet het werk wat een baby meebrengt niet onderschatten. Hoewel het nog te ver weg is om er nu al een schema voor uit te werken," hij schaterde opeens. „Je bent nog niet zwanger en we weten ook niet of in ons leven, hoe zal ik het mooi zeggen, de vreugde van het ouderschap is weggelegd, maar als het zover is, zullen we alle mogelijkheden op een rij zetten. En, dat ben ik met je moeder eens, het moet kunnen. Ik werk ook regelmatig perioden hier in huis. Misschien kunnen we, voor de uren dat we allebei moeten werken, een leuke jonge vrouw vinden die op het kindje wil passen. Of, dat liet je al doorschemeren, is je moeder bereid dat te doen. Míjn moeder zal er zeker voor voelen. Ze zijn allebei nog kwiek en jong genoeg om het te kunnen aanpakken, al beknotten we ze dan wel in hun vrijheid. Maar, lieveling, laten we daarover nog geen plannen maken. Het voornaamste is dat we over een baby durven dromen. Het lijkt me zo heerlijk! Jozette heeft twee kleine meisjes. Peutertjes nog. Blonde kindertjes, die een vrolijk leventje leiden. Ruime woning, grote tuin, veel aandacht. En Jozette kleedt ze zo leuk! Het zijn heerlijke meiden, maar ze houden Jozette wel de hele dag bezig. Maar zij heeft geen winkel vol mooie kleren die ze aan de vrouw wil brengen. Wij verlangen allebei naar een kind en wat er ook gebeurt: we zullen er goed voor zorgen. Want vanaf het moment van zijn of haar geboorte zal dat kind het belangrijkste zijn in ons leven. Ik weet nog niet hoe het voelt vader te zijn, maar ik kan me er wel iets bij voorstellen. Het zal heel veel voor ons betekenen."

Sarah glimlachte. Zo, dacht ze, wilde ik erover praten, maar Jim heeft alles al gezegd. Hij vertolkte ook mijn gedachten en gevoelens en hij is het met me eens.

6

De maand december was Jim thuis en het werd een heerlijke maand. Het sinterklaasfeest werd gevierd met Sarahs ouders en de moeder van Jim. Kleine cadeautjes, leuke rijmpjes, maar vooral telde de gezelligheid van de avond met elkaar doorbrengen.

Daarna kwam Kerstmis. Ze bezochten de kerkdienst, zongen samen met mensen die verlangden naar vrede en ervoeren de goedheid van God.

Ze dronken met elkaar koffie op eerste kerstdag. Het was eigenlijk zo simpel. Koffie, natuurlijk koffie, maar deze morgen kwam het mooie servies uit de kast, een teken dat het een bijzondere dag was. Eerste kerstdag, maar wat maakte het eigenlijk uit uit welke kopjes er gedronken werd? Het ging om hun gevoelens en het stilstaan bij de komst van Jezus op aarde. Maar in hun gezin was het gebruik van de kopjes een symbool, het betekende dat het een belangrijke dag was. Sarah had er een stil, blij lachje voor. Jims moeder was naar de woning van Sarahs ouders gekomen; het drietal kon goed met elkaar opschieten. In de avond volgde het kerstdiner, uitgebreid en keurig verzorgd door Jims moeder in de Sumatrastraat. Jetske Dijkema vond het heerlijk met deze mensen in contact te zijn gekomen. Ze zaten wat het geloof betreft op dezelfde lijn en ook over andere onderwerpen waren er goede gesprekken.

De jaarwisseling werd doorgebracht in de bovenwoning van Jim en Sarah. Zij wilden graag in hun huis blijven omdat er in het centrum van de stad soms akelige dingen gebeurden door baldadige jongelui die te veel hadden gedronken. Maar de nacht verliep redelijk rustig en het was met z'n vijven heel gezellig.

Halfweg januari vertrok Jim voor een reportage naar Spanje. Het afscheid was emotioneel. Met zijn armen om haar heen zei Jim: „Ik heb in de voorbije weken weer ervaren, lieveling, hoe heerlijk het is alle dagen en alle nachten bij je te zijn. Het was een fijne decembermaand, maar het werk wacht toch weer op me. En als ik eerlijk tegen je ben, en we hebben afgesproken altijd eerlijk tegen elkaar te zijn, moet ik bekennen dat ik ernaar verlang aan deze reis te beginnen."

Sarah knikte moedig, maar ze wist de tranen achter haar ogen. Ze vond het kinderachtig van zichzelf, want ze wist dat dit hun leven was en ze wilden het niet anders, maar na de mooie weken zou, vooral in de eerste dagen, de eenzaamheid haar aanstaren.

Maar het wende ook weer snel. Er was zoveel te doen. In de stad was de uitverkoop losgebroken en ook Maison Sarah deed daaraan mee. Sander had gebeld over kleding die bij hem was blijven hangen omdat de kleur iets te lichtblauw was, iets te week; het had het de voorbije zomer niet goed gedaan. Hij wilde alles voor een redelijke inkoopprijs van de hand doen. Had zij belangstelling? Maar nee, Sarah had geen belangstelling. Ze wilde niet dat haar vaste klanten, die aan het einde van het jaar dure japonnetjes of pakjes hadden gekocht, in januari een vergelijkbaar kledingstuk voor een veel minder bedrag zagen hangen. Ze hield niet van uitverkoop. Er kleefden nadelen aan. In de herfst en winter keken de dames rond, maar kochten niets, want haar vaste klanten hadden al genoeg in hun kasten hangen. Maar ze kwamen wel tijdens de uitverkoop om te zien voor hoeveel voordeliger het nu wegging.

In dat gesprek met Sander had Sarah aangevoeld dat hij het praten over de kleding gebruikte om contact met haar te hebben. Hij roerde even, voorzichtig, het onderwerp 'onze ruzie' aan. Ze hoorde hoe moeilijk het hem viel. Maar ze hielp hem niet het gemakkelijker te maken. „Sarah, wil je naar me luisteren? Ben je nog boos op me?"

„Nee, Sander," had ze kort geantwoord. Maar wel met een vlakke stem, want ze wilde hem even op afstand houden.

„Heb je, had je, begrip voor me? Ik ben in mijn werk een vrolijke vent, ik heb altijd mijn woordje klaar, ik drink koffie met klanten en een biertje met vrienden, maar, Sarah, ik was een eenzaam man met een groot verdriet. En een schuldgevoel. Daarvan weet je. Wij hadden een prettige middag toen je naar mijn nieuwe collectie kwam kijken, we zaten gezellig te dineren. Toen ik thuiskwam, fantaseerde ik me jou als mijn vrouw. Ik ben er nog steeds van overtuigd dat we goed bij elkaar zouden passen. Ik liet door mijn verlangen naar warmte in mijn leven, een vrouw in mijn armen, de werkelijkheid te veel los. Ik wilde, tegen beter weten in, aan Jim voorbijgaan. Ik maakte mezelf wijs dat hij je niet genoeg waardeerde. En jouw liefde voor hem kon niet zo groot zijn als jouw liefde voor mij, omdat mijn liefde voor jou groot was. Ik zeg dit allemaal omdat ik een verontschuldiging wil aanvoeren, omdat ik wil dat jij mij begrijpt over dat van toen, maar ik weet dat wat gebeurde niet goed was. Ik ben je dankbaar, Sarah, echt dankbaar dat je het zo hebt aangepakt. Ik ging verslagen terug naar huis, maar eenmaal thuis besefte ik hoe goed het van je was zo te handelen."

Sarah had daarop geantwoord: „We praten er niet meer over, Sander. Je kent mijn standpunt over het huwelijk. En je kent mijn standpunt over vriendschap. Vriendschap moet een stootje kunnen verdragen. Maar dat stootje mag geen beschadiging worden."

In de derde week van januari zat Sarah in de avond met haar agenda in de hand. Er trok een glimlach om haar mond. Ze keek naar het kalenderblaadje voor in het boekje, ze zag de kruisjes, ja, ze had gelijk, ze was over tijd. Ruim een week. Dat betekende misschien... voorzichtig zijn... dat ze zwanger was. Het denken gaf een warm en blij gevoel. Als het zo zou zijn, heerlijk! Het was jammer dat Jim niet bij haar was om het hem te vertellen. Misschien belde hij vanavond, maar dan vertelde ze het toch nog niet. Het was zo pril, zo heel in het begin. En ze wilde zijn ogen zien als hij het grote nieuws hoorde. Want Jim zou heel blij zijn. Het wegblijven van de menstruatie kon ook een andere oorzaak hebben. De drukte in de winkel misschien. Het was tijdens de uitverkoopweken druk geweest. Wel grappig overigens. Dames die ze anders niet in de zaak zag, kwamen binnen om te kijken of er koopjes te krijgen waren, maar zij, Ina en Willeke legden de dames uit dat er bij hen nooit een voorraadje kleding aan de rekken achterbleef. Dat kwam omdat ze uitsluitend mooie dingen verkochten van goede kwaliteit. Dikwijls liepen de dames dan mee om te zien wat daarmee bedoeld werd en gingen dan toch met een blauwe tas van Maison Sarah, tevreden en blij met de goede aankoop, de winkel uit. Maar, meende Sarah, die drukte kon het wegblijven van de menstruatie niet veroorzaakt hebben. Want het was wel druk, maar zij kon het aan. Ze hield overzicht en bleef er rustig onder.

Wie kon ze het grote nieuws vertellen? Papa en mama? Maar het was nog niet nodig het te vertellen. Het was voorlopig een heerlijk geheimpje van haar alleen. En áls ze zwanger was, moest Jim de eerste zijn die ervan op de hoogte werd gebracht. Hij was er tenslotte heel nauw bij betrokken! Ze grijnsde. Als ze zwanger was, werd over een kleine negen maanden hun baby geboren. Ze kon zich er geen voorstelling van maken. Een klein hummeltje, dat uit haar geboren zou worden. Misschien leek het kindje op Jim: bruine oogjes en donkere haartjes.

Haar gedachten dwaalden weg. Het was een wens van hen een kindje te krijgen. Maar er zou wel het een en ander moeten veranderen in deze woning. Want waar moest de baby slapen? Alle vertrekken waren in gebruik. Misschien kon haar kantoor ontruimd worden en omgetoverd tot kinderkamer. Behang met kaboutertjes en vogeltjes op de wanden, lichte vloerbedekking en vrolijke gordijnen. Maar waar moest het bureau dan heen en de kast met ordners en papieren? Er was een diepe bergkast op de overloop die voor ze over de hele bovenverdieping konden beschikken, een afscheiding vormde tussen het appartement wat Margreet Volkers bewoonde en hun appartement. De stofzuiger stond er, een trap, emmers en noem maar op. Waar zou dat heen moeten? Ze had geen idee. En dan zou het nog maar een piepklein kamertje zijn voor het kindje. Als er een wieg in stond en een commode voor de kleertjes en om de baby op te verschonen... Maar dat zou er allemaal niet in kunnen. Er was wel een raampje, niet groot, maar groot genoeg.

Ze moest er nog geen zorgen over hebben, maar, wist ze, het zou wel een probleem zijn, want ruimte voor een kind was er op de verdieping niet. Dat was de simpele waarheid. Jim kon zijn werkruimte niet missen. En zij haar kantoor ook niet. Het bureau in de woonkamer plaatsen, was onmogelijk. Het hield haar bezig. Ze schoof in gedachten met alle spullen en stond toen op om in de bergkast te kijken. Ze opende de deur ervan. Wat stond er niet allemaal in!! En niets ervan kon worden weggedaan. Alles was nodig. Ze liep terug naar de woonkamer. De bovenverdieping was net groot genoeg om met z'n tweeën te bewonen en voor allebei ruimte voor hun werkzaamheden, maar ruimte voor een baby... nee, eigenlijk niet.

In de afgelopen tijd waren Ina en Willeke van beginnende verkoopsters geworden tot goede medewerksters in Maison Sarah. Vooral Ina had veel liefde voor het vak gekregen. Ze hield van mooie kleding en wilde iedere voor de spiegel ronddraaiende vrouw graag behulpzaam zijn bij het nemen van de juiste beslissing. Met z'n drietjes praatten ze meer dan eens in de ruimte achter de winkel als er tijd was voor een kopje koffie of een frisdrankje. Sarah probeerde dan haar liefde voor het vak, want verkopen was beslist een vak, op de meisjes over te brengen. Ze liet in die gesprekken duidelijk merken dat ze hun werk waardeerde. „Een zaak als deze valt en staat met goede mensen. En het lijkt misschien gemakkelijk, want elke vrouw weet toch wat ze mooi vindt en wat ze graag wil hebben, denkt een leek, maar het is dikwijls niet zo. Tussen wat men wil hebben en wat goed staat is een groot verschil. En daarin moeten wij adviseren.

De klanten zien de japonnetjes aan het rek voor het eerst en het is niet precies wat ze in hun gedachten hadden. Ze moeten overschakelen. Daarvoor moet tijd gegeven worden. En geduld. En advies. Het is ook mogelijk dat de smaak van de klant verschilt van jouw smaak. Als je ervan overtuigd bent dat mevrouw zich lekker voelt in het pakje waarin ze door de zaak loopt, moet je jouw mening loslaten en haar op haar eigen gevoel af laten gaan."

Ina voelde het zoals Sarah het bedoelde. En, wist Sarah, dat speelde in Ina's doen en laten een grote rol. Ina dook onder in haar werk nadat haar verloving met Vincent was verbroken, na zes jaren vriendschap en verkering.

Ze hadden al trouwplannen, zochten naar geschikte woonruimte, alles leek goed en leuk tussen hem en haar, tot Vincent haar op een avond vertelde dat hij haar echt heel aardig vond, maar dat hij de grote stap toch niet durfde te zetten. Ze waren op de middelbare school al met elkaar gegaan. Je moest als jongen een meisje hebben om mee te kunnen draaien in de groep. Vincent had Ina uitgekozen want het was gezellig met Ina. Zo had hij altijd iemand om mee te praten, iemand die met hem meeging naar feestjes en bijeenkomsten. Vincent was diep vanbinnen een verlegen, bange jongen, maar Ina nam hem bij de hand en trok hem mee. Na het eindexamen bleven ze gewoon bij elkaar. Ze waren toch met elkaar? Iedereen wist het: Vincent en Ina. Ina borduurde verder volgens het traditionele patroon: een verloving hoorde daarbij, denken en praten over trouwen, een huis kopen of huren.

Maar opeens was er in Vincent iets wakker geworden. Iets wat allang op de achtergrond van zijn denken om aandacht vroeg, maar wat hij probeerde te verdringen, alles was toch goed en gezellig zo? Maar het gevoel was niet te verdringen en hij vroeg zich af: Wilde hij zijn verdere leven Ina naast zich? Ze was geruisloos en vanzelfsprekend zijn leven binnengekomen, kinderen nog, maar hij was nooit echt verliefd op haar geweest. Ze werd van medeleerlinge toen het meisje waarmee hij na schooltijd in de groep wegfietste. Hij reed naast haar. Zoals Stef naast Anneke fietste en Rolf naast Jettie. Ina was zijn vriendinnetje. Maar opeens zag hij haar met andere ogen en vroeg hij zich af of hij dit wilde, of dit goed genoeg was voor een levenlang. Ina wist wel wat ze wilde en ze ging ervan uit dat hij hetzelfde wilde als zij, maar was dat ook zo?

Op een dramatische avond had hij alle moed bijeengeraapt en alle woorden en zinnen die hij wilde zeggen, vele malen gerepeteerd, uitgesproken. Hij gooide haar leven ermee stuk, brak haar vertrouwen en toekomst. Ze kon het aanvankelijk niet begrijpen. Hieraan had ze nooit gedacht. Het leek onmogelijk dat dit kon gebeuren, maar het gebeurde wél. Haar ouders noemden Vincent na het verhaal een slappeling, een huichelaar, een lafbek, een gemene vent om een meisje zo lang aan het lijntje te houden, zes jaren van haar jonge leven weg, maar Ina luisterde naar zijn woorden en kwam na uren van analyseren, het terughalen van feiten en gesprekken, tot de overtuiging dat het voor Vincent was zoals hij het uitlegde. Voor haar was het anders. Want ze hield van hem met een rustige, zekere liefde, ze wilde met hem verder, maar ze had hem inderdaad aan de hand genomen. In het begin wilde de onzekere jongen dat graag. Omringd door vlotte medescholieren telde hij mee, maar langzaamaan herkende hij zijn eigen persoonlijkheid, voelde hij zich daarin thuis, wist hij dat hij naar een andere liefde verlangde dan die hij voor Ina voelde en wist hij dat ze niet bij hem paste.

Veel woorden waren erover in het vertrek achter de winkel gezegd. En daarvoor was een luisterende Sarah, een begrijpende Sarah, een troostende Sarah, maar ook een Sarah die de teleurstelling en het verdriet niet kon wegnemen. Maar tussen hen was een goede vriendschap gegroeid.

Ina had zich daarna op het werk gegooid, zoals ze het noemde. En nu was ze meer dan een jonge vrouw die in dienst van Sarah Dijkema werkte. Ze was een rechterhand geworden. Een medewerkster met begrip. Anders dan Willeke. Willeke vond het werken in Maison Sarah gezellig, maar Willekes leven kreeg vooral kleur op de repetities van de toneelvereniging en van het gospelkoor, en daar was ook Koos, haar vriend. In de winkel hielp Ina bij voorkeur de serieuze klanten, Willeke ontfermde zich over de jongere vrouwen en meisjes. En Sarah was blij met allebei.

Aan het einde van januari werd Sarah op een morgen gebeld door Ton Westerlaken, de hoofdredacteur van het prachtige maandblad De draaiende wereld, waarvoor Jim op reis was. Jim zou het strandleven aan de Spaanse zuidkust beschrijven, mooie plekjes in beeld brengen, maar het eigenlijke doel was het bezoek aan Empúries. Daar werd in een ver verleden een machtige Grieks-Romeinse nederzetting gebouwd. Empúries, gelegen in het noordwesten van Catalonië, in de Emporda. De eerste mensen die daar aan land kwamen op de rotsige bodem en met de bouw begonnen, waren Grieken. Dat was zevenhonderd jaar voor Christus. Later kwamen er ook Romeinen. De nederzetting ontstond in de beschutting van de uitlopers van de Pyreneeën aan de noordzijde en aan de zuidzijde van het Gavarres-massief. Het moest een machtig geheel zijn geweest. Maar meer dan eens werd het bij heftige stormen door de zee overspoeld.

Toen de bewoners de vesting verlieten, kregen de elementen jarenlang vrij spel. Door harde wind uit verschillende richtingen werd alles ondergestoven door zand en alles wat de wind verder met zich meedroeg. Het geheel werd overwoekerd door bomen. Regenbuien plensden neer over Empúries en dat hele proces zette zich jarenlang voort. De hele stad werd toegedekt met dichte lagen zand en modder.

Pas rond 1939 werd een begin gemaakt met de ontmanteling. Een groots, maar ook uitdagend project. Nu waren de fundamenten zichtbaar en in kaart gebracht. Jim had erover gelezen en een, wat hij noemde, voorstudie van gemaakt. Hij zei: „Sarah, ik zal er een schitterend verslag van maken. Want het moet bijzonder interessant zijn. En," voegde hij er met een lachje aan toe: „Ton

135

Westerlaken heeft de autoriteiten daar en de leiders van de opgravingen van mijn komst op de hoogte gesteld. Wat denk je; er komt een bekende journalist uit Nederland! Hoe heet die vent? Jim Dijkema!!"

En nu, op deze morgen, belde Ton Westerlaken. Na een vriendelijke begroeting en de vraag of alles goed met haar ging, zei Ton Westerlaken: „Ik heb met Jim gebeld en hem gevraagd Granada te bezoeken en daarna door te steken naar Portugal. Hij is toch min of meer in de buurt. Hij moet naar de steden Lissabon en Oporto. Hij zal je er zelf over bellen natuurlijk, maar ik dacht: Wij zitten in dezelfde stad, ik kan je er alvast van op de hoogte brengen. Hoef je, als Jim belt, alleen te zeggen: Ja jongen, ik weet ervan. Dat scheelt dure telefoonkosten, ha, ha!"

Jim belde dezelfde avond. „Ik kom nog niet aan de terugreis toe."

Dat wist ze dus. „Maar Ton heeft wel gelijk," kwam er vanaf de andere kant van de lijn, „Ik zit er niet vreselijk ver vandaan. Het lijkt me prachtig het Alhambra te bezoeken en de vissersdorpen. Daar hangt meestal een aparte sfeer. Dat was in Griekenland weer anders dan in Portugal. Ton wil dus dat ik naar Lissabon ga. Misschien neem ik op de terugreis naar het noorden Santiago de Compostelala mee, niet in opdracht van Ton, maar het is goed dat in mijn eigen map te hebben, ja toch?" Er klonk een lachje, hoewel zij er niets over had gezegd. Ze zat stil met de hoorn aan het oor. „Maar daar ga ik niet lopend en sjokkend over het pelgrimspad naar toe."

„Dus je komt voorlopig niet thuis," stelde ze nuchter vast. Ze liet haar teleurstelling er niet in doorklinken. Dit was Jims werk, het mocht niet beïnvloed worden door denken of piekeren over toch belangrijke dingen van het thuisfront. Het thuisfront was zij. Jims werk lag verderweg. Altijd ver bij haar vandaan. Zelfs als hij thuis was en alle gegevens uitwerkte, waren zijn gedachten in een ander land.

„Nee, de eerste wéken zeker niet. Ik kan Ton Westerlaken moeilijk weigeren. Het is een fantastische opdracht, dat begrijp je wel. En hij maakt geld over naar hier. Ik logeer nu in goede hotels! Maar ik handel het zo snel mogelijk af. En, meisje, hoe is het met jou? Alles goed?"

„Ja, alles is goed. Druk in de winkel, 's avonds de administratie en denken aan jou en verlangen naar jou."

„Ja, ha, ha!" Een hartelijke lach klonk van de andere kant van de lijn, „zoals ik naar jóu verlang! Mijn lieveling... mijn schat... Ik kom zo snel mogelijk naar huis."

De volgende dag, na het sluiten van de winkeldeur, zaten Sarah en Ina na te praten aan de tafel in het kamertje achter de winkel. Willeke was al vertrokken. „Een heerlijk feestavondje wacht op me!" had ze enthousiast gezegd. „Een vriend van ons viert zijn verjaardag en maakt daar altijd een geweldig drukte van! Tot morgen dus."

„Weet je, Sarah, waaraan ik sinds gisteravond denk?" vroeg Ina.

„Ik heb geen idee. Dat kunnen zoveel dingen zijn." Sarah liet nog een scheutje melk in haar mok glijden. De koffie was sterk.

„Ik heb het gevoel dat we prima draaien. Ik zeg we, maar ik bedoel natuurlijk: jij. Het is jouw zaak, maar ik draai er met belangstelling in mee. Er wordt goed verkocht en alles loopt naar wens, maar eigenlijk wordt de winkel te klein. Er is veel vraag naar mantels en korte, vlotte jasjes. Die verkopen we niet omdat er geen ruimte is om ze op te hangen. Maar het zijn over het algemeen dure artikelen waar veel winst op gemaakt wordt. We hebben er al eerder over gesproken."

Sarah knikte.

„Ik signaleer de laatste tijd prachtige regenmantels in de stad! Gemaakt van lichte stoffen en in mooie kleuren. Je wordt er vrolijk van in de regen! Die jassen worden meer en meer als zomermantels gedragen. En er zijn schattige hoedjes bij te krijgen!" Ina zweeg even, keerde het lepeltje op het schoteltje om en om en zei toen: „Ik mag me er misschien niet mee bemoeien, Sarah, maar wij kennen elkaar zo langzamerhand heel goed. Ik begin hierover omdat ik heb gehoord dat het pand van Winkler De Wit op korte termijn te koop komt."

„Winkler De Wit? Daar zit toch een filiaal in van een drogisterijketen?"

„Dat is zo," wist Ina, „maar het loopt niet goed heb ik begrepen. Er is ook veel concurrentie in die branche. Er zitten drie van dergelijke winkels in de Vondelstraat!"

Sarah knikte. Het pand van Winkler... Een mooi, ruim pand met een grote bovenwoning.

„Weet je dit uit betrouwbare bron?"

„Ja. Heel betrouwbaar. Het had nog een geheim moeten blijven, maar je hoort het, ik weet ervan. Mijn broer heeft het gehoord. En Jochem vertelt nooit iets waarvan hij denkt dat het misschien niet waar is."

Het bleef Sarah later bezighouden. De winkel van Winkler. Hij zou verkocht worden, want Ina had gezegd: Hij komt in de verkoop... Hij moest beslist veel geld opbrengen. En dat was hij ook waard. Ze was intussen in de woonkamer, boven. „Denk erover," had Ina gezegd, „maar niet te lang, want de verwachting is dat er veel liefhebbers zullen zijn."

Sarah zat nu op de bank, de benen voor zich uitgestrekt, de schoenen uitgeschopt. Wat moest ze doen? Dit gegeven opzijschuiven als voor haar onbereikbaar, financieel dan. Maar Ina had gelijk: de winkel werd te klein. Mantels en jasjes zouden prima bij de bestaande collectie passen. Een mantelpakje verkopen en de klant daarbij een zwierige regenjas tonen, maar daarbij dat wist Ina niet, een ruimer woonhuis boven de winkel zou bijzonder van pas komen als er over een maand of acht een baby geboren werd. Ze moest snel handelen. Maar Jim zat in Spanje en ging van daaruit naar Portugal. Hij kwam de eerste weken niet thuis. Dit alles via de telefoon bespreken zou kunnen, natuurlijk wel, maar het was niet gemakkelijk. En de winkel was háár zaak. Het geld dat ze in de voorbije jaren had gespaard, stond op een bankrekening met haar naam. Jim had zijn eigen administratie en zijn eigen bankrekening. „In ons huwelijk zijn we één, in zaken twee." Ze kon er met haar ouders over praten. Maar zij schrokken waarschijnlijk terug voor de hoge koopprijs. Met wie kon ze er dán over praten? Ze wist wie haar een goed advies kon geven. Sander: Sander was een goede vriend.

Het onderwerp hield haar bezig. Ze maakte die avond geen warme maaltijd voor zichzelf klaar, maar smeerde een paar boterhammen, sneed ze in blokjes, nam ze mee naar de kamer en bleef denken. Ze kon Sander bellen en hem één en ander uitleggen. Ze zou Evert Winkler kunnen bellen. Ze hoefde niet te zeggen uit welke hoek haar inlichtingen kwamen. Ze kende Evert wel. Niet echt goed, eigenlijk slechts oppervlakkig, maar dat deed er niet toe. Hij kon haar zeggen welk bedrag voor het pand werd gevraagd. En dan kon zij in grote lijnen becijferen of het in haar vermogen lag dat bedrag op te brengen. Sander zou daarbij advies kunnen geven.

Ze at de boterhammen op en dronk een glas melk. Ze besefte dat ze moest handelen; niet denken en piekeren en afwachten, maar handelen. Ze draaide het privé-nummer van Sander Rademaker.

„Sander," klonk zijn vriendelijke stem.

„Sander, met Sarah. Ik heb je advies nodig. Heb je tijd om naar me te luisteren?"

Op gemaakt zakelijk toon zei hij: „Ik heb altijd tijd voor jou. Vertel me waarover het gaat."

Ze begon haar verhaal, maar Sander kwam algauw daartussen met de woorden: „Sarah, dit kunnen we niet via de telefoon afhandelen. En ik denk dat je gelijk hebt als je zegt dat er haast geboden is. Een pand te koop in jullie Vondelstraat is beslist voor veel ondernemers een begerenswaardig aanbod. Weet je wat, ik stap in de auto en ben over een uur bij je."

„Fijn, Sander. Ik weet echt niet wat ik moet doen. En je begrijpt wel dat er veel geld mee is gemoeid."

„Je bent een zakenvrouw, Sarah Dijkema, en zakenmensen moeten soms durf tonen om vooruit te komen. Soms moet je groot denken. Ik kom naar je toe."

Sander kwam, begroette haar met een licht kusje op haar wang en zei: „Steek maar van wal." Toen ze was uitgepraat, vroeg hij: „Ken je de eigenaar van het pand?"

„Ja, ik ken hem wel, maar niet meer dan dat. Hij had voor Het Klaverblad erin kwam een schoenenhandel in het pand. Tezamen met een familielid, ik geloof dat ze zwagers waren. Dick de Wit heette die man. Maar er kwam ruzie en dat betekende het einde van het geheel. Daarna heeft Winkler de ruimte verhuurd aan de drogisterijketen waar Het Klaverblad een onderdeel van uitmaakt. Het schijnt volgens de inlichtingen niet goed te lopen en wordt dus afgestoten."

„Hoe laat is het intussen? Bijna tien uur. Dat is voor zakenlui nog niet laat in de avond. Je kunt proberen, Sarah, die Winkler aan de lijn te krijgen. Dan vraag je hem of het inderdaad juist is dat het pand in de verkoop komt. En als hij het bevestigt, vertel je hem dat je geïnteresseerd bent. En je vraagt hem vriendelijk, zoals jij dat goed kunt," Sander lachte bij die woorden, „dat je het op prijs stelt er met hem over te praten voor hij verdere stappen onderneemt."

Sarah keek hem aan. „Dúrf ik dat, Sander? Zo laat op de avond en dan zo'n belangrijk gesprek?"

„Ik zei het al: je moet als zakenvrouw soms iets durven. En denk eraan dat wat hierover geheim moest blijven, geen geheim meer is. Als een ander hetzelfde heeft gehoord en wel het lef heeft vanavond te bellen, vis je misschien achter het net."

„Dat is waar."

„En je hebt niets te verliezen. Je begint met het noemen van je naam, daarna vraag je hem liefjes of het hem schikt op dit tijdstip van de avond gebeld te worden, misschien drinkt hij in pyjama een glaasje wijn met zijn vrouw in nachtpon, maar dat zie jij niet. Heus, Sarah, niet uitstellen. En niet bang zijn."

Ze zocht het telefoonnummer van Evert Winkler op en draaide het nummer.

„Evert Winkler," klonk zijn stem in haar oor.

„Evert," ze noemden elkaar als winkeliers in dezelfde straat bij de voornaam, „je spreekt met Sarah Dijkema."

„Ik hoor het. Sarah, hoe is het met jou?"

„Goed, heel goed. Bel ik je niet te laat in de avond?"

„Even een blik op de klok werpen, iets na tienen, nee, dat is nog geen bedtijd." Hij lachte en Sarah dacht: Het gaat goed.

„Evert, ik heb gehoord dat Het Klaverblad, dat nu in jouw pand zit, eruit gaat."

Even was het stil aan de andere kant van de lijn. „Sarah Dijkema," zijn stem klonk verbaasd en ook een beetje boos, „dat behoort nog niemand te weten. Alleen ik en mijn vrouw. En de filiaalchef. En de directie van de overkoepelende drogisterijketen. Hoe kom jij aan die wetenschap?"

„Dat zeg ik niet. Maar je ontkent het niet?"

„Nee, dat heeft geen zin."

„Een misschien onbescheiden vraag, maar ik wil het graag weten: Heb je plannen voor verkoop van het pand?"

„Verkopen, heel misschien wel. Maar in de voorbije jaren heb ik het verhuurd en dat is me goed bevallen."

„Evert, ik heb belangstelling voor het pand. Mijn modezaak loopt prima, maar waar ik nu zit, je weet wel, de vroegere winkel van Pronk, wordt te klein. Ik wil graag uitbreiden. Meer artikelen in de verkoop en zo, maar er is geen plaats voor. Het is misschien niet goed er zo laat in de avond verder over te praten, maar dit belletje is alleen bedoeld om je te vragen eerst met mij contact op te nemen voor je met anderen een gesprek begint."

„Sarah, je overvalt me. Maar ik spreek dit met je af: ik weet wat jij wilt. Je wilt meer gegevens, meer weten, meer duidelijkheid. Dat is logisch. Ik beloof je met jou in gesprek te gaan voor ik verdere stappen onderneem. Maar, dat begrijp je wel, ik wil er zo veel mogelijk voordeel uithalen!!"

„Prima, Evert. Jij neemt je eigen beslissingen en ik kan dat ook doen als ik meer weet."

„Goed. Je hoort nog van me. Doe mijn groeten aan Jim. Of zwerft hij over de aardbol?"

„Ja. Jim zit op het ogenblik in Spanje."

„Dat is niet ver weg, maar ver genoeg om niet genoeglijk met hem te kunnen babbelen over een belangrijk onderwerp als nu dit tussen ons. Maar, Sarah, je hoort van me!"

Ze legde de hoorn neer, keek blij lachend naar Sander en kwam met kleine, dansende pasjes naar hem toe. „Sander, dit is alvast gelukt!"

„Ja, meisje, het kan je niet meer ontglippen door af te wachten. Er kunnen hooguit geen zaken gedaan kunnen worden omdat de prijs voor jou te hoogt ligt."

„Zo is dat. En ik weet dat Evert Winkler zich aan zijn woord zal houden."

Er was een tevreden blik in haar ogen. Ze had een goed gevoel, dit durven, dit doen gaf eigenwaarde. En op de achtergrond zweefden de woorden: Ik ben nog steeds vrij, er is niets beslist. Ze móest er met Jim over praten, dit was een te belangrijk onderwerp om alleen af te handelen. Jim kwam pas over twee of drie weken thuis. Maar zo snel zou het allemaal niet gaan. Dan vertelde ze Jim eerst over de baby en daarna over de andere winkel met bovenwoning; want de woonruimte boven Het Klaverblad was echt een woning, geen verbouwde zolderverdieping.

„Ik ga koffiezetten. Een lekker, pittig bakje. Daarna drinken we een glaasje wijn. Niet op een eventuele koop, want zover is het nog lang niet. We nemen een glaasje omdat ik dit, met jouw hulp, goed heb aangepakt!"

Even later zaten ze tegenover elkaar en Sarah begon te praten. Ze mocht en kon met Sander praten, want Sander was een fijne vriend. Hij gaf haar meer dan eens raad in kleine problemen. Er hing een sfeer van saamhorigheid om hen heen. Sarah voelde zich gelukkig en tevreden en stilletjes blij. Misschien gebeurde waarop ze hoopte, een nieuwe, ruime winkel, en woonruimte waar plaats was voor de baby. Een lichte kamer waar het wiegje stond en een kast en een commode. Ze zou graag alleen zijn met alle gedachten in haar hoofd, maar Sander was gekomen om haar te helpen en hij had haar over de drempel geholpen.

„Je vindt het vreemd dat ik niet halsoverkop naar het hotel in Fuengirola heb gebeld om Jim aan de lijn te krijgen en hem te vragen wat ik moet doen. Ik heb daaraan wel gedacht, maar het is voor Jim moeilijk om er na een korte inleiding van mij een zinnig woord over te zeggen. Jim is bang voor leningen. Hij is zuinig en bang voor schulden opgevoed en dat draagt hij met zich mee. Maar ik wil denken zoals jij: Wie niet waagt, wie niet wint. Maar als we het pand kunnen kopen, zal er een flink bedrag geleend moeten worden. Het zou hem intensief bezighouden. En dat mag in dit geval niet, want Jim moet zijn aandacht bij zijn werk houden. Totdat jij kwam was ik niet van plan iets te doen. Alleen het pand voor me zien en over de mogelijkheden fantaseren die er voor mij en voor ons, liggen."

Ze zweeg even, want ze zag in Sanders ogen iets van lichte verbazing. Ze ging verder: „Jim en ik hebben afgesproken elkaar veel te vertellen over wat ons op ons eigen terrein bezighoudt, en de meeste beslissingen nemen we ieder voor zich. Maar over zoiets ingrijpends als een pand kopen, of huren, hebben we het niet gehad. Dat kwam toen niet in mijn hoofd op en de mogelijkheid deed zich niet voor. Maar nu moet er misschien snel beslist worden en Jim is te ver weg om er uitgebreid met hem over te praten. Onze werkterreinen liggen zover uit elkaar dat we over elkaars bezigheden niet echt kunnen oordelen. Jim neemt zelf de beslissing voor welke opdrachtgevers hij wel of niet op reis gaat. Of dat hij er, wat hij noemt, een vrije reis van maakt. Dat houdt in een plaats bezoeken waarvoor hij belangstelling heeft. Hij heeft dan het vermoeden dat, bijvoorbeeld, de redacteur van de krant er niets in ziet. Maar hij gaat toch, schrijft de reportage en voegt er foto's bij. Dan is het aan diezelfde redacteur erop te reageren. En tot nu toe zijn de reacties positief. Op die manier is hij terechtgekomen bij Ton Westerlaken van De draaiende wereld. Het is een maandblad met een grote oplage en het wordt bijzonder mooi uitgegeven. Prachtig papier, mooi lettertype en goede rubrieken. Jim wilde allang voor De draaiende wereld werken. Hij bouwde het contact van nu op door al zijn werk serieus te doen, wetend dat ook Westerlaken zijn werk onder ogen zou krijgen. Want ook in dat wereldje houdt men elkaar in de gaten. Jim neemt zelf de beslissing om het zo aan te pakken. Ik bemoei me er niet mee. Ik geef niet eens raad! Ook in andere dingen niet. Bijvoorbeeld het kopen van een nieuwe camera. Jim vertelt me wel waarom hij zo'n ding wil aanschaffen. Omdat het lichter en handiger is bijvoorbeeld. En dat heeft hij nodig, want Jim gaat zonder cameraman op pad. Ik bemoei me met die aankoop niet. Hij weet wat hij verdient en of het een verantwoorde uitgave is. We hebben afgesproken dat we elk ons eigen werkterrein behartigen. Dat kan ook eigenlijk niet anders. Jim kan mij geen raad geven bij het inkopen, en hoe ik mijn winkel, ik zeg expres míjn winkel, moet inrichten."

Sander knikte. „Ik begrijp de bedoeling maar het lijkt me dat er een gevaarlijke situatie kan ontstaan als de één zonder de ander een te zware beslissing neemt."

Sarah lachte opeens vrolijk. „Je denkt aan het kopen van het pand van Winkler!! Maar dat zal niet gebeuren!! Ik koop het niet zonder medeweten van Jim, stel je voor, zeg! Jim komt over twee of drie weken thuis. Dan is er nog tijd genoeg. En waarschijnlijk weet ik intussen meer. Stel dat het pand me tegenvalt of dat de vraagprijs te hoog ligt, dan hoef ik Jim er niets over te vertellen omdat het hele project van de baan is!"

De volgende middag belde Evert Winkler. „Sarah, je overviel me gisteravond behoorlijk met je mededeling over de verkoop van het pand, maar goed, je weet het en je wilt erover praten. We moeten dat zo snel mogelijk doen. Kun jij vanavond naar de Kastanjelaan komen? Je vertelde dat Jim in Spanje zit en je hebt voorzover ik weet geen kind in huis dat oppas nodig heeft."

„Ik trek de deur achter me dicht, stap in de auto en rijd naar jullie toe."

„Prima. Hannie weet natuurlijk waarover het gaat. Zij is vanavond thuis en zal zorgen voor koffie en thee tijdens ons, laat ik het voorzichtig noemen, oriënterende gesprek."

Ze spraken een tijd af en in de avond reed Sarah naar de prachtige bungalow in de Kastanjelaan.

De begroeting was hartelijk, maar niet meer dan dat. Tenslotte kenden ze elkaar slechts oppervlakkig. Evert was een lange, slanke man, wel vriendelijk, maar toch afstandelijk. Zo was hij niet alleen deze avond, zo was Evert ook toen hij als schoenhandelaar in de Vondelstraat woonde en werkte. Beleefd, voorkomend, maar niet te amicaal. Hannie was open en hartelijk. Ze begroette Sarah met een blijde lach. „Kind, je ziet er goed uit. Ik weet dat het prima loopt bij Maison Sarah, want ik heb vriendinnen en kennissen die graag bij je kopen."

Het gesprek kwam direct op gang. Evert Winkler wilde het zakelijk houden. Geen geleuter over andere winkeliers in de straat, hij wilde ook niet vragen uit welke hoek haar inlichtingen waren gekomen, hoewel het hem slecht zinde dat het nieuws was uitgelekt. Hij wilde weten waar het lek had gezeten en hij zou dat ook tot op de bodem uitzoeken, maar hij hield Sarah Dijkema daar buiten.

„Je hebt gehoord dat het pand in de verkoop zal komen, zoals dat wordt genoemd, maar van 'in de verkoop' is nog geen sprake. Dat moet ontsproten zijn aan de fantasie van de tipgever, de verklikker is een betere benaming. Het pand is allang in de familie Winkler. Mijn overgrootvader heeft het gekocht en voor hij er met zijn schoenhandel in verderging, was er een kaashandel in gevestigd. Overgrootpa had een winkeltje in de Gortesteeg, maar hij en zijn vrouw kregen een flink gezin, zes kinderen, en die konden ze in de kleine woning achter de winkel niet bergen. Overgrootvader Winkler was een mannetje met durf. Of, dat kun je ook zeggen," Evert Winkler lachte even, „hij moest wel met die kinderschaar! Dat zal de grootste drijfveer zijn geweest, Als je nu de rekeningen ziet waarvoor het pand werd gekocht en de rekeningen van de veranderingen en verbouwingen, breek je in een schaterlach uit over de prijzen, maar in die tijd waren het kolossale sommen geld.

Het liep prima in de schoenhandel en hij kreeg goedkope werkkrachten toen zijn kinderen groter werden. Eén van de jongens was mijn grootvader. Hij heeft het pand van zijn vader gekocht. En mijn vader nam het weer van hem over. En," Evert Winkler grijnsde even naar Sarah, „het wordt een familieverhaal in een notendop, mijn vader en moeder hadden twee kinderen. Mijn zus Johanna en ik. Voor zij beiden overleden, had ik het pand al in handen. Mijn zus trouwde met Dick de Wit. Een aardige vent, ik zal geen kwaad woord over hem zeggen, maar het was een saaie, stille man. Hij dook graag weg in dikke boeken, zwierf in musea en schilderde voor zijn plezier landschappen; boerenslootjes met knotwilgen hadden zijn voorkeur. Johanna hield van hem, hun huwelijk was goed, maar met werken liep het wat Dick betrof niet van een leien dakje. Hij werd vrijwel overal na korte tijd ontslagen. Toen vatten Hannie en ik het plan op hem in onze zaak te laten meewerken. Vooral gedreven door medelijden met Johanna, omdat zij moest zien rond te komen van een matig loon of een uitkering. Maar we hadden niet de overtuiging een enthousiaste werkkracht binnen te halen. We vonden dat we het moesten proberen om Johanna te steunen. Omdat Dick erkenning wilde hebben en wij heel naïef dachten dat respect hem ijverig zou maken, besloten we ook zijn naam op de voorpui van de winkel te zetten. Winkler De Wit. Geen streep ertussen. Het was een naam die goed in het gehoor lag. De mensen zeiden „even kijken bij Winkler De Wit". Maar het lukte niet met Dick in de zaak. Hij had er totaal geen gevoel voor. Hij was evenwel ontstellend eigenwijs. Hij had geen geduld met de klanten en dat is het eerste wat je in een schoenenwinkel nodig hebt. Op een gegeven moment ontstond een denderende ruzie en dat leidde tot de verwijdering tussen ons. Johanna begreep onze problemen wel, maar ze kon niet anders doen dan partij voor haar man kiezen.

Hannie en ik waren intussen ook ouder geworden, stevig in de vijftig. We hadden nare jaren met het steeds weer proberen met Dick achter de rug en we namen het besluit met de winkel te stoppen. Maar we wilden het pand niet verkopen. Steeds speelde me het beeld voor ogen van de papieren die overgrootvader bewaarde in een koperen trommel. Het ding staat op onze zolder. Als ik aan de prijzen denk waarvoor ik het pand nu van de hand kan doen, gaat wel een luide kassabel rinkelen, maar we hebben toch het gevoel dat we het bezit niet mogen verkopen. We hebben drie kinderen, twee meisjes en een jongen. Voor hen willen we het pand behouden. Het is al zo lang in de familie. Onze oudste dochter, Isabel, heeft belangstelling voor de winkel. Ze is nog met haar studie bezig en we vinden haar te jong om in het zakenleven te stappen. En onze zoon? Daarover is nog geen zinnig woord te zeggen. Hij vertoeft in het stadium van piloot willen worden of kapitein op een hele grote schuit! En verhuren is een goede zaak, want het brengt maandelijks een behoorlijk sommetje in het laatje."

„Dat geloof ik," antwoordde Sarah. Het eerste woord was gevallen over de hoge huur. Ze wist dat de huursom hoog zou zijn. Maar, zoals ze destijds tegen Geert Pronk had gezegd, een redelijke huursom was voor haar beter op te brengen dan een hoge koopsom. En haar winkel liep goed. Ze betaalden nu toch ook flink voor de winkel en de bovenwoning.

Het gesprek kabbelde nog even voort, tot Evert Winkler zei: „Zullen we tot de kern van de zaak komen? Dan weet je om welk bedrag het gaat. Je hebt tijd genoeg om er met Jim over te praten en samen berekeningen te maken, want op korte termijn zal het pand niet ontruimd worden. Hannie en ik wachten op jullie antwoord."

„Maar," zei Hannie nu, ze had tot dan niet echt aan het gesprek deelgenomen, „je kunt alvast een kijkje nemen in de woning. En beneden in de winkel en de ruimte daarachter."

Het was een ruime woning, met een prachtige badkamer en een modern ingerichte keuken. Het is eigenlijk zo, dacht Sarah terwijl ze achter Hannie en Evert door het huis drentelde, dat een minder grote en mooie woon- en winkelruimte voor ons goed genoeg zou zijn. De winkel was, schatte ze, bijna driemaal zo groot als haar eigen winkel. Hier speelde wat grootmoeder Geertje noemde: Tussen dit en dat is ook nog wat, maar vonden ze dat 'wat' in het centrum van de stad? En de huurprijs was wel hoog, maar voor hen niet onbetaalbaar.

Ze ging terug naar huis. Het was al laat. Dus deed ze haar pyjama aan, trok warme slofjes aan de voeten en ging met een beker warme melk op de bank zitten om na te denken. Dat denken begon met het vertellen over de zwangerschap aan Jim. Hij zou er dolenthousiast over zijn. Hij werd mogelijk vader! En zij moeder. Het was niet voor te stellen. Met de blijde boodschap zouden ze daarna naar haar ouders gaan. „Jullie worden opa en oma!!" en „mam, je oppasbaby komt eraan!" En moeder Dijkema zou ook blij zijn met het grote nieuws.

Vervolgens richtte Sarah in gedachten de winkel in en het woonhuis en daarna, na alle spanningen weer een beetje tot rust gekomen, pakte ze een blocnote en een pen en maakte een ruw kostenplaatje.

De volgende avond belde ze Sander erover. Ze wilde hem na zijn hulp op de hoogte houden. Ze wilde er ook graag met hem over praten. Sander begreep al haar woorden, hij kende het onderwerp mode zo goed. Hij gaf antwoord, reageerde, ze wist dat hij begreep hoe zij het bedoelde. Er met Jim over praten was zo anders. Hij luisterde wel omdat hij belangstelling wilde tonen, want deze business hield haar bezig en zij was zijn vrouw. Maar hij begreep er niets van. Ze was zo vol van het project en Sander was de enige die voor al haar woorden beschikbaar was. Want Jim was er niet.

„Denken over het pand op zich hoeft dus niet, want daar ben je al uit," antwoordde Sander na haar eerste woordenstroom, „nu wordt het een kwestie van rekenen en tellen. Maar dat hoef ik je niet te vertellen. Misschien sla ik minder belangrijke posten over omdat ik ervaring heb met verbouwingen. Ik wil je ermee helpen, dat weet je. Misschien is dat een goed idee voor jij alle feiten, bedragen en mogelijkheden over Jim uitstort. Het zal hem overvallen. Maar als jij je praatje goed hebt voorbereid en uitgewerkt, ziet hij de cijfers duidelijker voor zich. En kan hij er beter een plaatje van maken, om bij Jims vak te blijven. Maar dat moet je zelf beslissen. Ik wil je in ieder geval helpen."

„Graag, Sander," antwoordde ze blij. Want wat moest ze met dit alles alleen beginnen?

Drie weken later was Jim thuis. Bij het telefoontje naar beneden: „Ik ben thuis!!" juichte Sarah blij.
„Heerlijk, jongen, ik kom! Even nog een mevrouw helpen en ik ren naar boven!"

Hij stond boven aan de trap, Sarah rende de treden op. Hij ving haar op in zijn armen. „Lieveling, Sarah, ik heb zo naar je verlangd." Ze kusten elkaar, hielden elkaar vast en liepen met de armen om elkaar heen een beetje moeilijk door de geopende kamerdeur, maar als je na zoveel tijd je geliefde weer kunt vasthouden, laat je hem of haar niet meer los!! Op de overloop stonden koffers, grote tassen en, los naast elkaar, drie paar schoenen.

Meestal verliep het eerste weerzien met koffiedrinken en Sarahs vragen hoe de reis was geweest, want Jim had veel meer beleefd en te vertellen dan zij, maar deze keer was het beslist anders. Maar ze zweeg nog.

Jim vertelde. Het was een bijzondere reis geweest. Hij had schitterende reportages kunnen maken van fantastische steden en streken. Toen vroeg hij: „En, lieverdje, schat, hoe is het hier?"

„Ik heb groot nieuws, Jim." Ze keek hem stralend aan. „Ik ben zwanger!!"

Zij genoot van zijn blijheid, zijn kussen, zijn woorden erover. Er was veel over te zeggen en veel over te vragen: Hoe voelde ze zich, was ze bij de dokter geweest, wisten haar ouders het grote nieuws al en zijn moeder…? Nee, ze wilde het eerst aan hem vertellen voor iemand anders het mocht weten.

Er volgden veel woorden, tot Jim zei: „Lieveling, ik ben er heel blij mee, ik kan wel zeggen: dolgelukkig. Maar nu het een beetje tot me is doorgedrongen, vraag ik me af: waar moet het wiegje van ons kindje staan?"

„Ja, daarover heb ik ook gedacht." Het gesprek ging verder en Sarah vertelde over het pand van Winkler De Wit, dat te huur kwam. Ze vertelde ook over de inbreng van Sander.

„Winkler De Wit… Daar zit nu een tandenborstelwinkel in, hè? Een mooi pand, maar wel groot, vind je niet? Ik wil je enthousiasme niet temperen, want ik hoor aan je stem dat je het wel ziet zitten, maar het zal geld kosten. En het is de vraag of dat door een grotere winkel terugverdiend wordt. Maar hier kunnen we in elk geval niet blijven wonen."

Sarah knikte. Ze stond op. „Ik heb een ovenschotel klaargemaakt. Die schuif ik in de oven. Dan eten we eerst rustig, voorzover mogelijk na alle spanning. Daarna leg ik je mijn berekeningen voor."

Het werd heel laat die avond. Ze waren allebei erg moe, maar er was zoveel om over te praten en samen over te denken.

„Als alles op je overzicht klopt, moet het mogelijk zijn. Jij hebt een flink bedrag op je bankrekening staan en ik ook. En we hebben afgesproken elkaar te steunen. Wat van jou is, is van mij en omgekeerd. Sarah, ik zie er mogelijkheden in! En je verhaal over zwierige regenmantels en schattige regenhoedjes geeft de doorslag!"

De volgende dagen waren heerlijk. Het begon met het vertellen van het grote nieuws over de baby en hun plannen voor het pand van Winkler. Er kwamen zoals verwacht veel zorgen naar voren bij haar ouders. Kinderen toch, is dat niet te hoog gegrepen? Zo'n groot pand. Maar inderdaad, jullie zullen naar andere woonruimte moeten omkijken. Snel kwam het voorstel van haar vader: we kunnen ruilen van woning. Jullie in ons huis, en wij boven de winkel, maar dat voorstel wimpelde Sarah meteen af. Nee, dat wilde ze beslist niet! Ook moeders opmerking: „Neem niet te veel op je schouders, Sarah! Een grote winkel vraagt toch meer zorg en drukte en aandacht en je hebt dan het kindje." Zo werden er meer mogelijke problemen, oplossingen en voorstellen aangedragen tot Jim zei dat het nog niet officieel was, alles kon nog afgeblazen worden en dat bracht weer wat rust.

Op de derde dag nadat Jim was thuisgekomen, reed hij in de middag naar het grote kantoorgebouw van de uitgeverij waar ook De draaiende wereld werd uitgegeven. Hij keerde dolenthousiast terug. Sarah was tijdens het helpen van de klanten in gedachten met hem meegegaan. Ton Westerlaken keurde Jims werk goed.

„Luister, lieveling, ik heb fantastisch nieuws! Westerlaken kwam met een geweldig voorstel!" Zijn wangen kleurden rood, zijn ogen glansden, zijn handen deden mee met zijn woorden en dat was, wist Sarah, een teken van blijheid.

„Hij wil dat ik een reportage ga maken in Amerika! En dat gaan we groots en professioneel aanpakken! Niet zoals tot nu toe: ik alleen op stap en alles zelf doen, nee, er gaat een cameraman mee die voor de video's en filmbanden zorgt! Dat betekent dat er iemand bij me is en daar ben ik blij mee. Tot nu toe waren de enige mensen waarmee ik een praatje kon maken de personeelsleden van een hotel, maar van die gesprekken moet je je niet veel voorstellen. En soms doken er Nederlanders op die daar ook logeerden, maar die mensen waren meestal geïnteresseerd in andere dingen. Of ze wilden me hun hele levensverhaal vertellen. Ik weet wie Ton op het oog heeft voor die job en dat is een geschikte vent. Het zal goed klikken tussen ons. En het voornaamste, lieveling, is toch dat ik er goed mee zal verdienen nu we ons behoorlijk in de schulden steken. Het zijn verantwoorde schulden, maar het zijn toch schulden." Hij nam haar in zijn armen, ze dansten door de kamer, maar terwijl ze naar hem lachte dacht ze: Hij gaat voor langere tijd weg, hoe lang zal die reis duren? Ton Westerlaken is een man die ervan alles aan zal vastkoppelen.

In de avond zaten ze in de woonkamer.

„Er zijn twee stromingen in mijn gedachten," begon Jim en door de wijze waarop hij die woorden uitsprak, wist Sarah dat er een ernstig onderwerp kwam. „Aan de ene kant is er de grote blijdschap over alles wat te gebeuren staat, de komst van onze baby, een andere woning, een nieuwe winkel voor jou, en mijn werken op de manier die me altijd voor ogen heeft gestaan: verre reizen en een cameraman mee. Het is een geweldige opdracht, ook wat het geld betreft. Maar aan de andere kant: ik zal langer van huis zijn."

Sarah knikte en zei: „Jij hebt voor dit vak gekozen, Jim. Je wilt dit graag. Bijzondere reportages kun je niet in Callantsoog maken. Het ruisen van de zee is al vaak beschreven. En er zijn plaatjes genoeg van wilde golven."

Jim knikte. Dat was zo. Voor dit vak moest hij eropuit. En het afscheid was altijd moeilijk. Telkens weer Sarah uit zijn armen laten gaan, en in de toekomst ook een klein kindje achterlaten... maar als hij eenmaal op weg was, trok het avontuur hem. Hij zag en beleefde zoveel, er was spanning en verwachten. Hij zag dingen die hij nog niet kende en hij mocht erover schrijven en nu samen met Dick Lohman in beeld brengen.

„Ook speelt door mijn hoofd," hij keek haar recht aan, „dat je na het horen van het nieuws over het pand van Winkler gesproken hebt met Sander Rademaker."

„Ik wist meteen dat een aanbod als dit niet snel weer op mijn pad zou komen,' weerlegde Sarah. „Er komt weinig leeg in de binnenstad. Als er iets verkocht wordt, weet meestal al iemand van de

150

plannen af en geeft dat door aan iemand die er belangstelling voor heeft. Veel aanstaande verkopers zoeken bij de eerste plannen contact met een makelaar en die makelaar heeft zoekers op een lijstje staan. Hij combineert snel het één met het ander en ik grijp er naast. Er moest snel iets gedaan worden. Wie kon ik er anders in betrekken dan Sander? Hij weet van zakendoen. Ik had ook mijn vader kunnen inschakelen, maar papa heeft weinig verstand van zaken als deze. Hij kijkt naar de bedragen die ervoor uitgegeven moeten worden, en nog wel door zijn dochter; zo, zo, dat is nogal wat, en daarvoor deinst hij snel terug. De enige die me kon helpen, was Sander. En hij heeft het goed gedaan. Ik ben blij met zijn hulp. Hij heeft me zo op het pad gezet dat ik, dat wij, de beslissing in handen hebben. Maar binnenkort moet Evert Winkler weten wat ons besluit is."

Jim knikte. Ja, dat was logisch. „Wanneer denk je de knoop definitief door te hakken? En wanneer gaat de zeepverkoper uit het pand? Er moet wat geregeld worden met een aannemer die de winkel en het woonhuis gaat verbouwen en heb je daarvoor al een bedrijf op het oog? Eigenlijk kan ik niet weg, Sarah, want tussen al die besluiten en werkzaamheden door, verwacht jij ons kindje. Het worden hectische maanden, mogelijk zijn ze te hectisch voor jou. Maar ik heb het in mijn werk ook druk. Ik moet om te beginnen alle gegevens van deze Spanje-reis uitwerken. Dat is een behoorlijke klus. En op mijn programma staat het schrijven van de columns voor de tijd dat ik naar Amerika zal gaan. Dat werk wil ik aanhouden. Mijn naam steeds weer in de krant is een geweldige reclame. Dat alles heeft tijd nodig. En ik weet nog niet voor welke periode Westerlaken de Amerika-reis heeft gepland. Ik heb wel het één en ander verteld. En toen knikte hij 'leuk, een baby', maar intussen houdt hij daarmee geen rekening bij zijn plannen. Want een baby komt er ook wel als de vader er niet bij is. Dat is het vak nou eenmaal, Jim Dijkema! Maar ik wil graag een paar weken voor de bevalling thuis zijn en de eerste weken daarna ook. Dan moet alles wat ik uit Amerika meesleep nog uitgewerkt worden, maar dan ben ik in elk geval hier."

Sarah zuchtte, onmerkbaar voor hem. Dacht hij te veel aan alles wat op zijn pad kwam en zat haar dat dwars?

„We moeten schema's maken, daarop komt het neer," zei ze. Ze probeerde een kordate, nuchtere toon in die woorden te leggen zodat hij het gevoel kreeg 'ik heb het onder controle'. Maar of ze het zelf zo voelde, wist ze niet. Eigenlijk niet. „We beginnen bij het begin. De zwangerschap is nu bijna twee maanden. Over een maand of zeven wordt, als alles naar wens verloopt, en laten we God daarvoor bidden, ons kindje geboren. Dan wil jij thuis zijn. En ik wil natuurlijk graag dat je dan hier bent. Hoe lang denk je dat die Amerika-reis gaat duren?"

„Ton heeft veel op het programma gezet. Want het wordt een dure reis, en daar moet wel één en ander uit voortkomen. Dat begrijpen jij en ik allebei. Met Dick heb ik afgesproken volgens een strak schema te gaan werken. Geen onnodige rustdagen en uitstapjes inlassen die best leuk zijn, maar niet door Westerlaken gepland. Hoewel we de onderwerpen van dergelijke zijsprongetjes waarschijnlijk allebei goed kunnen gebruiken voor latere werkobjecten! Het is wel onze hobby, zoals we dat lachend noemen, maar het is in de eerste plaats toch ons werk! Maar Dick en ik hebben daarover nog niets gezegd. Zo goed kennen we elkaar nog niet. En ik wil voorzichtig zijn. Ook in dit vak wordt veel gekletst en geroddeld. Maar tijdens onze reis ontdek ik vast en zeker de mogelijkheden met Dick. De reis zal zes weken, misschien wel twee maanden duren en als het uitloopt nog langer. Daarin kunnen we veel doen. Maar ik wil er graag bij zijn als de contracten opgemaakt worden met Winkler en de aannemer."

„Je zult niet bij alles aanwezig kunnen zijn."

„Nee, dat zal niet lukken. Het zou het beste zijn over drie of vier weken te vertrekken. Maar ik kan morgen niet het kantoor binnenstappen en zeggen: Ik wil over vier weken weg zijn, Dick, ben jij er dan klaar voor? Er moet veel geregeld worden. We zullen met z'n drieën de reis uitstippelen. Die derde man is Robert de Wilde. Westerlaken geeft aan hem op wat de opdrachten zijn en De Wilde zoekt de rest uit. En legt alles vast. De vliegreis en de hotels waar we verblijven. Hij stelt met ons tijdschema's samen, maar wij weten ook niet wat ons te wachten staat. Er komt dus wel het een en ander voor kijken; maar met praten en overleggen komt er een uitslag.

Als we morgen naar Evert Winkler gaan om hem te zeggen dat ons besluit vaststaat, dat we het pand willen huren, kunnen we ook met hem het een en ander vastleggen en horen wanneer Het Klaverblad vertrekt. Daarna moet er iemand ingeschakeld worden die tekeningen maakt van hoe jij het wilt met de winkel. Aan het woonhuis hoeft niet veel te gebeuren, dat komt later wel. Met die tekeningen kan een goede aannemer ons helpen."

„Het worden inderdaad hectische tijden." Sarah stond op om voor Jim wijn in te schenken en voor zichzelf een glas water. „Maar, Jim, we wisten vooruit dat er omstandigheden als deze over ons heen konden komen. Jouw werk en mijn werk, het zijn allebei dynamische werkterreinen. Maar dit wilden we juist zo graag en we willen dit nóg! Alleen stroomt er nu veel tegelijk naar ons toe. Maar we hebben een mooi vooruitzicht: een fijne winkel en een ruime woning. Als we er rustig onder blijven, moet het lukken."

ᘒ7ᘒ

Ruim drie maanden gingen voorbij.
Jim was vier weken geleden naar Amerika vertrokken. Het was voor hem moeilijk geweest nu weg te gaan. Er stond zoveel te gebeuren rond de nieuwe winkel en het woonhuis en vooral het weten van Sarah's zwangerschap woog zwaar. Hij wilde haar in deze maanden steunen, samen praten over hun kindje, maar Sarah had gezegd: „Alles is goed met me. Aan de groei van de baby kun je niets doen." Ze had het lachend gezegd. „Hij of zij groeit in mijn lichaam; jij en ik kunnen alleen afwachten en bidden en hopen dat alles goed verloopt. Meer kunnen we niet doen. En jij moet je werk doen. Het is je werk, het is geen vakantiereis." Dat was ook zo. Maar hij vond dat zijn aandacht en zorg nodig was bij alle werkzaamheden. Er moest behangen en geschilderd worden, hij liet haar er naar zijn gevoel toch alleen voor opdraaien, maar daarover had Sarah gezegd: „Jij kunt er niet meer aan doen dan ik. En ík weet hoe ik het wil hebben. Ik ga elke avond kijken. Want dat is een groot voordeel: het vindt niet in ons huis plaats. Hier is geen rommel, geen stof, geen herrie van boren en timmeren. Het zal goed gaan. Portegaal is een betrouwbare aannemer, hij weet dat hij dingen die niet goed gaan weer op zijn bordje krijgt. En het is geen verbouwing, het is wat die lui noemen intimmeren. En de opzichter, Joop van Weelden, is een geschikte vent. Hij houdt me van de stand van zaken op de hoogte."

Hij moest het loslaten en Amerika trok hem. Hij wilde deze reis zo graag maken. Hierover droomde hij al toen hij achttien was, hij had destijds gefantaseerd en plannen gemaakt. En nu was het zover. Californië wachtte op hem, de Grand Canyon, Florida, New York... Ton Westerlaken had veel op de lijst geplaatst.

In de winkel heerste in die tijd een gezellige drukte. Ina en Willeke waren als altijd actief bezig. Er was een jong meisje, Hetty, aangetrokken als leerlingverkoopster. Sarah kon zich aan het begin van de middagen vaak even terugtrekken in het vertrek achter de winkel. Er stond een ruime tuinstoel – plaats voor twee – en er was een bankje waarop ze haar voeten kon leggen. Op dat tijdstip was het meestal rustig in de winkel.

154

Ze had prachtige wintermantels en regenmantels gekocht, die, als de nieuwe zaak werd geopend, aan de klanten gepresenteerd zouden worden. Willeke had voorgesteld dat via een show te doen. Ina, zij en Hetty liepen elegant genoeg om dat te verzorgen. „En jouw moeder, Sarah, vragen we voor de modellen voor iets oudere dames. Misschien wil je schoonmoeder ook van de partij zijn!" Hanne en Jill hadden aangeboden op de openingsdag te komen helpen.

Ina voelde iets van triomf nu door haar tip over het pand Winkler De Wit dit alles tot stand kwam, en nu Sarah in verwachting was en af en toe duidelijk moeite had met alles waaraan ze haar aandacht moest geven, nam Ina, naar ze dacht ongemerkt, af en toe de leiding in de winkel over. Maar Sarah zag het wel en was er blij mee. Ze kon in deze tijd goede hulp gebruiken.

Deze avond in juni zat ze in de woonkamer. Moeder was even geweest, maar ze bleef niet lang. „Ga een poosje rusten, kind, je ziet er moe uit."

„Ja, mam, dat zal ik doen." Maar ze wilde niet slapen. Misschien belde Jim, misschien kwam Jill binnen. Maar toen de bel ging en ze de deur opentrok, keek ze in het gezicht van Sander.

„Hallo," begroette ze hem een beetje verbaasd.

Hij liep de trap al op. „Ik wilde weten hoe het hier gaat. En het met eigen ogen aanschouwen, brengt meer waarheid dan naar woorden via de telefoon luisteren." Hij gaf haar een paar kusjes op de wangen. In de kamer legde hij in een licht, speels gebaar een hand op haar buik. „Hoe is het met de baby?"

„Goed. Ik voel regelmatig schoppende voetjes. Ga zitten, fijn dat je er bent."

„Zijn er zorgen?"

„Nee, niet echt. Maar er is veel waar ik mijn hoofd bij moet houden. En ik kan er met niemand zo goed over praten als met jou. Daarom ben ik blij met je komst." Ze lachte naar hem. „Om meteen een voorbeeld te noemen: gisteravond ben ik in de nieuwe winkel geweest. Het sloopwerk is achter de rug, er komt nu lijn in de bezigheden. Je weet dat er duidelijke tekeningen zijn gemaakt, maar er zijn een paar dingen die volgens mij niet helemaal goed gaan. Zoals de paskamers. Ik wil ze zo geplaatst hebben dat ik er vanaf meerdere kanten in de winkel oog op kan houden; wie gaat erin, wat neemt de dame mee en waarmee komt ze weer naar buiten. Maar de wanden staan nu iets verdraaid en de maten kloppen volgens mij ook niet. Ik belde er vanmorgen met Poortegaal over en hij zou ernaar kijken. Hij belde terug dat alles in orde was. Ik wil niet lastig zijn, maar ik ben er niet gerust op dat het wordt zoals ik wil."

„We gaan samen even kijken, het is nu nog licht. En het is vlakbij."

Ze liepen naar het pand, bekeken de zaak en praatten erover. Terug in de woonkamer, na advies van Sander, zei ze: „Ik zal koffiezetten."

„Nee, ík zet koffie. Ik weet hoe dat moet. Ga jij maar zitten."

Het werd een goede avond. Praten met Sander was fijn, en ze kon de kleine dingen die haar dwarszaten aan hem kwijt.

Opeens waren daar tranen. „Sander, neem me niet kwalijk..." snikte ze.

Hij stond op en ging naast haar op de bank zitten. „Huil maar, dat lucht op. Het brengt de spanning in je naar buiten. En buiten is er meer ruimte dan in je koppie waar alles veel te snel ronddraait. En buiten ben ik. Ik luister naar je en ik kan je misschien een beetje helpen. En, Sarah, het zijn geen tranen van verdriet. Het zijn tranen van spanning. Er is té veel om je heen. Jim is ver weg en in je lichaam groeit een kindje. Dat brengt lichamelijke ongemakken met zich mee. Je loopt moeilijker, je zit niet echt lekker, je ligt niet fijn meer in bed. En het is begrijpelijk dat er vragen in je zijn: Is alles goed met het kindje, is het gezond. Daarbovenop nog eens het hele gebeuren met het nieuwe pand. Je hebt een lichte inzinking, het is allemaal even te veel. Je wilt het wellicht niet geloven, maar ik voelde het vanmiddag. Je wilt flink zijn en je bent ook flink, maar..."

Ze hoorde zijn woorden en zijn stem, zacht en bezorgd. Zijn arm lag om haar schouder. Het voelde veilig en gaf steun. Ze legde haar hoofd tegen hem aan. De tranen stroomden over haar wangen. „Ik verlang zo naar Jim. Hij kan niet hier zijn, dat weet ik wel. Hij heeft zijn werk. Daar heeft hij voor gekozen. Ik wist dat hij veel weg zou zijn, maar ik mis hem. Ik kan hierover niets tegen mijn ouders zeggen. Voor we trouwden zijn er lange gesprekken geweest, en er kwamen veel waarschuwingen. Ik vond de ideeën van mijn ouders toen ouderwets, Jim en ik waren mensen van deze tijd. We wilden allebei vrij zijn om te doen wat we graag wilden doen, allebei de bezigheden en het werk wat we wilden." Haar woorden kwamen langzaam en soms snikkend.

„Mijn ouders brachten toen naar voren dat ik hier voor alles zou opdraaien en dat Jim steeds meer van mijn leven zou vervreemden en ik van zijn leven, want wat wisten we van elkaars bezigheden van elke dag? Wat wist ik van zijn bezigheden op verre plekken? Wie ontmoette hij, met wie had hij gesprekken? In welke bedden sliep hij in welke hotelkamers? En wat wist hij van mijn avonden alleen in ons huis? Van mijn gedachten en de vragen die ik had? Niets, helemaal niets. En als er een kind kwam? Ik wilde destijds nog niet denken aan een kind. Ik was jong genoeg en als er een kind kwam, zouden we het zo regelen dat het genoeg liefde en aandacht van ons beiden kreeg. Voor schone luiers en de was kon ook iemand anders zorgen. Het werd een lang relaas. Het kostte meerdere avonden." Ze lachte even. „Als ik nu bij hen kom met klachten, zullen ze me dit niet allemaal voor mijn voeten gooien, maar mijn moeder kan in enkele zinnen en op een cynische toon veel zeggen. In dit geval bijvoorbeeld: 'We hebben je gewaarschuwd, kind.' En in dat woord kind dan een klank van berusting leggen." Sarah lachte bibberig. „Moeder vindt dat een man bij zijn vrouw hoort te zijn. En omgekeerd natuurlijk ook. Maar dat is onzin. Zeelieden blijven niet thuis voor een zwangerschap, soldaten niet, zakenlieden niet en reporters ook niet. Moeder zei dat we elk een eigen leven op zouden bouwen en daarin, Sander, heeft ze een beetje gelijk. Weet ík wat Jim op reis doet? Hij is een jonge, gezonde kerel en kent ook zijn verlangens. Mijn schoonmoeder ziet het geheel van Jims kant en zij zal zeggen: 'Je wist toch dat dit het leven is wat Jim wil? Dan moet je nu niet klagen.' "

„Je klaagt niet, Sarah, er komt alleen te veel tegelijk. Je zit in wat men in deze tijd een dip noemt. Maar daar kom je weer uit. Je bent sterk, en, denk daar eens over na, eigenlijk is wat rond en met je gebeurt precies wat je wilt! Een baby op komst en een nieuwe, prachtige winkel; zo is het toch? In je lichaam speelt zich een wondermooi proces af, daarmee ben je blij, maar het heeft ook nadelen, pijntjes en kleine ongemakken. En zwanger zijn is niet alleen een lichamelijk proces. Het vraagt ook geestelijk veel van

157

een vrouw. Het weten dat er een nieuw mensje in je groeit en de vragen die daarbij komen: Is het gezond, hoe doet hij het in de grote, boze wereld die op hem wacht? Je hebt hem nog niet gezien, maar je kent hem wel, want jullie wonen samen in jouw lichaam. Dat alles heeft invloed op je geest." Sander glimlachte. Hoe kwam hij op deze mooie woorden? Maar hij wist het wel. Hij had veel nagedacht na Lottes dood tijdens lange avonden alleen zijn. Zij wilden een huwelijk zonder kinderen. Lotte wenste haar werk te blijven doen. Haar grote, verborgen wens was eens directrice te worden van een tehuis voor oude mensen. Ze zou er een sfeer van liefde en aandacht inbrengen, ze wist hoe belangrijk die sfeer was. En hijzelf had veel aandacht, tijd en liefde voor zijn werk.

Na haar dood had hij gedroomd hoe het zou zijn geweest als Lotte wel in verwachting was geraakt, als er een kind van hen samen op de wereld was gekomen. In die tijd verdiepte hij zich in de verlangens en gedachten van zwangere vrouwen in zijn omgeving. Het moest heerlijk zijn dit wonder in je te voelen groeien. Lotte had het gemist.

Hij praatte verder tegen Sarah: „En als er tijdens de werkzaamheden dan iets tegenloopt, maak je er meteen een drama van. Ik kom morgenochtend hier en handel het misverstand met Poortegaal op een goede manier af."

Ze leunde nog tegen hem aan. Het voelde zo veilig en goed. Iemand die naar haar luisterde en haar begreep. Sander was een man om steun bij te zoeken en het was heerlijk te weten dat je die steun bij hem zou vinden en krijgen. Ze was moe en verdrietig. Jim belde zo weinig. Hij had het druk, dat wist ze, en nu Dick Lohman bij hem was, zou de reis anders voor Jim verlopen. In de avond praatten ze samen over de voorbije dag en ze stelden plannen op voor morgen. Hoe doen we dit, hoe pakken we dat aan. Ze zouden een biertje drinken of een paar glazen wijn. Misschien een wandeling maken in de buurt van het hotel of naar het strand lopen en Jim zou opeens denken: Ik moet Sarah nog bellen. Maar terug in het hotel zou hij de tijd omrekenen en weten dat zij al sliep. Of gewoon aannemen dat ze sliep. Maar ze sliep niet. Ze dacht aan hem. Hij ook wel aan haar, maar toch… Moeder had het gezegd: „Je bouwt allebei een eigen leven op, los van elkaar."

Ze voelde de druk van Sanders arm. Het was niet goed zo tegen hem aan te liggen. Haar hoofd op zijn bovenarm. Dit moest ze niet doen. Maar ze was moe en verdrietig.

Het was alsof Sander haar gedachten raadde. Misschien door de kleine beweging die ze maakte om rechtop te gaan zitten. „Blijf lekker tegen me leunen, Sarah. Je bent moe en ik weet wat er in je omgaat. Ik wil je alleen helpen en je hebt op dit moment hulp nodig. Van mijn steun aan jou weet niemand en niemand kan het begrijpen zoals wij het begrijpen. Als je met anderen praat over je zorgen van nu, haalt men er te veel bij. Ze hebben een andere mening en komen met waarschuwingen van vroeger. Zie je nou wel, het gaat zoals wij het voorspeld hebben! Maar zo is het niet. Jim en jij kozen voor dit leven, maar het is soms moeilijk er blij mee te zijn. Zoals deze avond. Maar Jim komt over korte tijd thuis en hij blijft thuis tot na de geboorte van de baby. Hij is er als de winkel wordt geopend en hij zal er zijn als jullie verhuizen naar de ruime bovenwoning. En met z'n tweetjes brengen jullie de spulletjes naar de kinderkamer."

Hij praatte verder op lichte toon. De tranen droogden op haar wangen. Sander begreep haar en Sander hielp haar. Sander wist dat hij niet meer voor haar kon zijn dan een vriend, dat had ze hem die avond, toen, duidelijk gemaakt.

Ze kwam licht steunend en kreunend toch overeind. „Ik voel me al veel beter," ze glimlachte naar hem. „Bedankt voor je wijze woorden, Sander. Je hebt me goed geholpen. Jim komt thuis en Jim blijft thuis. Ja, Jim zal er zijn als de winkel wordt geopend, Jim is er als we verhuizen. Ik kan er weer tegen. En het plan hier morgen te komen, meen je dat serieus?"

„Ja, meisje. Ik kom morgenochtend. En ik bekijk een en ander met Poortegaal."

„Dan zorg ik voor een smakelijke lunch en als je ook de middag nog blijft," ze lachte opeens, „om me helemaal uit m'n dip te halen, eten we samen bij De Brug. We kennen het adres tenslotte. Het is er prima."

Sander vertrok. Ze keek hem vanaf de overloop na toen hij de trap afliep en ze zwaaide naar hem voor hij de deur dichttrok.

Terug in de kamer kleedde ze zich uit, trok de nieuwe, wijde nachtpon aan en ging in een stoel zitten. „Kindje van me." Ze legde haar handen om haar buik, de baby sliep kennelijk, ze voelde geen bewegingen. Verstandig van het kleintje, het was al laat, maar zij wilde even tegen hem praten. „Kindje van me, je was erbij vanavond, maar je moet er niets kwaads van denken. Sander is een vriend en ik had behoefte met een vriend te praten. Het had ook Frank kunnen zijn of Harm, dat zijn ook goede vrienden van me. Maar ze hebben minder levenservaring. Ze zijn anders dan Sander. Ook fijne vrienden, maar anders. Sander heeft geleerd uit zijn leven met Lotte. En vooral ná zijn leven met Lotte. Hij leerde inzien wat hij fout heeft gedaan. Hij verdiept zich nu in mijn problemen. Och, problemen, het is zoals hij het vanavond stelde: echte problemen zijn het niet. Alleen een teveel aan drukte om me heen en het denken aan Jim.

Wat deed hij vanavond? De woorden van moeder en oma van vroeger kwamen in haar gedachten: „Een gezonde, jonge kerel, die weet hoe de nachten met een vrouw kunnen zijn." Moeder kon soms zo akelig nuchter zijn, maar dikwijls had ze gelijk. Zij moest haar kop niet in het zand steken zoals struisvogels doen. Zou Jim... Maar nee, dat zou niet gebeuren. En Dick was bij hem. Twee mannen samen in den vreemde, maar ook twee mannen die van hun gezinnen hielden die op hen wachtten. Een vrouw in den vreemde kon alleen hartstocht brengen, geen liefde. Sarah lachte er opeens om. Maar hartstocht van een vreemde vrouw voor haar Jim, nee, dat wilde ze toch niet!

Terug in de auto op weg naar Amsterdam, in de wagen die zacht zoemend over de weg ging, dacht Sander Rademaker na over de voorbije avond. Sarah had de woorden van haar ouders als ouderwets afgedaan. Zij wilde een vrouw van deze tijd zijn, een moderne vrouw met een eigen werkkring, en de eigen idealen verwezenlijken. Sarah was geslaagd.

Ook Jim wilde het werk doen waarover hij al jarenlang droomde. Dat lukte tot nu toe goed. Maar er zat waarheid in wat Sarah's moeder erover had gezegd: „Je bouwt allebei aan een leven waarvan de ander weinig weet. Stille plekken in de gedachten van de ander die je niet kent, omdat je er niet van weet." Dat was een waarheid. Wat begreep Jim van haar liefde voor het vak? Japonnetjes en jasjes verkopen, hoe kon dat haar nou bezighouden? En wat kon zij voelen van zijn blijdschap bij een voor hem interessant gesprek met een oude man op het strand van een Italiaans vissersdorpje, die hem over zijn leven vertelde. Over zijn kleine bootje, de woeste golven, de karige opbrengst? Dergelijke mannetjes zijn er bij duizenden en hun verhalen zijn al dikwijls verteld.

De volgende morgen ging Sarah naar de winkel. Even voor tien uur meldde Sander zich, hij was gearriveerd en ging meteen door naar het bouwproject, zoals hij het noemde, 'om de paskamers recht te zetten'.

Rond half één aten ze een kom soep en een paar broodjes. Daarna ging Sarah weer naar beneden en Sander naar de nieuwe zaak. Na zes uur wandelden ze naar De Brug en aten daar heerlijk.

„Ik ga nog even mee naar boven," stelde Sander voor, „en daarna rij ik terug naar Amsterdam. Ik ben ervan overtuigd dat alles hier op rolletjes loopt en ik heb thuis nog één en ander te doen."

„We konden in De Brug nog een kopje koffie drinken, maar ik vind het gezelliger als ík de koffie zet en we het in de huiskamer drinken."

Ze zaten tegenover elkaar.

„Ik heb nagedacht over gisteravond, Sander, en ik wil je nogmaals bedanken omdat je me zo fijn geholpen hebt. Je hebt me weer op het goede been gezet wat mijn gedachten betreft." Ze wilde er niet aan toevoegen: Ik voelde me de laatste dagen door Jim verlaten. In de steek gelaten was te sterk uitgedrukt. Ik mis hem. En ik vroeg me af of Jim dat beseft. Hij zal druk bezig zijn met zijn werk. Kijken, luisteren, schrijven... Maar ze sprak die woorden niet uit.

„Ik heb er ook over gedacht. Soms, Sarah, heb ik wat ik noem: nadenk-avonden. Ik ben vaak alleen in mijn huis. Ik heb er geen behoefte aan veel avonden met vrienden en vriendinnen door te brengen. Over het algemeen ontstaan er geen interessante gesprekken. Veel van die mensen, die ik overigens graag mag, begrijp me niet verkeerd, willen vlot zijn, grappen maken en in hun ogen interessante dingen vertellen. En ik heb 's avonds veel om over na te denken wat mijn werk betreft. Maar echt werken, schetsen en ontwerpen maken achter de tekentafel doe ik dan niet. Ik heb ontdekt dat de werkdag lang genoeg is. Op die vrije avonden laat ik me vaak wegdrijven op gevoelens en gedachten. In zo'n filosofische bui mijmer ik meer dan eens over het leven en het huwelijk. Ik ben ervan overtuigd dat God onze levens leidt. Mijn vader zei dat vroeger heel mooi: 'Hij houdt je in zijn hand', en dat gaf me als kind een veilig gevoel. Want waar kun je beter zijn dan in Gods hand? Maar ik geloof ook dat een mens de plicht heeft zelf een weg te kiezen naar zijn geluk. Er komen tegenslagen, dat is een wet voor heel veel aardbewoners, ook verdriet en gemis, zoals in mijn geval, maar een mens moet verder. Het is verkeerd je onder te dompelen in verdriet om er niet meer uit te kunnen komen. Een mens moet een nieuwe weg zoeken om weer gelukkig te worden. Je leven opnieuw een doel geven, een doel dat het waard is om voor te leven.

Ik denk vaak over het huwelijk. Ik heb jarenlang gedacht dat de liefde het belangrijkste, hoe zal ik het benoemen, het belangrijkste bestanddeel was in een huwelijk. De liefde is heel belangrijk. Als er geen liefde is tussen een man en een vrouw zal hun huwelijk niet gelukkig worden. Als je jong bent en verliefd, zoals ik was op Lotte, ben je ervan overtuigd dat de grote liefde en de warmte die je voelt, nooit voorbij zullen gaan. Dat lijkt volkomen onmogelijk. Het gaat ook niet echt voorbij, maar het gevoel verandert. Een mens kan niet elke dag zwelgen in de liefde. Daarvoor draagt het leven te veel dagelijkse beslommeringen aan. Het wordt min of meer gewoon. En dan komt, ondanks de romantische sfeer, de vraag of alleen liefde genoeg is. Die vraag is nuchtere werkelijkheid, zoals het leven van de mens van elke dag. En ik ken, na erover nagedacht te hebben, het antwoord. Tussen Lotte en mij was liefde, maar we waren twee mensen die zich in het leven verschillende doelen hadden gesteld. Lotte wilde met genegenheid en toewijding voor oude mensen zorgen. Dat zijn mooie woorden en voor haar telden ze. Ik wist dat van haar, ze had een zorgende natuur, maar ik kon het toch niet echt goed begrijpen. En ik vond het té ver gaan, ik vond het overdreven.

Ikzelf wilde verder in de mode. Lotte had daarvoor niet echt begrip. Mooie en dure kleding interesseerde haar niet, hoewel ze wist dat ik die mooie dingen niet voor mezelf wilde, maar dat ik eraan wilde verdienen. Zuiver als broodwinning, en dat vond ze goed. Ik moest toch een broodwinning hebben. Maar waarom moest ik er zo heftig mee bezig zijn? Waarom wilde ik een groter atelier en nog meer verdienen? En ook nog een bekende naam veroveren in de modewereld!! Sander Rademaker!! Nou, als dát me gelukkig kon maken. Ja, dát kan mij gelukkig maken.

Achteraf gezien stonden veel verschillende opvattingen tussen ons in. Óf beter gezegd, ze schoven steeds meer en meer tussen ons in. En we kwamen, om de woorden van jouw moeder over te nemen, in twee verschillende werelden terecht. 's Avonds, als Lotte geen dienst had in het tehuis, zaten we met z'n tweetjes in onze woonkamer. Kopje koffie, koekje erbij, maar over ons werk praatten we steeds minder. Toch waren we er in gedachten elk voor zich wel mee bezig. Lotte vroeg zich af hoe mevrouw Jansen de nacht zou doorkomen en ik dacht aan een afspraak voor de volgende morgen met mensen van modehuis Charlotte. De eigenares daarvan hield van zachte pasteltinten, wat zou ik haar aanbieden? Niet echt belangrijk, die eigen gedachten, maar ze brachten ons ook niet bij elkaar. We hadden geen gezamenlijke interesses."

Sarah glimlachte. „Ik begrijp wat je bedoelt en ik begrijp ook waar je heen wilt. Naar Jim en mij. En, Sander, ik heb ook, vooral de laatste maanden, in deze richting gedacht. Jim en ik houden veel van elkaar en onze liefde zal altijd blijven, maar er zijn inderdaad tijden waarin ik voel dat we toch geestelijk ver van elkaar afstaan. Zoals in deze weken. Jim is in Amerika; ik weet dat Dick Lohman en hij verder naar het westen trekken. Ze hebben het druk, ze zien en beleven veel, ze praten, schrijven en filmen erover. Jim zal af en toe heus wel aan mij denken, en, aan hoe vervelend het toch is dat hij niet hier kan zijn nu ik in verwachting ben, hij zou me moeten steunen, maar ja, zo ligt het nu eenmaal voor ons. Daarvoor hebben wij gekozen. Het leek allemaal mooi en het is ook mooi, want Jim heeft een heerlijk beroep waarin hij zich volkomen kan uitleven, maar het is voor mij niet elke dag fijn een man te hebben met zo'n beroep. Ik heb de winkel. Dat is mijn lust en mijn leven. Alles gaat goed. Ik kan op Ina rekenen, ook op Willeke, het gaat echt goed, maar er is toch veel te doen. Ik weet ook dat ik zelf regelmatig aanwezig moet zijn. De klanten willen mij zien, aan mij advies vragen, ze gaan naar Sarah en Sarah ben ik. Maar 's avonds ben ik alleen, en te moe om iemand op visite te vragen. Denkend en verlangend naar die wereldreiziger van me,"

Sarah lachte even om haar woorden, „en hopend op een telefoontje van hem. Jim belt meer dan eens, maar soms komt het er niet van omdat hij een afspraak heeft en ook het tijdsverschil speelt ons parten. En als hij belt, hoor ik: 'Zo interessant, lieveling, wat beleven sommige mensen toch geweldige en wonderlijke avonturen!!' "

„Je vraagt je niet af of het verstandig is geweest met een man als Jim te trouwen?"

„Nee, dat niet." Sarah keek even voor zich uit, haar gedachten gingen snel. Kon ze Sander van haar stille gedachten vertellen? Was het onverstandig geweest met Jim te trouwen? En wat waren haar stille gedachten? Denken aan en verlangen naar Jim, maar eigenlijk ging het niet verder. Wel was er op de achtergrond het weten dat hij met dit alles gemakkelijker leefde dan zij. Het was niet zo dat het huwelijk voor hem minder belangrijk was dan voor haar, ook niet dat zijn liefde niet groot en sterk genoeg was, maar hij leefde er gemakkelijker mee; hij was journalist, verslaggever, hoe wilde hij zichzelf noemen? Hij had zijn werk onderweg. En thuis wachtte zijn vrouw. En zijn vrouw had gelukkig ook werk waarin ze volledig opging, zoals hij opging in zijn werk. Het was een ideale combinatie. Zo voelde Jim het. Voor hem geen vrouw die, als de kamer gezogen was, aan de tafel zat om naar hem te verlangen. Daar had Sarah geen tijd voor. En toch, hierover praten met Sander was niet verstandig. Ze kende zijn oordeel over een huwelijk als dat tussen Lotte en hem.

„Het is zoals jij gisteravond opmerkte. Ik zit nu in een drukke en moeilijke periode. Een baby op komst; ik ben er heel blij mee, maar desondanks is het soms toch ongemakkelijk. Ik heb last van opkomend maagzuur, ben gauw moe, heb benen die af en toe niet verder willen. Daarnaast de drukte met de nieuwe winkel en het woonhuis. Maar, dat verzacht heel veel, met de winkel ben ik heel blij en met het woonhuis nog veel meer!! Dus, samengevat is het een smeltkroes van moeilijke en blije omstandigheden. En ik moet door deze periode heen."

„Maar Jim is niet bij je om je te steunen."

„Nee. Jim kan hier niet zijn."

Ze wilde er liever niet verder op ingaan, er was al genoeg over gezegd, maar ze wilde het onderwerp dat Sander had aangedragen, niet bot aan de kant schuiven. Want Sander hield van filosoferen over dergelijke onderwerpen. En het tot op de bodem uitspitten.

„Vraag je je niet af of je dit jarenlang kunt volhouden? Nu is er de komst van de baby wat je vrijwel alleen moet doormaken. Volgend jaar heb je misschien een ziek kindje als Jim kijkt en praat op IJsland. Het jaar daarop gebeurt er iets anders wat je alleen moet afhandelen omdat Jim door Afrika trekt."

Ze had een gemaakt lachje. „Maar Jim is niet altijd op reis! Hij is ook wekenlang thuis."

„Dan moet hij flink aanpakken om alles op papier te zetten."

„Ja, maar dan is hij bij me."

Was Jim maar hier om mee te praten. Ze wilde praten over alles wat haar bezighield. Maar Jim was er niet. Sander wel. Sander was een fijne vriend. En hij wist in welke richting haar gedachten gingen. Ze keek hem aan en zuchtte zachtjes. „Ik ben het met je eens, het is soms moeilijk. De tijden waarin hij weg is, zijn niet de gelukkigste maanden van mijn leven, maar als hij thuis is, bloeit onze liefde als nooit tevoren, we praten dan veel met elkaar."

„Hij praat over zijn belevenissen en jij luistert."

„Zijn belevenissen zijn interessanter om naar te luisteren dan mijn belevenissen in de winkel. Een lastige klant, een roddeltje over mensen in de stad…"

Op een avond belde Jim. „Lieveling, hoe gaat het me je?"

„Goed. Het is hier een heksenketel, Jim! Het pand is nu klaar, ook geschilderd en behangen. Alles ziet er piekfijn uit. En we zijn begonnen met de verhuizing!"

„Jullie zijn begonnen met de verhuizing?!" Een verbaasde en verontwaardigde uitroep klonk van de andere kant van de lijn. „Maar ik heb toch gezegd dat ik daarbij wil zijn? Je kunt het toch uitstellen?"

„Nee, Jim, dat kan niet. En het gaat goed zonder jou." Ze wist later, bij het in gedachten terugdraaien van het gesprek, niet of ze die woorden zomaar had gezegd of dat ze het als een klein verwijt inbouwde. „Ik heb zoveel hulp!!"

„Wie dan allemaal?"

Ze somde op: „Vader, Sander, Harm, Rob, Frank en Jill en Hanne. Ze komen als ze maar even tijd kunnen vrijmaken! Bijna elke avond en op zaterdag. Er worden zelfs vrije dagen opgenomen om mij te kunnen helpen! Ook Ina, Willeke en Hetty, mijn meiden in de winkel, weet je nog, werken hard mee. Jouw moeder en mijn moeder zorgen voor drinken en eten en ik loop er, waggelen wil ik het niet noemen, ha, ha, maar toch met een dikke buik van zeven maanden zwangerschap tussendoor met een hoofd als een boei en op van de zenuwen! Want iedereen vraagt mij waar dit of dat moet staan of hangen! Maar toch, Jim, is het een heerlijk gebeuren. De winkel is prachtig en het huis is heerlijk. En de stemming onder de mensen is opperbest. Alles gaat goed."

„Maar je wist dat ik erbij wilde zijn," zei hij weer.

„Dat kan toch niet! Jij bent in Amerika en dat is ver van hier. Je vertelde een paar dagen geleden dat het volgende punt op de agenda een interview was met een in dat land beroemde schrijver. Een man die op een eenzame plek in een schitterende omgeving verhalen schrijft vol spanning en dramatische gebeurtenissen."

„Ja," klonk het van de andere kant. „Dat is Andreas Hamilton. We zijn er geweest. Een moeilijk te benaderen kerel. Ik kon hem bijna niet aan de praat krijgen en Dick had veel moeite om hem redelijk goed op een plaatje te krijgen. Een norse, ongezellige vent dus. Maar volgens Ton Westerlaken zitten zijn boeken vol geraffineerde grappen, echt voor de liefhebber en kenner. Ze zijn bovendien spannend en worden goed verkocht. We konden dit interview niet overslaan, maar het was geen pretje. Over het algemeen worden we gastvrij ontvangen, de meeste mensen willen wel met hun heldendaden in een blad of krant staan, maar voor deze man telde alleen de tijd die hij aan ons kwijt was."

„Het hoort bij je werk," zei ze op luchtige toon en ze voegde eraan toe: „En daardoor kun je niet hier zijn."

„Nee dat is zo. Het spijt me vreselijk, Sarah. Ik wil graag bij je zijn, vooral in de omstandigheden van nu. Hoe gaat het met ons kindje? Lieveling, ik mis je zo! Mis jij mij ook?"

Ze lachte weer. „Eigenlijk niet, jochie, want ik heb het zo druk!" Waarom zei ze lachend dergelijke onaardige dingen tegen hem? „Ik heb bijna geen tijd om aan je te denken! Pas als ik 's avonds moe in bed stap, denk ik aan je. Ik hoop dat je gauw thuiskomt, Jim. Volgende week zaterdagmiddag wordt de nieuwe winkel met veel tamtam geopend. Het kan niet uitgesteld worden, Jim. Ook en vooral om de zwangerschap niet. Ik loop nu moeilijk rond in een malle, wijde jurk, jij zou het ding een hobbezak noemen en dat is het ook. Ik wil me bij de opening graag presenteren als de eigenaresse met gevoel voor mode. Sander heeft een prachtig positiepak voor me ontworpen. Ik heb hem aangeraden een collectie in deze branche op te zetten, want het is werkelijk fantastisch geworden. Ik zal me er goed in voelen, maar echt flatteus is het natuurlijk niet. Jill, die mij rondom heeft bewonderd, vindt het wel echt vrouwelijk. En daarin heeft ze gelijk. Ik weet wel dat alle aanwezigen begrip voor mijn situatie hebben, maar ik voel me er niet echt lekker bij. Jij had gepland voor de verhuizing en opening van de zaak hier te zijn, maar tot nu toe lukt dat niet. Nu is het nog twee maanden voor de bevalling."

„Sarah," viel hij haar in de rede, in zijn stem was verontwaardiging en iets van angst, „Sarah, je praat zo vreemd! Aan de ene kant luchtig, alles gaat goed, aan de andere kant ligt er verwijt en sarcasme in je woorden. Maar je weet toch dat het niet anders kan? Dit is mijn werk! Deze opdracht is ongelooflijk belangrijk voor me. Dit is een kans om bij 'De draaiende aarde' een vaste plek te krijgen. Daarover heb ik jarenlang gedroomd, dat weet je toch?! Alsjeblieft, meisje, ik begrijp dat je me mist en dat je vindt dat ik nu bij je moet zijn en ik wil graag bij je zijn. Ik wilde de tijd van het verwachten van ons kindje dolgraag met jou samen beleven, maar dit is mijn werk!! Deze interviews en beschrijvingen kan ik niet op de Mokerheide maken!" Hij schreeuwde bijna. En ze had medelijden met hem.

„Stil maar, Jim, ik begrijp het wel. Het is de spanning in mij. Er is al veel werk verricht, maar er is ook nog veel te doen. Ik moet me overal mee bemoeien, want ik wil dat alles wordt gedaan zoals ik het in mijn hoofd heb. Want het is mijn winkel en het is ons huis! Daarom zeg ik de dingen misschien op een verkeerde toon. Zo bedoel ik het niet. Je moet ook niet denken dat het niet goed gaat, want het gaat werkelijk prima en iedereen helpt spontaan. Maar, Jim, ik ben zo moe... en ik verlang naar jou... Maar ik begrijp de situatie voor ons allebei. Het kan niet anders."

Twee dagen later werd de winkel opgeleverd door aannemer Poortegaal. Het geheel was fantastisch geworden. Een prachtige, ruime en, als hij was ingericht, beslist gezellige modezaak. Vanaf die dag was de kleine winkel gesloten. Op de ramen en de deur hingen kleurige pamfletten waarop stond dat over een week het nieuwe pand feestelijk geopend zou worden.

En toen begon het overbrengen van de kleding van de oude zaak naar het nieuwe pand. En de voorraad nieuwe artikelen. De mantels, regenjassen en korte jasjes werden in grote dozen naar binnen gesleept. Iedereen die maar even tijd had om te helpen, hield mee. Ina, Willeke en Hetty hingen en legden alles op de plaatsen die Sarah daarvoor had bestemd.

In diezelfde dagen moesten ook de spullen vanuit de oude bovenwoning worden overgebracht naar de nieuwe bovenwoning. En weer kwam de hulp van alle kanten.

„En dat is maar goed ook," zei Frank erover, „want er zijn handen en er is kracht nodig. Alles moet naar beneden gesjouwd worden langs die onmogelijke smalle trap! En daarna moet alles weer naar boven! Jullie hebben zo ontzettend veel troep. Hoe kregen jullie dat allemaal bij elkaar! Harm en ik hebben nog het plan overwogen een transportbrug aan te leggen van bovenraam nummer achttien naar bovenraam nummer zevenenveertig, maar we vreesden dat dan de hele Vondelstraat in rep en roer zou komen. En het plan is niet uitvoerbaar omdat er te weinig valhelmen beschikbaar zijn voor het winkelende publiek. Het wordt dus tillen en sjouwen. Dus, sterke kerels: aan het werk!"

De volgende dag, in de voormiddag, belde Jim. „Lieveling, mijn Sarah, mijn schat, hoe is het bij ons thuis?"

Sarah vertelde dat alles goed ging, het was nog steeds een heksenketel, maar er was nu overzicht. Daarna vroeg ze: „Hoe is het met jou? En met Dick? Wanneer komen jullie thuis?! Jim, alsjeblieft!!"

Ze wachtte hoopvol op het antwoord vanuit het verre Amerika, maar Jims stem klonk dof toen hij zei: „Dick en ik waren van plan vanavond een begin te maken met het bij elkaar slepen van al onze spullen, maar vanmiddag belde Joop Halbertsma, de rechterhand van Westerlaken, je kent zijn naam intussen wel. Dick had even daarvoor gezegd, bij wijze van grapje, dat we in de receptie moesten opgeven niet bereikbaar te zijn, maar helaas, het bleef bij een plannetje. Halbertsma belde dus. Opeens heeft Ton Westerlaken ontdekt dat een beroemde vrouw niet ver bij ons vandaan woont en hij vindt het een subliem idee dat wij die vrouw, Marcia Falinko, gaan bezoeken. Het is een oude dame. Ze is haar leven lang correspondente geweest van vooraanstaande kranten hier. Ze heeft van alle artikelen die geplaatst werden, vanaf het begin van haar schrijfstersloopbaan, knipsels en foto's bewaard. En ze is door die artikelen een heel beroemde vrouw geworden. Je kunt je voorstellen dat dat door de jaren heen een groot vertrek met kasten vol papier is geworden. Ze begon toen ze twintig was. We hebben een foto van haar gezien. Ze was toen een slanke jongedame; een mooi koppie met zwart haar en pientere ogen. Dat artikel over haar werd gemaakt bij het feest voor haar vijfenzeventigste verjaardag. En daarbij werd die foto van een prille Marcia afgedrukt. Ze nam toen afscheid van de schrijverij. De pennen in het bakje op haar bureau, haar aantekeningenboek dicht. Ze is nu bijna tachtig. Ik praat lang over haar, Sarah, omdat ik echt het idee heb dat het een bijzondere vrouw is. We moeten een flink eind rijden om haar op te zoeken, maar voor die afstanden draait men hier de hand niet om. In de auto stappen en tuffen maar. Westerlaken vindt dat we deze kans niet mogen laten lopen. We hebben een afspraak voor overmorgen. We vinden het allebei vreselijk rot dat we nog niet naar huis kunnen. Dick verlangt naar zijn vrouw en de twee jongens en ik verlang zo naar jou, lieveling, ik verlang zo naar jou."

Sarah hoorde zijn stem, die mat en moe klonk, ze hoorde ook de woorden die hij uitsprak, maar intussen kon ze amper verwerken dat Jim nog niet thuiskwam, nog steeds niet.

„Ik heb Joop Halbertsma gezegd dat ze op de redactie toch weten hoe de omstandigheden bij me thuis zijn, maar hij zegt, en terecht, dat dit mijn vak is en dat Ton Westerlaken die reportage wil hebben. Hij vertelde ook, Joop Halbertsma dus, dat hij door de Vondelstraat is gelopen en de verhuizing in volle gang heeft gezien. Hij zei: 'Er is zoveel hulp, jongen, maak je daar maar niet druk over. Als je thuiskomt, is de winkel ingericht zoals je vrouw dat wil, daarover heb jij niets te zeggen en je wéét er toch ook niets over te zeggen?! En in je huis staat alles op zijn plaats, is je bedje opgemaakt, mijn liefje wat wil je nog meer! Deze opdracht moeten jullie er beslist bij nemen. Het wordt een bijzondere ontmoeting. Daar kom je voorlopig niet meer aan toe.'"

Zo ging het gesprek en gaandeweg voelde Sarah haar teleurstelling stijgen. Ze wilde begrip opbrengen voor Jim, hoe moeilijk het voor hem was, en Joop Halbertsma had wel gelijk: alles ging hier goed. In een ontspannen sfeer werden de werkzaamheden aangepakt. Vele handen maakten licht werk, maar Jim was niet bij haar.

In de avond, rond half acht, kwam Sander. Hij had die middag 'een show gedraaid', zoals hij dat noemde, een presentatie aan belangstellenden. Maar direct na het sluiten van de deuren was hij naar Millenburg gereden.

Sarah zat in de al kale woonkamer boven de oude winkel. De kast was verhuisd; het gaf een grote, lege plek op het verkleurde behang, schilderijtjes waren weggehaald, alleen de ophanghaakjes waren nog te zien en ook de snuisterijen waren door Hanne, gewikkeld in krantenpapier, in grote dozen gelegd.

„Sarah, meisje toch, wat zit je zielig ineengedoken."

Ze probeerde dapper te lachen. „Ineengedoken is het niet, want dat kan ik niet meer. De baby vindt het niet goed dat mama ineengedoken zit. Dat kleine ding houdt de moed erin, maar ik voel me echt ongelukkig. Jim heeft gebeld. Ton Westerlaken heeft opnieuw een interessante figuur ontdekt in Californië en daar moeten Dick en Jim nog even langs gaan. Het is voor de jongens ook moeilijk. Ze kunnen niet zeggen: Bekijk het maar, wij gaan naar huis. Zo kon Jim enkele jaren geleden nog wel handelen. Hij was toen eigen baas. Hij zocht de onderwerpen uit waarover hij wilde vertellen en kwam en ging op de tijden die hij daarvoor had vastgesteld. Dit is een reis in opdracht, maar het komt voor ons zo vreselijk naar uit. De verhuizing, de baby en ik ben zo moe." Ze begon zachtjes te huilen.

„De bank staat er gelukkig nog, Sarah, kom naast me zitten. Huil bij mij maar uit."

Ze wilde het eigenlijk niet, maar deed het toch. Ze had behoefte aan een arm om haar heen, steun, aandacht, begrip en dat alles kon Sander haar geven. Hij was een begrijpende vriend.

Ze luisterde naar zijn zachte stem, ze wist dat veel van zijn woorden waren bestemd om het praten op zich, om haar tot luisteren te dwingen, want dat zou haar tot rust brengen. Ze hoefde die woorden niet echt aan te horen, ze kon haar ogen dichtdoen en alles over zich heen laten zweven. Als muziek, geen tekst. Alleen klanken en tonen. Sander praatte over de winkel, hoe mooi alles werd, over de jongens en meisjes die haar hielpen; wie had zoveel fijne vrienden? Het was heerlijk ze aan het werk te zien.

Ze glimlachte. Ja, dat was zo, maar intussen gleden de tranen over haar wangen. Ze had een grote zakdoek van Jim in de zak van de wijde jurk. Daarmee veegde ze ze af en toe weg. Het was goed, zo uit te rusten. Sanders arm om haar heen. Even dacht ze: Een mannenarm. Dat voelde anders dan de arm van Jill of Hanne. Maar dat was toch onzin. Zo was het niet, zo mocht het niet zijn. De baby hield zich ook stil, ze voelde geen schoppende voetjes, het was een begrijpend kindje. En Sanders stem kabbelde verder. Ze luisterde weer.

Ze kende alle woorden, ja, zo was het. Het was gemakkelijker geweest als Jim een ander beroep had. Geen zeeman, geen vrachtwagenchauffeur op buitenlandse routes, geen reporter. Ze glimlachte er zachtjes om. Een man die elke avond thuis was, die haar vertelde over zijn werkdag en die naar haar luisterde als ze over haar eigen bezigheden praatte... Luisterde Jim naar haar als ze over haar werk vertelde? Och nee, maar zo belangrijk was dat ook niet. Een vader die zich elke avond met zijn kindje bemoeide, met hem speelde, een band met het kindje opbouwde. Zou Jim dat kunnen doen? Als hij vaak weg was zeker niet. Ze wist niet of ze naar Sanders woorden luisterde of naar de gedachten in haar hoofd.

Toen Sander zweeg, bleven ze allebei stil zitten.

Drie dagen later belde Jim weer. „Lieveling, mijn vrouwtje, Sarah, nu komen we snel naar huis! Het wordt iets later dan gepland, want het gesprek met Marcia Falinko werd uitgesteld. Mevrouw had geen tijd om ons te ontvangen! Ha, ha, dan ben je tachtig en heb je zo'n volle agenda dat je geen uurtje kunt vrijmaken om twee mensen uit Nederland te ontvangen! Het is onvoorstelbaar, maar het was zo. We zijn gisteren een lange middag bij haar geweest en het was heel bijzonder! Een geweldige, wijze vrouw! Zoveel woorden, zoveel inzicht. Ik was er echt van onder de indruk. We zijn blij dat we dit bezoek ertussen hebben gelast. Ondanks dat we er totaal geen zin in hadden dit interview te doen, want we wilden naar huis! Maar ik denk dat de reportage over Marcia Falinko hét succes van onze Amerikaanse reis wordt. Ik heb prachtige stukken overgenomen uit haar werk, met toestemming." Jims vrolijke lach klonk via de lijn. „En dan het landhuis waarin madame woont! Ze zei tegen me, met kleine pretoogjes: 'Je ziet het, Jimmie, wat je met woorden op papier kunt verdienen.' We zijn nu aan het pakken. De hal van onze hotelkamer staat vol, want vooral Dick heeft veel materiaal mee, dat weet je. De tickets liggen klaar. We zullen dinsdag op Nederlandse bodem neerstrijken, ongeveer rond zeven uur in de morgen, jullie tijd. En ik vertrouw erop dat jij de opening tot dinsdag hebt uitgesteld. Want ik wil er dolgraag bij zijn! Het wordt beslist een knetterend feest met jou, mijn lief, mijn schat, als stralend middelpunt."

„Dat zal niet lukken, Jim. Het hele gebeuren is vastgesteld op zaterdagmiddag, om twee uur. Burgemeester Odijk komt in zijn mooie pak, met ambtsketen om de hals, om de opening te verrichten. De Schippertjesploeg, zoals Frank ons ploegje van toen noemt, heeft die opening in elkaar gedraaid. Het moet een verrassing worden voor mij. Ik weet dus van niets! Maar ik zie het wel. Ik onderga alles gewoon wat die zaterdagmiddag gaat gebeuren. Ik heb een dankwoord aan alle aanwezigen op papier gezet, en ik probeer het tussen de bedrijven door uit mijn hoofd te leren, want de woorden van een briefje lezen is mijn stijl eigenlijk niet. Maar als het niet lukt heb ik het bij de hand!"

Ze praatte door over onbelangrijke dingen omdat ze uit de manier waarop Jim de veronderstelling had geuit dat ze de opening zou verzetten tot dinsdag, wist dat hij teleurgesteld was. En ook boos.

„Wacht eens!!" riep hij ineens door haar woorden heen, „je hebt dat hele gebeuren niet uitgesteld!! Sarah, dat had je toch kunnen doen!! Het is jouw feest en je wilt toch dat ik daarbij ben?! Maar nee, het moet gebeuren zoals jij het wilt! Het is jouw winkel, jouw opening en je doet het op jouw tijd!"

„Nee Jim, zo is het beslist niet. Alles gaat volgens een strak patroon. Mijn helpers, Frank, Rob en noem maar op, hebben vrije dagen opgenomen om dit alles te doen. We hebben in ons schema steeds met jouw thuiskomst rekening gehouden, dat begrijp je toch wel? Doe niet zo vreselijk vervelend! Maar jij kwam steeds weer met uitstel. Dat is niet jouw schuld, het komt bij Westerlaken vandaan, maar dat kan ik niet helpen. Dat is mijn schuld niet." Ze schreeuwde bijna naar hem. „De burgemeester heeft deze middag in zijn agenda opgenomen, de mensen van het restaurant dat voor drankjes en hapjes zorgt, en de mensen die zijn uitgenodigd, komen zaterdagmiddag."

„Je trekt alles naar je toe!!" riep Jim nu, „ik weet wat erachter zit: jóuw winkel, jóuw feest!!"

„En mijn zwangerschap, hou daar rekening mee!"

„Dat is onzin! Of je nou zeven maanden heen bent of zeven maanden en twee weken, dat maakt niet uit! Het duurt negen maanden."

Sarah voelde een wilde boosheid in zich opkomen. Wat zei hij nou? „Hou je mond!" gilde ze, „loop jíj met een bijna voldragen kind in je lijf en heb jíj al deze drukte en dit werk meegemaakt? Nee! Jij slaapt heerlijk op een goed bed in een hotel, niet met een lichaam dat steeds zwaarder wordt. Je ontbijt staat klaar, je lunch en je diner! En in de avond je drankjes. Jij weet niet waarover je praat! Het maakt me vreselijk boos. En bovendien probeer je de schuld naar mij toe te spelen. Jij zou weken geleden al thuiskomen, maar je kwam niet. Ik zeg niet dat jij daar schuldig aan bent, maar ík ben dat zeker niet!"

Ze haalde diep adem, ze trilde van kop tot teen, de baby schopte, maar ze voelde het amper, ze was woedend.

Jim riep: „Maar je had het tot dinsdag moeten uitstellen! Zolang ik er nog niet was, had je dat voor ogen moeten houden."

„Je zoekt het maar uit, Jim Dijkema!" Ze legde in een snel gebaar de hoorn op het toestel en zakte op een stoel neer. Ze hijgde en huilde. Ze was verdrietig en diep teleurgesteld in Jim. Hij had totaal geen begrip voor alles wat zich hier de laatste weken had afgespeeld. Als ze hem aan de lijn had, vertelde hij uitgebreid over zijn avonturen, zijn belevenissen, maar hoeveel aandacht had hij voor wat zíj moest doen? Och, zou hij denken, allemaal onbelangrijke toestanden. Verhuizen; dat is huisraad heen en weer sjouwen. Maar daarvoor kwamen de vriendjes opdraven. Prettig toch dat zij het deden? Hij had interessanter en belangrijker dingen te doen.

De telefoon rinkelde opnieuw. Weer Jim waarschijnlijk. Het was niet goed nu verder met hem te bekvechten. Ze was hypernerveus, ze moest, vooral voor de baby, tot rust komen. Laat hij daar maar pruttelen. Ver bij haar vandaan. Laat hem maar schreeuwen tegen Dick Lohman, zij had even geen moed meer. Zelfs niet, dat was ook mogelijk, om nu zijn excuses aan te horen. Hoewel ze daarin niet geloofde. Want zo snel stapte Jim meestal niet over van woede naar excuses. Daarvoor had hij tijd nodig.

Het rinkelen hield op. Jim veronderstelde misschien dat ze het oude huis had verlaten. Straks kwamen de jongens en meisjes om de laatste spullen te halen. Onder andere het bed. De komende nacht sliep ze in het nieuwe huis. Dááraan wilde ze denken. Dat gaf afleiding. Maar het was onmogelijk, want Jims woorden spookten in haar hoofd. Ze moest niet aan slapen in het nieuwe huis denken. Slapen was niet prettig meer. Ze moest aan de woning denken. Ze had er gisteravond rondgelopen. In de ruime woonkamer, waar de nieuwe eetkamermeubelen zo prachtig uitkwamen. Hanne had op de grote, blank eiken tafel een mooie kan met verse bloemen neergezet. De boekenkast stond er met de boeken van Jim en van haar. De keuken, ruim en voorzien van alle gemakken, twee spoelbakken in het aanrecht en veel kasten. En het uitzicht, door het lage raam, op de tuin achter de winkel. Een vrij grote tuin tussen de huizen en winkels van de binnenstad.

Ze was nog lang niet rustig, maar dat zou ze vandaag waarschijnlijk niet meer worden. Vanbinnen pruttelden boze woorden en boze gedachten voort.

Ze liep langzaam de toch wat steile trap af. Sander had gezegd: „Hou je goed vast aan allebei de leuningen, wees voorzichtig."

Jim zei: „Zeven maanden of zevenenhalve maand, wat maakt het uit."

Ja Sander, ik doe voorzichtig. Want in dit hele circus is de baby het allerbelangrijkste.

Sarah was in de nieuwe bovenwoning. Het brede bed stond in de ruime slaapkamer, keurig opgemaakt door moeder en Jill. Het elektrische wekkertje was op de juiste tijd ingeschakeld. Twee nieuwe schemerlampjes stonden naast het bed. Eén aan haar kant, één aan de kant van Jim. Zou ze, vroeg Sarah zich af, ooit weer zo gelukkig als voor deze Amerikaanse reis met Jim in dit bed liggen? Was er tussen hem en haar iets kapotgegaan wat niet meer volledig kon worden hersteld? Misschien wel met woorden, maar in werkelijkheid zou er iets gebroken kunnen zijn wat niet meer hersteld kon worden. Maar ze wisten beiden toch dat spanningen een grote rol speelden. Zij kon de opening van de winkel niet uitstellen, alles was afgesproken en geregeld en hij, ver weg, moest dat toch weten. Maar hij had de schuld naar haar toegespeeld en nare woorden gezegd. En zijn gezegde over de zwangerschap... Wat wist hij van de pijn in haar benen en in haar rug, de kramp in de kuiten, het brandende maagzuur, de vermoeidheid, het weten te weinig tijd te hebben om over de baby te dromen, ook dat miste ze.

In de namiddag kwamen Sarahs ouders.

„Meisje toch," zei mama, „je ziet er vreselijk moe uit. Ik weet dat het bijna onmogelijk voor je is je rustiger te houden, er is zoveel te doen en jij moet zeggen wat en waar en je wílt ook meedoen, maar het is beter even wat minder hard aan te pakken."

Sarah knikte. Meepraten was het beste. „Ja, mam, ik weet dat je gelijk hebt. Maar het zijn dolle dagen."

En daar kwam de vraag waar ze op rekende. „Je weet nog niet wanneer Jim arriveert?"

Ze zuchtte. „Hij belde vanmorgen. Ton Westerlaken had er opnieuw een opdracht tussengeschoven. Hij vindt: ze zijn daar nu, het is niet naast deur, dus ze moeten het waarnemen. Dinsdagmorgen vroeg komt het tweetal aan op Schiphol."

„Nou, leuk voor jou," kwam vader met een van boosheid ingehouden stem knorrig, „dan is alles achter de rug. Bij het vele werk heeft hij geen hand uitgestoken! Het is goed dat het feest van de opening aan zijn neus voorbij zal gaan. Wat heb je aan zo'n man?! En dat alles terwijl je hoogzwanger bent en..."

„Bert," viel Stieneke Laverman hem in de reden, ze wilde sussen. Ze voelde dat Sarah het er moeilijk mee had, dat was begrijpelijk en logisch, het kind was ontevreden en teleurgesteld. Als Jim er niet was zou het voor haar zaterdag geen feestdag zijn, maar de zaken lagen nu eenmaal zo, er moest nu geen olie op het vuur geworpen worden. „Het is vreselijk jammer, maar het is nu eenmaal zo!"

„Het is nu eenmaal zo," riep vader, „met die paar woorden komt hij er gemakkelijk van af! Jim moet alles doen wat die

Westerlaken in zijn hoofd haalt! Hij kan die mannen nog wel naar de president sturen en als het deze week niet voegt, dan volgende week maar! Maar Jim heeft een zwangere vrouw thuis, dááraan moet hij denken! En hij weet drommels goed wat zich hier afspeelt! Maar hij vindt het wel goed dat anderen het werk voor hem opknappen! Als hij het eindresultaat, het feest, maar kan mee-maken! Leuk babbelen met mensen die zeggen hoe mooi alles is geworden, ja, een gezellige middag en avond! Jim Dijkema had moeten zeggen: Het spijt me, meneer Westerlaken, maar ik ga nu naar huis. En dat geldt ook voor Dick Lohman. Hij heeft een gezin. Een man te lang van huis is niet goed. Er was een vastgesteld plan, een afspraak van beide kanten, maar dit dwingen om nog langer weg te blijven, komt van meneer de directeur! Hij denkt alleen aan zijn eigen zaken, iedereen moet zich voegen naar zijn wil.

Jim is veel te slap. Blij met de opdracht, alles goed en wel, maar hij moet zich aan zijn eigen regels houden. Hij wil reporter zijn, maar wat is het resultaat: een opdrachtgever stuurt hem waar hij wil en Jim blijft weg zolang de grote meester dat gebiedt. Sarah zit thuis met de narigheid. En wij en ook alle mensen hier, die alles regelen en doen om het toch goed te laten aflopen. Het gaat goed, daar zeg ik niets van, de sfeer is gezellig en niemand zeurt, maar Jim Dijkema had hier moeten zijn! Sarah zit met de narigheid. Kind, je ziet eruit als een dweil."

„Bert, nu is het genoeg! Je maakt Sarah overstuur. Neem het zoals het nu ligt: er is geen andere mogelijkheid. Het meeste werk is verzet. De winkel is prachtig, het woonhuis vrijwel klaar. Het is nu donderdag. Morgen neemt Sarah een rustdag. Iedereen zal daarvoor begrip hebben. En als zaterdagmiddag alles naar wens verloopt, geniet ze ervan, ja toch meisje? Het is jóuw prachtige winkel, jij wilde dit en je hebt het bereikt! Het is jammer dat Jim er niet bij kan zijn, maar," moeder keek haar recht aan en Sarah begreep niet of de woorden die ze daarna uitsprak als grapje waren bedoeld of cynisch en echt gemeend, „je redt het zonder hem ook wel. Je hebt het de laatste maanden ook zonder hem gered."

„Inderdaad, het ligt nu eenmaal zo. Jammer, maar niets aan te doen. Jim zal dinsdag pas de mooie winkel zien en ons heerlijke huis. Want het is een heerlijk huis. Ruim, comfortabel en de baby-kamer is geweldig."

Na nog wat gedronken te hebben, stelde moeder voor: „Lieverd, rij met ons mee naar de Seringenlaan. Ik heb voor het avondeten heerlijke dingen in huis en de rust zal je goed doen. En, Sarah, het lijkt me een goed idee dat ik vannacht hier slaap. De zwangerschap loopt nog niet echt op zijn eind, maar door alle omstandigheden kan het anders gaan. Er is nu een logeerkamer in huis en Jill heeft het bed al opgemaakt. Ik vond dat onnodig, maar achteraf denk ik dat het goed is dat ik vannacht hier blijf. Voor alle zekerheid. Dan ben je niet alleen."

„Nee, mam," nu direct een besliste toon aanslaan, dacht Sarah, geen twijfel laten horen, „dat wil ik niet. Ik voel me prima wat de zwangerschap betreft. Ik ben vorige week bij de dokter geweest en alles verloopt naar wens. Ik ben alleen maar moe. Ik wil vanavond alleen zijn in ons nieuwe huis. Alleen met mijn gedachten. Ik ga vroeg naar bed en kijk nog even mijn toespraakje voor zaterdagmiddag door, maar het voornaamste is: ik wil alleen zijn. Niet praten. Het is lief van je aangeboden en áls, hoor je, ik zeg als er iets is, bel ik direct met dokter Sterrenberg. Dat hebben hij en ik afgesproken."

Stieneke haalde teleurgesteld haar schouders op. Eigenwijs kind. Maar als Sarah het zo wilde, moest het zo gebeuren.

Om zeven uur dacht Sarah met een klein lachje: De rust daalt over mij en over het huis. De stad was stiller geworden, in de winkel hingen alle kledingstukken verborgen onder lichte stoflakens in afwachting van zaterdagmiddag, de deuren waren gesloten met goede sloten en haken. Ze voelde zich fijn in deze kamer. Ze zat in een wijde stoel, met haar voeten op een laag bankje.

Ze wilde niet aan het laatste telefoongesprek met Jim denken. Ze was boos op hem, heel boos. De boosheid pruttelde nog zacht na vanbinnen, maar ze wilde niet naar het gepruttel luisteren. Het zou na enige tijd minder worden en misschien ophouden. Maar wanneer? En helemááál?

Ze wilde denken aan hun omstandigheden, en aan Jim. Los van de woorden van die morgen. Dat loslaten was moeilijk, maar ze moest het doen. Voor Jim was het moeilijk tegen de opdrachten van Westerlaken in te gaan. Vader had woedend één en ander gezegd, maar hij kende de wereld van maandbladen, weekbladen en dagelijkse kranten niet. Het was dikwijls een hectische wereld. Veel moest op korte termijn gedaan en beslist worden. Jim wilde graag voor 'De draaiende aarde' werken. Als hij dat kon doen had hij een naam in het wereldje. De opdrachten van Westerlaken werden goed betaald. En Jim vond dit werk heerlijk om te doen. Ze had er begrip voor. Het was alleen dat alles nu een beetje te dicht op elkaar kwam, te veel door elkaar heen liep ook.

Dit was zichzelf in slaap sussen. Maar dat kon ze niet, want ze dacht aan zijn boze woorden. Ze hoorde opnieuw de klank in zijn stem toen hij – zat er werkelijk iets van minachting in – over de zwangerschap sprak. Alsof het een simpele gebeurtenis was, en dat was het in zijn ogen misschien ook. Dagelijks werden over de hele wereld vele duizenden kindertjes geboren, allemaal op dezelfde manier, niets bijzonders. Maar voor haar – en voor hem – moest deze bevalling toch een groot wonder zijn? Dat zou het voor Jim zijn als hij erbij was. Als hij de geboorte meemaakte, als zijn zoon of dochter het levenslicht zag. Jim had geen ervaring met baby's. Hij kon zich er geen voorstelling van maken een kind te hebben. Ja, ja, ze zocht excuses, maar het gesprek was op zijn zachtst gezegd heel frustrerend voor haar geweest. En opnieuw – dat zat haar allang dwars – zijn praten over alles wat hij beleefde.

Tegen half acht klingelde de huisdeurbel. Wat nou, moeder toch niet? Mama was een schat en ze bedoelde het goed, ze was ongerust, een hoogzwangere dochter alleen in huis, maar zij had toch gezegd…

Sarah liep naar de gang en vroeg in de intercom: „Wie is daar?"

Een bekende stem zei: „Sander, Sarah."

Ze vroeg zich in een flits af of ze blij was met zijn komst. Maar ze wist het antwoord niet. Ze stelde vast dat haar avond alleen niet zou doorgaan. Ze had willen nadenken, en dat rustig en beheerst proberen te doen, maar ze wist ook dat ze zichzelf geen goede antwoorden kon geven op de vragen die haar rond Jim bezighielden. Ze was gespannen, ze wist in zich een sterke mengeling van boosheid en ongerustheid over de gevoelens die haar bezighielden. En een grote angst dat alles wat tussen Jim en haar zo mooi was geweest, opeens voorbij dreigde te gaan. Ze dacht niet met warmte aan hem, er was een kilte voor in de plaats gekomen, een nuchter denken over de man Jim zoals ze hem nu zag. Het deed pijn het zo te voelen. Ze wilde proberen het vanavond aan zichzelf uit te leggen, gedachten voorbij laten gaan en de waarheid erin weten. Maar daarvan zou nu niets komen. Want Sander was er. En uitstellen tot morgen kon niet. Daarvoor raasden de gevoelens te snel en te drukkend in haar hoofd. Ze kon ze niet stoppen. Maar er met Sander over praten wilde ze eigenlijk niet. Ze wilde het zelf oplossen. Maar kon ze alles binnenhouden? En zou Sander zien dat er iets aan de hand was? Sander was wel de enige aan wie ze haar gedachten en zorgen kwijt zou kunnen. Ze kon er met niemand anders over praten. Met vader beslist niet, met moeder ook niet, Jill en Hanne niet, alleen Sander.

Hij was boven. En zijn stem klonk gewoon. „Ik was hier de laatste dagen vaak." Hij zag haar gezicht, ze had niet gehuild, maar er was veel spanning van af te lezen. Mogelijk een reactie na alle drukte, dacht hij. Nu alles voor elkaar was, kwam de terugslag. Of ze maakte zich nerveus voor zaterdag. Hij hield die gedachten voor zich en ging verder: „Ik was hier om alles in goede banen te leiden en ik wil de klus helemaal afmaken. En dat is: weten hoe het met jou gaat."

Ze waren de huiskamer binnengelopen. „Nu ik je zie, Sarah, is het anders dan ik verwachtte. Ik dacht je rustig op de bank te vinden, blij omdat de hele troep op zijn plaats staat, in de winkel en hier. Een luchtig boek op tafel en een glas vruchtensap binnen handbereik."

„Ik moest opstaan om jou binnen te laten." Want het glas vruchtensap stond op de tafel, maar het luchtige boek was er niet. Het boek binnen in haar, dacht ze wrang, haar eigen roman, was vol bittere bladzijden en ze durfde het niet verder te lezen.

„Dat is zo! Maar," hij legde zijn handen op haar bovenarmen en hield haar vast, „hoe is het?"

„Niet echt goed. Wel wat mij en de baby betreft. Het is zoals dokter Sterrenburg zegt: rustig doorgaan en de dagen aftellen."

Ze bewoog haar armen en Sander liet haar los.

„Ga zitten. Jim heeft vanmorgen gebeld. Dick en hij komen dinsdagmorgen op Schiphol aan. En Jim vond dat ik de opening naar dinsdagmiddag had moeten verzetten. Hij zou," haar stem klonk vlak alsof ze onbelangrijke mededelingen oplas, Sander hoorde het met verbazing, „hij zou ondanks de vermoeiende en lange vlucht en de jetlag in staat zijn het feest bij te wonen. Toen ik hem vertelde dat de opening zaterdagmiddag al zou plaatsvinden, werd hij erg boos."

Ze snikte opeens heel heftig, ze kon zich niet langer bedwingen, tranen rolden over haar wangen. Ze was op de bank neergezakt, het verhaal kwam met horten en stoten, maar Sander kon het volgen.

„Ik kom bij je zitten, meisje toch..." De lammeling, dacht hij, het geslaagde reportertje Jim Dijkema en zijn vrouw, in deze omstandigheden en na zoveel werk en spanning.

„Ik wilde er met niemand over praten en zeker niet met mijn ouders, want vader mopperde vanmiddag al in lelijke woorden over Jim. Het deed zo'n pijn... Ik kan ook niet meer praten met Jill. Jill en ik wisten vroeger alles van elkaar. En Jill is nog steeds een fijne meid, daar gaat het niet om. Maar ze is verloofd met Peter. Ze leeft in de veronderstelling dat tussen hen nooit een echte ruzie kan komen. Tussen andere mensen wel, maar tussen hen niet. Dat heb ik ook gedacht. Jim en ik... We begrepen elkaar en ik dacht dat ik hem door en door kende, maar deze opmerkingen van hem en zijn harde stem, echt boos, hebben me zoveel pijn gedaan! Hij staat opeens zo ver van me af, hij is zo bezig met zijn werk. Als hij belde vroeg hij wel naar me, zo'n beleefdheidsvraagje, weet je wel 'hoe is het, lieveling', dat woord kwam ook automatisch in zijn mond en omdat hij met het antwoord 'alles is goed' meer dan tevreden was begon hij over zijn werk. Een prachtig natuurpark gezien, een goed interview gehad. Sander, ik besefte vanmiddag opeens dat het ontdekken van deze waarheid al langer in me borrelde. De reis naar Spanje, geweldig! En buiten alle verhalen om zijn gevoel van blijheid dat hij dat mag meemaken, dat het leven hem dit geeft, dat hij het kan! En ik dacht aan de woorden van mijn moeder: jullie gaan in twee verschillende richtingen. Ik weet dat het zo is!!" Ze snikte heftig.

„Het struikelblok is niet dat Jim zaterdag niet hier kan zijn en ook niet dat hij, dat riep vader vanmiddag, altijd van huis is, want Jim is niet altijd van huis! Hij is vaak genoeg thuis. Het is, dat weet ik nu, Sander, dat zijn werk te veel voor hem betekent. Het is geen werk meer voor hem, het is zijn leven! Hij heeft succes, hij wordt gevraagd. Tussen de post liggen brieven van redacties van andere bladen. Dat kunnen alleen vragen zijn om ook voor hen te willen werken. Wat moeten die lui anders schrijven? Het werk heeft Jim veroverd en alles wordt daaraan ondergeschikt gemaakt. Hij, de zoon van eenvoudige, arme mensen, heeft dit bereikt. Dat is een geschenk, ik durf niet te zeggen: een geschenk uit de hemel, en zo zal Jim het ook niet noemen, maar zo voelt hij het stilletjes wel. En met dat gekregen talent moet hij veel doen. Het staat in de bijbel: Tel uw zegeningen één voor één. En stel uw talent niet onder de korenmaat. Hij moet eruit halen wat erin zit. Dat is zijn plicht, dat is zijn leven." De klank in haar stem veranderde van boosheid, woede bijna, naar berusting. Ze praatte zachter en langzamer, maar de tranen liepen nog steeds over haar wangen.

„Ik verwacht een kind, dat is leuk, hij wil wel vader worden, zoveel drukte heeft hij daaraan niet, de oppas is voor de toekomst al geregeld, dat worden de beide oma's, want Jims uren zijn te kostbaar om op een baby te passen. En hij zal thuis zijn als de zwangerschap negen maanden is. Nog anderhalve maand. Dat komt goed uit, want hij moet toch de gegevens van de laatste reis verwerken."

„Dit gaat te ver! Je maakt jezelf compleet overstuur."

Sarah veegde over haar gezicht met een grote, witte zakdoek. „Nee," schreeuwde ze opeens fel, „ik voel het zo en ik weet dat het zo is! Ik heb zijn stem gehoord. Ik schrok van die stem. Hij was woedend omdat de opening niet is verzet en hij ziet dat als mijn schuld, als achterbaks gedoe, mijn winkel, ik open wanneer ik dat wil, wat heeft hij ermee nodig! Hij kon niet eerder thuiskomen, hij heeft verplichtingen aan Ton Westerlaken. Ik ben mijn eigen baas, ik had het kunnen regelen! Hij kan die woorden ook gezegd hebben om de afstand tussen ons scherper te stellen. Zijn werk en mijn werk. Ik ken hem zo goed, Sander. Maar er was iets sluws in zijn woorden, iets gemeens! En in al zijn praten was er geen belangstelling, geen liefde en geen warmte voor mij. Hij heeft zelfs niet naar de winkel gevraagd. Hij gaat ervan uit dat die mooi zal zijn, helemaal naar mijn wens. Hij ziet alles wel als hij thuiskomt. De vraag die hem daarover wel bezighoudt, is of ik er genoeg in zal verdienen om de afgesloten lening af te lossen en de rente te kunnen betalen, want we zijn in gemeenschap van goederen getrouwd. Zoveel vertrouwen hadden we in elkaar en zoveel vertrouwen wilden we elkaar geven. Maar het kan hem een lieve duit kosten."

„Sarah," Sander schudde zijn hoofd, „meisje, luister naar me, je zoekt veel te ver en veel te diep. Je maakt jezelf volkomen overstuur. Beter gezegd, je bent al volkomen overstuur."

Ze was tijdens de heftige woordenstroom tegen hem aan gaan leunen, moe, uitgeput en in de war. Ze probeerde rechtop te gaan zitten, maar het lukte niet. Ze hing weer tegen hem aan. Sander legde zijn arm om haar heen. Een warm, veilig gevoel.

„We hebben al eerder vastgesteld dat de voorbije weken te druk waren en dat er te veel dingen om aandacht vroegen. Aanvankelijk kon je ertegen op, maar de laatste dagen is het je te veel geworden en nu zie je in alles wat verkeerd gaat grote problemen. Dat Jim niet op tijd voor de opening hier kan zijn is iets wat verkeerd gaat, maar jij noch hij kan dat veranderen. Hij kan nog niet weg omdat hij nog iets af moet handelen en jij kunt het hier niet veranderen omdat alles besteld en geregeld is. Maar het denken van jou over Jim is verkeerd, Sarah. Je hield van Jim en je houdt nog van Jim. De afspraak tussen jullie over jullie werk loopt nog steeds. Je was er toch trots op dat jullie beiden jonge mensen van deze tijd waren. Elk een eigen leven en toch samen, geëmancipeerd. Je praatte gemakkelijk tijdens de eerste reizen van Jim over zijn afwezigheid. Jij had tenslotte ook je werk. En als Jim weer thuis was werd alles bijgepraat en bijgezoend. Jullie hadden elkaar zoveel te vertellen en…"

Zachtjes kwam Sarah's stem tussenbeider: „Zo was het in het begin ook. Jim had toen nog belangstelling voor mijn werk, maar dat was snel voorbij. Ik wilde er begrip voor opbrengen, want ik moet toegeven dat over mijn winkel niet veel interessants te vertellen is, maar ik weet nu dat het niets met de winkel te maken heeft. Hij leeft alleen voor zijn werk. Jim is niet de man die ik dacht dat hij was. Toen ik hem nog maar kort kende praatte hij enthousiast over zijn plannen en ik begreep dat van hem, want ik had óók grote plannen. Ik wilde hem helpen, ik leefde met hem mee en Jim zag dat dat voor hem gunstig kon zijn. Ik verdiende goed bij Claudette. Met het kleine inkomen van zijn kant konden we het draaiende houden met z'n tweetjes. Toen was hij lief, zorgzaam en noem maar op. Nu heeft hij de touwtjes van zijn leven in handen. Het is prettig een vrouw te hebben die 'thuis' op hem wacht, met hem naar bed gaat, en voor het eten en drinken zorgt in de tijd dat hij bezig is met de afwerking van de reis. En in die tijd broedt hij plannen uit voor de volgende reis."

Ze zat weer rechtop naast Sander op de bank. De witte zakdoek lag nat en verkreukeld in haar gesloten hand. Af en toe klonk haar gesnuif.

„Je bent teleurgesteld en je bent moe, Sarah."

„Ja, dat is waar. Maar ik zie alles zoals het is. Mogelijk is het toch de beste oplossing dit huwelijk voort te zetten. Voor hoe lang, ik weet het niet! Want op deze manier heeft een huwelijk voor mij geen waarde. Maar ik krijg een kind en ik wil dat kind graag, ik zal er ook voor zorgen. Ik kan financieel voor mezelf en de baby zorgen, want ik ben ervan overtuigd dat het goed gaat met de winkel. Ik ben ondanks alles heel blij met mijn winkel. En Jim leeft zijn leven met zijn werk. We kunnen vrienden zijn. We moeten bij elkaar blijven voor onze zoon of dochter. Want hij of zij moet een vader hebben, ook al is die vader dikwijls van huis. Want de reizen zullen steeds verder weg gaan en langer duren. Ik heb iets opgevangen over een reis naar China. Zo zal het worden tussen ons."

Sander glimlachte even. Hij legde zijn hand op haar bovenbeen. „Sarah toch, je bent de weg kwijt, je denkt verkeerd. Weet je wat, ik zet koffie voor ons. Even een rustpauze. Daarna praten we verder."

Ze lachte naar hem. Ondanks de pijn vanbinnen. Maar ze was ervan overtuigd dat ze gelijk had. Tussen Jim en haar was de grote liefde voorbij. Het alles weten en begrijpen van elkaar en vooral het weten dat de één voor de ander de belangrijkste persoon was in het leven. Misschien was het ook een onmogelijke droom, iets voor verliefde mensen die op een dag uit die droom ontwaken.

Ze had gehoopt, tijdens het vele denken en piekeren, dat het werk voor Jim mogelijk een korte periode van het grootste belang zou zijn, de trots van dit bereikt te hebben, maar daarna zou hij naar haar terugkeren omdat hij van haar hield. En een mens die je liefhebt is toch belangrijker en waardevoller dan werk wat je prettig vindt om te doen en dat geld oplevert? Maar ze was tot de conclusie gekomen dat dat niet gebeurde. Jim was van haar weggedwaald, als hij al ooit werkelijk dicht bij haar was geweest. Als dat beeld niet alleen in haar dromen en fantasie was geboren en gegroeid. De werkelijkheid kwam hard aan.

Sander bleef in de keuken wachten tot de koffie was doorgelopen. Toen schonk hij twee kopjes vol en bracht ze naar de kamer.

„Probeer een poosje niet aan dit onderwerp te denken," raadde hij haar aan, „ban die gedachten uit je hoofd. Denk aan andere dingen. De bloemen en planten in de tuin, de vogels in de bomen, dit heerlijke huis. Maar dat zal je niet lukken."

„Nee," warempel, ze lachte naar hem. „Nee, dat lukt me niet. Ik heb vastgesteld dat het inderdaad is zoals jij me eens hebt gezegd. En ook mijn wijze moeder wist het. Onze wegen zijn door alles wat ons bezighield te veel uit elkaar gelopen en ze kunnen elkaar niet meer aan een horizon bereiken. Hoe zeg ik dat?" Weer een lachje. „Zo is het. Als er in de komende dagen tijd voor zou zijn, maar dat zal niet lukken met alle drukte om me heen, zou ik overdenken wat het beste is om te doen." Ze merkte dat Sander iets wilde zeggen, maar wimpelde dat af. „Nee, laat mij uitpraten. Ik kan onmiddellijk breken met Jim, maar dat is niet de juiste oplossing. Ik krijg een kind en Jim is de vader van dat kind. Jim zal dat kind leuk vinden. We moeten met z'n drietjes verder. Maar ik weet nog niet langs welke weg. Onze wegen zijn uiteengegaan, een gezamenlijke weg zoals ik die graag wilde, is er niet."

⚥8⚥

De zaterdag werd een dag die Sarah beleefde, en ook in haar herinnering opsloot, als een onwerkelijke dag. Halfweg de middag, tussen het geluid van veel stemmen, gelach, gegiechel en de muziek die werd gespeeld door een blonde pianist, dacht ze: Het is alsof ik naar een film kijk die aan me voorbijrolt en waarin een zware, zwangere vrouw in een mooi pak de hoofdrol speelt. Die vrouw ben ik, dat weet ik, maar haar uitstraling komt me vreemd en onbekend voor. Ik ben mezelf niet. Ik speel een rol, ik draai mee. Een wonderlijke gedachte waarom ze kon lachen, maar die haar ook angstig maakte.

Die dag was de opening van de winkel, met veel vrienden en bekenden die blij waren voor haar en die hun bewondering uitspraken en haar geluk wensten en zoenden. „Sarah, het is geweldig, schitterend!"

Er waren veel bloemstukken en veel mensen, haar ouders, trots op hun dochter, en de moeder van Jim, die met haar ouders was meegekomen en zich blij toonde met deze schoondochter. Leveranciers die hoopten in de toekomst goede zaken met Maison Sarah te doen. De echte vrienden en vriendinnen. Frank met zijn jonge vrouw, Rob met Stannie, Harm en zijn blozende verloofde, een meisje uit hun dorp, Jill met Peter, en Hanne. Winkeliers uit de Vondelstraat en natuurlijk de echtparen Pronk en Winkler. Sarah zag gezichten, lachende ogen en pratende monden met mooie woorden. En steeds weer de vraag naar Jim: Waar is hij? En haar antwoord en de reactie: „Jammer dat hij niet aanwezig kan zijn, maar ja, dat brengt zijn werk mee."

Er waren korte toespraken, waarin lof werd geuit voor dit bereikte doel, en veel goede wensen voor de toekomst. Sarah reageerde daarop nuchter lachend: „Ik ga erbij zitten. De baby en ik kunnen al deze hulde niet aan."

Aan het einde van de middag hield ze haar dankwoord. Ze stond in het prachtige positiepak en sprak haar dankwoord uit zonder op het spiekbriefje te hoeven kijken. Echt Sarah, vonden de naaste vrienden, wat doet ze het goed!

Nadat de meeste bezoekers afscheid hadden genomen en waren

vertrokken, bleef een kleine groep achter. Haar ouders en moeder Jetske en de vriendenclub. En Sander natuurlijk.

Na nog even napraten trok het gezelschap naar de bovenwoning, waar het bedrijf dat de voorbije middag voor drankjes en hapjes had gezorgd, nu een warm en koud buffet had klaargezet in de ruime keuken. En extra stoelen en tafeltjes in de woonkamer. Er werd weer veel gepraat en gelachen.

Sarah zat te midden van dit alles, ze was tevreden en voldaan omdat het goed was verlopen. Deze middag was achter de rug, het was toch leuk geweest, maar nu was ze vreselijk moe en in haar hart kreunde een stille pijn, waarvan weinig mensen wisten. En wie het wel kenden, haar vader, haar moeder, Jill, Hanne en Ina, kenden de echte diepte niet. De enige die wist wat haar bezighield, was Sander. Hij keek gedurende de voorbije middaguren meerdere malen naar haar, hij knikte haar bemoedigend toe als zijn ogen de hare ontmoetten; hou je sterk, meisje, dit hoort erbij. Het moet een blijde middag voor je zijn, maar dat is het niet echt. Ik weet het.

Lieve Sander. Wachtte in de nabije toekomst het einde van haar huwelijk? Twee levenswegen die aan hetzelfde beginpunt een start hadden gemaakt, maar die elk een eigen richting hadden gekozen. Ze konden nog even parallel lopen, maar daarna sloeg elk pad af naar een eigen doel en toekomst.

Dinsdagmorgen rond half acht werd het toestel uit Los Angeles op Schiphol verwacht. Robert de Wilde had een taxi besteld om de beide mannen met hun bagage af te halen en naar Millenburg te rijden. Die rit zou ongeveer anderhalf uur duren, schatte Sarah. Als Dick eerst met al zijn spullen werd thuisgebracht, kon Jim rond kwart voor tien voor de deur staan.

Ze maakte met de verkoopsters de afspraak dat ze boven op hem wachtte. „Natuurlijk blijf jij boven, Sarah. We redden het wel met z'n drietjes. Hoewel het gisteren lekker druk was in de zaak. Veel nieuwsgierige vrouwen, en, zoals jij vaak zegt: mooie dingen zien leidt tot mooie dingen kopen. Maar om half tien zijn nog niet veel vrouwen op pad."

Sarah zat in de kamer. Moeder belde even voor negen uur. „Lieverd, ben je al op? Gedoucht en aangekleed?"

„Nee, mam, dat nog niet." Een hint om het gesprek niet te lang te laten duren.

„Ben je blij dat Jim thuiskomt? Och, dat is toch een domme vraag."

„Nee mam, dat is geen domme vraag."

„Maar dat weet je nog niet. Pap en ik komen in de namiddag naar jullie toe en Jetske Dijkema verlangt ook naar haar jongen. Het is toch wel goed dat we komen? Jij hoeft dan echt niets te doen, schat. Ik zet koffie en…"

Sarah zei ja of nee als dat in het gesprek paste. Toen herinnerde Stieneke Laverman zich het begin van het gesprek. „Ga maar douchen en je aankleden, anders kun je niet naar de trap lopen als Jim belt, ha, ha. En geniet van jullie weerzien!"

Even voor tien uur rinkelde de bel enthousiast. Jim drukte zeker vier keer op de knop.

Sarah opende de deur. Ze keek naar beneden en zag hem de ruime hal binnenstappen. De taxichauffeur zette tassen en koffers naast hem neer. Jim was, zoals altijd in het zwart, zijn gezicht gebruind, zijn donkere ogen keken bij de trap naar haar op. Hij was toch nog háár Jim, maar zo voelde het niet echt meer, dat wist ze, maar zoals hij daar stond, was hij de man die eens haar hart had veroverd. Toen dacht ze er nog niet aan dat een andere liefde sterker kon zijn. Op zijn gezicht was een vrolijke lach, maar, stelde Sarah snel vast, het was niet de open lach die ze van hem kende. Voelden ze beiden dat er iets tussen hen was geschoven? En kende hij dezelfde oorzaak als zij?

Jim denderde de trap op. „Mijn Sarah, mijn vrouwtje," hij nam haar in zijn armen en kuste haar, „heerlijk weer bij je te zijn! Hoe voel je je, je ziet er geweldig uit! Echt een héél aanstaande moeder!" Ze had Sanders pak aangetrokken. „Hoe is het met ons kindje? Hij of zij komt nu gauw. Nog een paar weken!"

Ze liepen de woonkamer binnen. Jim bleef staan en keek om zich heen. Bewonderend riep hij: „Sarah, wat een prachtige kamer! Vergeleken bij de kamer boven de oude winkel is dit een salon. Licht en ruim en wat zie ik, we hebben een nieuwe eethoek! Een fijne grote tafel. Je weet dat ik van grote tafels hou. Daar kan ik lekker veel op neerleggen. Prachtig."

Sarah liep naar de keuken om koffie te zetten. Jim volgde haar.

„En een heerlijke keuken. Toen je erover vertelde via de telefoon kon ik me van dit huis geen voorstelling maken. Van de winkel wel, daar ben ik een enkele maal binnen geweest. Maar dit is prachtig. Je hebt een goed besluit genomen. Nu maar hopen dat de winkel goed loopt. Maar eigenlijk kon je deze kans niet voorbij laten gaan, want op de oude bovenwoning konden we ons kind niet kwijt!"

Hij lachte luid, een beetje overdreven. Hij liep door de gang naar de slaapkamer, stapte de babykamer binnen. „Alles al keurig voor elkaar!" Hij zag de logeerkamer, ook al ingericht. „Wat een weelde!" en toen zag hij hun werkkamers. Sarah's kantoor, ingericht in de kleinste van de twee vertrekken en zijn werkkamer aan de achterkant van het huis. Een groot raam met uitzicht op de tuin. „Geweldig, zeg, is dit mijn domein? Hier zal ik heerlijk kunnen werken!"

Sarah dacht wrang: Hij glimt van genoegen nu hij daaraan denkt. Zocht ze nu overal iets achter? Och, misschien wel.

De koffie was intussen klaar. Sarah schonk in. Jim ging in een stoel zitten, Sarah koos voor de bank.

„Ik wil over onze woordenwisseling niet veel zeggen, want dat heeft geen zin, het is voorbij. De opening is geweest en ik neem aan dat je geen mogelijkheid had om het uit te stellen. En Dick en ik konden niet eerder thuiskomen. De laatste reportages waren heel interessant, ik had ze niet graag willen missen."

Sarah knikte. Ze vroeg niets en ze vertelde niets. Maar het viel hem niet op. Hij vertelde hoe laat ze uit het hotel in een voorstad van Los Angeles waren vertrokken, daarna over het inchecken en de plaatsen in het toestel en de lange, vermoeiende vlucht.

„Ga vanmiddag een paar uur slapen," raadde ze hem aan.

Ja, dat was een goed idee, maar zijn moeder zou toch komen? En haar ouders?

„Ze komen pas rond vijf uur."

Dat was een goede tijd, vond Jim.

Ze zaten, zo voelde Sarah het, als bijna vreemden tegenover elkaar. Ze waren geen echte vreemden voor elkaar natuurlijk, ze kende deze man goed; het zou komen doordat ze zo lang niet bij elkaar waren geweest en een eigen leven hadden geleid. Niet slapen in hetzelfde bed, geen gesprekken in het schemerdonker van de slaapkamer, niet bij elkaar aan tafel zitten tijdens het eten, niet praten over alles wat in de winkel en het woonhuis gebeurde. Niet met z'n tweetjes de nieuwe eethoek uitkiezen, de wieg voor de baby, de kleertjes die in de kast in de babykamer hingen.

Aan slapen kwam Jim die middag niet toe. Zij aan rusten ook niet. Ze liepen naar beneden om de winkel te bekijken. Jim vond hem mooi en ruim en overzichtelijk, ja, dat had ze goed gedaan.

Daarna aten ze een broodje in de ruime keuken, haar ouders kwamen en Jims moeder. Er volgden hartelijke begroetingen. „Fijn, jongen, dat je weer veilig bij ons bent. Ja, jij stapt gemakkelijk in een vliegtuig, maar het zijn toch enge dingen zo hoog in de lucht."

„Wel nee, dat valt wel mee…" En Jim lachte, de wereldreiziger.

Later op de avond zaten ze samen in de kamer. Sarah had het mooie pak uitgetrokken en een wijde jurk aangedaan. Dat zat prettiger. Ze had wollen sokken aan haar voeten.

„Als ik alles zo bezie," begon Jim, „is er hier veel gebeurd in de voorbije maanden. De verbouwing van de winkel, maar daarvoor heb je een aannemer aangetrokken. En de mannen van dat bedrijf hebben het onder handen genomen en het is keurig geworden. Daaraan hoefde je vrijwel niets te doen."

Sarah dacht aan het opruimen van het afvalmateriaal, het elke avond aanvegen van de vloeren – „Als wij dat doen," meende Harm, „hoeven de werklui dat niet te doen en voor hen rekent Poortegaal een flink uurloon." – Voor haar was er het zorgen voor koffie voor de mannen en veel meer werk dat gebeuren moest.

„Jij hoefde alleen duidelijk te maken hoe je het wilde hebben. Waar de paskamers en de rekken moesten komen en dat soort dingen. Maar ik neem aan dat dat aannemersbedrijf daarvoor een tekenaar in dienst heeft die het ontwerp maakte naar jouw wensen, daaraan hoefde jij dus ook niet veel te doen. En jij zat intussen in het oude pand, de hele drukte ging aan je voorbij."

Sarah knikte. Ja, de hele drukte ging aan haar voorbij.

„Daarna de verhuizing. Alles wat nog in voorraad was, moest overgesjouwd worden, maar daarvoor kwamen verschillende mensen opdraven. Je vader, Frank, Jill, Harm, Rob en Hanne. Het stel van vroeger van Het Schippertje hangt nog steeds aan elkaar, dus het overbrengen van die handel is goed gegaan. Vele handen maken licht werk. En daarna de verhuizing van de oude bovenwoning naar hier. Daarvoor had je een verhuisbedrijf in de arm kunnen nemen. Het kostte nu toch al veel dus dat kon er nog wel bij. Maar de vrienden boden aan dat te doen. Waarschijnlijk vonden ze het, zo met elkaar, wel een leuke klus. Ik neem aan dat jij, in jouw omstandigheden, niet aan de sjouwpartij hebt meegedaan. Mijn moeder vertelde vanmiddag dat het gezellig is geweest. Zij zorgde met jouw moeder voor koffie en ze smeerde broodjes als er in de avond gewerkt werd. Ze praatte er niet bepaald over alsof ze het vervelende dagen heeft gevonden!"

Sarah knikte. „Alles is goed verlopen." Ze keek hem recht aan. „Ik had er weinig drukte van."

Maar Jim reageerde niet. Het kwam wellicht niet in hem op dat ze dit sarcastisch bedoelde. Met zo weinig interesse luisterde hij naar haar.

Hij praatte verder: „Maar jouw werk is heel verschillend van mijn werk. Dat zag ik vanmiddag, toen we de winkel bekeken. Jij maakte bij de deur een praatje met een mevrouw die de etalages bewonderde. Ik stapte binnen en ik zag dat Ina en Willeke en dat andere kind, hoe heet ze ook alweer, Hetty, het goed aankunnen. Ze zijn geschikt voor het vak. Ze nemen veel werk van je over.

Ik moet alles zelf doen. Het begint met het maken van afspraken met de lui die ik wil ontmoeten. Dat moet op de juiste toon gebeuren, zodat er ook echt afspraken uit voortkomen. Over het algemeen zijn bekende mensen niet gek op interviews. Ze hebben hun verhaal al eerder verteld en het kost hun alleen kostbare tijd. Maar goed, ik weet intussen hoe ik het moet aanpakken. De interviews moet ik ook alleen doen. Niemand helpt me. En de 'ontmoetingen' die geen interviews zijn, zoals het zien en beschrijven van prachtige steden, is ook een kwestie van alleen doen. Dick sjouwde deze reis wel achter me aan en filmde waar ik wilde dat hij filmde, maar mijn ogen zien de beelden het eerst. We zijn in veel plaatsen geweest. Ik heb onder andere een artikel over Sacramento en San Francisco, de Rocky Mountains en een schitterend natuurpark hoger in de bergen. Dat moet ik allemaal zelf doen, niemand helpt me."

„Ja, het ligt verschillend, mijn werk en jouw werk."

„Inderdaad."

Alsof ze met buurman Smit van haar ouders in de Seringenlaan praatte. Maar Jim merkte de nuance in haar woorden niet op. Hij praatte verder. Ze hoorde zijn woorden wel, maar ze liet ze over zich uitwaaieren. Er was geen contact tussen wat hij vertelde en waarnaar zij luisterde. Dit was een bevestiging dat ze gelijk had in haar denken over Jim. Sander had gelijk. En moeder had gelijk. Voor Jim was zijn werk zijn leven geworden. Alles wat hier werd gedaan en ook haar zorgen daarover, telde niet. Ze voelde een lichte wrok in zich bovenkomen.

Later lagen ze in het brede bed. Jim had haar gekust en zij hem, maar van echt vrijen kon niets komen door haar dikke buik. En Jim was moe; de lange vlucht, de lange dag, geen slaap gehad…

Sarah lag stil naast hem. Ze moest wat gebeurde tussen Jim en haar over zich heen laten glijden. Een stille periode van afwachten inlassen. De dagen doorkomen met Jim – hij had genoeg te doen. Zij moest de winkel draaiende houden en aan de baby denken, wachten op de bevalling. En niet te veel denken aan wat daarna zou komen. Of wat zij wilde. Het was niet haar natuur het zo aan te pakken, nee, ze glimlachte even. Naast zich hoorde ze Jims rustige ademhaling, hij sliep lekker in zijn eigen bed. Nee, afwachten was haar natuur niet. Over het algemeen nam ze in gedachten beslissingen die ze daarna omzette in daden. Nu kon ze niets doen. Maar het denken eraan kon ze niet tegenhouden.

Een scheiding. Over dat woord peinzen deed pijn. Los van Jim zijn; kon ze dat en wilde ze dat? Maar leven op deze manier kon en wilde ze ook niet. Zijn vrouw zijn, maar in werkelijkheid te weinig voor hem betekenen. Alleen een haven om uit te rusten. Ze had zich in hem vergist. Of de omstandigheden hadden hem veranderd. Dat kon het ook zijn. Zijn carrière was te snel gegaan. Zou Jim een scheiding willen? Nee, waarom zou hij gaan scheiden? Alles ging toch goed voor hem? Zou hij over deze dingen nadenken? Hij moest toch ook voelen dat de verhouding tussen hen niet goed was? Waar was de liefde en de blijheid van weer bij elkaar te zijn? Maar Jim bracht alles in verband met de zwangerschap. En het niet kunnen vrijen speelde waarschijnlijk ook mee. Hij begreep wel dat dat nu niet kon, maar hij miste het wel.

Jim zou niet willen scheiden. Ook om zijn belofte in de kerk niet. Maar wat gaf ze om die belofte? Elkaar steunen en helpen in goede en in slechte tijden. Voor Jim zag het toekomstbeeld er goed uit. Een heerlijk werkterrein, zo groot als de wereld, en een thuishaven met vrouw en kind. Het was ook leuk om over je zoon of dochter te kunnen praten. Zoals in het gesprek van gisteravond naar voren was gekomen. Jim zei toen: „Ik heb veel aan je gedacht, Sarah, en aan ons kindje." Dat was een mooie openingszin, ja toch? Later ging hij verder: „Maar door de drukke dagen kwam ik daar pas in de avond aan toe. Gelukkig hadden Dick en ik de hele reis in elk hotel steeds een eigen kamer, maar je weet hoe het gaat. Na het diner nog wat napraten over de voorbije dag en plannen maken voor de volgende dag. Je ontmoet gasten in het hotel, en je weet nooit welke interessante mensen je tegenkomt! En of wát ze vertellen interessant is. Meestal niet. Maar het was elke avond laat voor ik in mijn kamer was. Dan rekende ik uit hoe de wijzers van de klok in Nederland stonden en ik fantaseerde over wat jij zou doen. Misschien bezig in de winkel, of in de babykamer. Ik heb weinig kleine kinderen meegemaakt. Ik had geen broertje of zusje en er waren weinig neefjes en nichtjes in de familie. Bovendien zag ik die mensen vrijwel nooit. Het is moeilijk me een pasgeboren baby'tje voor te stellen. Maar Dick heeft me erover verteld. Ook over de moeilijke bevalling van hun eerste. Daarover zal ik niets zeggen, ha, ha, je zou er bang van worden! Het maakte me wel ongerust en ik zie tegen de bevalling op. Ik weet dat ik het niet zal ondergaan, zo ligt het nu eenmaal, maar jou zien lijden... Berty heeft het moeilijk gehad. Maar dezelfde baby is nu een jochie van tien en volgens trotse vader Dick is het een wonderkereltje."

Jim had erover doorgepraat. Sarah glimlachte en knikte.

Ze verlegde haar benen op het kussen dat ze onder haar knieën had geschoven. Ze dacht: Als ik echt breek met Jim... Als de baby is geboren en ik voel en zie het nog zoals ik het nu voel en zie... als dit mijn toekomst is, wil ik op deze wijze niet verder. Het moet anders. Want zo zal ik me ongelukkig blijven voelen. Ik kan voor het kind zorgen, want het kind blijft natuurlijk bij mij.

Opeens kwam haar een gesprek in gedachten dat enkele jaren geleden werd gevoerd in het vertrek achter de winkel Claudette. Miep Westerterp, Caroline en zij zaten aan de tafel. Het verhaal dat Miep vertelde ging over de rechten van een vader op zijn kinderen. Die feiten kende ze natuurlijk, maar het praten erover bracht het weer in beeld, door de ervaringen van Miep. Jim was de vader van haar kind. Het was van hen samen. Maar, dacht ze destijds, dat zou in hun leven nooit gebeuren. En als het gebeurde, stel je voor, zou hij het kind bij haar laten. Toen wist hij al dat hij door zijn werk – hij was overtuigd van zijn succes – geen vader zou zijn die zijn kind kon opvoeden. Het zou een blok aan zijn been zijn. Het leek destijds heel ver weg en ook onmogelijk, maar nu was het misschien heel dichtbij. Een kind de vader ontnemen was wreed. Als zij zonder papa had moeten leven, zou ze in haar kinderjaren veel liefde en aandacht hebben gemist. Maar een echte vader, zorgzaam en meelevend, zou het kind in Jim niet krijgen. Hij zou veel van huis zijn en bij thuiskomst meestal achter de schrijftafel zitten. Mogelijk bracht hij wel leuke cadeautjes mee uit verre landen. Maar hun zoon of dochter zou weinig contact met zijn of haar papa hebben. Geen vrolijke dingen delen met een blije vader, geen troost en hulp en lieve woordjes bij tranen, en geen veilig gevoel 'mijn sterke papa is bij me' en goede oplossingen zoeken bij tegenslag.

Haar fantasie draaide verder. Zij alleen met een kind. In de toekomst misschien een relatie met een andere man. Nou ja, waar dacht ze nu aan!! Ze hield een lachje binnen, want naast haar sliep Jim, haar man! Maar, geef toe, echt ondenkbaar was het natuurlijk niet. Als ze het nuchter bekeek: nee toch? Ze zag het om zich heen. Jaap en Carla waren uit elkaar en Carla was nu gelukkig met Ronald. Een aardige vent trouwens. Aardiger, in elk geval opener en hartelijker dan Jaap. En zo kon ze nog enkele stellen opnoemen. Ze wist niet hoe het in het leven verder was gegaan met Jaap. Hij was uit de kennissenkring verdwenen. Maar Jaap zou vast niet alleen zijn gebleven.

Voor Jim zou het niet erg zijn alleen te staan. Zonder vrouw dan, want er zouden steeds mensen genoeg om hem heen zijn. De opdrachtgevers, de fotografen, de mensen die hij ontmoette. Dan had hij alle vrijheid om te werken zoals hij het wilde. Geen gezeur aan zijn kop van: wanneer kom je nou thuis? Af en toe een vriendin. Sarah fronste. En als er een heel begrijpende vriendin tussen zat. Was zij een begrijpende vrouw voor Jim? Ja, toch wel. Ze begreep hem. Zijn reizen, zijn plannen, zijn doel. Maar ze kon er niet mee leven. Omdat dat alles belangrijker voor hem was dan zij.

Haar gedachten kabbelden verder. Ze kwamen uit het niets naar haar toe en hielden haar bezig. Uit het niets... Nee, dat niet. Ze leefden in haar onderbewustzijn. Want ze moesten ergens vandaan komen. Ze werden niet door de wind naar haar toegedreven, ze ontstonden in haar brein. En groeiden tot deze gedachten. Een vriend voor haar... Ze probeerde die gedachte weg te drukken, maar het lukte niet. Want een vriend kreeg in gedachten het gezicht van Sander. Sander Rademaker was een vriend voor haar zoals zij een vriendin was voor hem. Goede gedachten naar elkaar toe, maar op de basis van vriendschap. Was hij een man waarvan ze zou kunnen houden zoals ze, ondanks hun problemen, nog van Jim hield? Nee, beslist niet. Jim was Jim, hij was haar man en Sander was Sander, hij was haar vriend. En dieper gingen haar gevoelens niet. Maar voor haar was het leven van nu met Jim het beste samen te vatten in een uitspraak die grootmoe Bakker eens had gedaan: „Liefde alleen is niet genoeg om een leven lang de problemen van elke dag samen op te lossen. Daar moet begrip voor elkaar bij komen en de sterke wil elkaar steeds weer te helpen. Anders lukt het niet." Het was een gevleugelde opmerking in de familie geworden. Grootmoe Betje Bakker moest een wijze vrouw zijn geweest, want zo was het. Ze hield van Jim, maar alleen met zijn liefde voor haar kon ze het leven van elke dag niet aan. En vooral niet nu ze wist dat de liefde in hem niet in de eerste plaats voor haar was, maar voor zijn werk. Hij hield wel van haar en ze had ook een plaats in zijn leven, maar niet de belangrijkste. Ze kwam, ze dacht het wrang, misschien té wrang, maar zo voelde ze het, ze kwam goed van pas in zijn bestaan.

Een leven met een man als Sander zou anders zijn. Hij was iemand met een rustige, gelijkmatige natuur. Wilde wel veel doen en had ook een goed verstand, maar was geen zoeker en vechter naar een doel zoals Jim. Ze had eens gelezen dat vriendschap kon groeien naar liefde als het leven goed is tussen man en vrouw. En dat die liefde dan hecht is en betrouwbaar, met waardering voor wat de ander voor je betekent, de aandacht en het medeleven. Sander had een warm gevoel voor haar. Hij was een man die er altijd voor haar zou zijn. Met adviezen en praktische hulp, zoals in de laatste weken duidelijk was geworden. En hij was er voor haar in dagen van spanning. Hij begreep haar zorgen van de laatste tijd. Sander was een lieve man met aandacht en zorg. Een beetje, dacht ze, ondanks alles wat hij had opgebouwd, toch een ouderwetse, degelijke man.

Jim was een nuchtere man. Geëmancipeerd. Hij koos een vrouw die voor zichzelf kon zorgen. Financieel en geestelijk. Een sterke vrouw. Ze was ook sterk. Ze lachte even in het donker van de slaapkamer. Was dat echt zo? Nee, niet echt. Ze wilde een arm om zich heen van iemand die haar leven van alledag volgde en haar begreep, en omgekeerd wilde zij dat voor hem doen. Vriendschap kon groeien naar liefde. Het was een verre toekomst, maar die toekomst kon werkelijkheid worden. Een nieuwe liefde die op haar levenspad kwam, voorbij het kruispunt waar de wegen van Jim en haar zich splitsten. Het leek onmogelijk, maar het gebeurde in veel levens.

Het waren vreemde gedachten en ze wist niet goed wat ze ermee moest doen. Het was aan de ene kant onwerkelijk zo te denken, aan de andere kant reëel, want zo lag het. Alles tussen Jim en haar leek nog gewoon. Maar ze kuste hem niet meer onverwachts zoals ze in het begin van hun huwelijk deed als ze de kamer binnenkwam en als ze langs hem liep. Daarvoor had hij destijds een heerlijk lachje. „Mijn lieverdje, mijn vrouw uit duizenden! Wil je me een kusje geven? Dat mag!" Even dicht bij elkaar zijn. Dat gebeurde niet meer. Maar Jim scheen het niet te missen. Hij ging er waarschijnlijk van uit, áls hij er al over dacht, dat een en ander kwam door de zwangerschap. Met zo'n dikke buik elkaar innig vasthouden was ook moeilijk en misschien was tussen hen gekomen waarover ze had nagedacht: de eerste, heftige liefde, het grote wonder en de blijdschap dit te mogen bleven, was gewoon geworden. Nuchtere zaken nu. Het werk en het verdiende geld namen die plaats in, en het praten over het goed draaien van hun zaken.

Ze was lichamelijk vermoeid en kon alle gedachten die ze had niet vatten, maar de slaap nam haar mee om alles te vergeten.

De volgende morgen was ze enige uren in de winkel. Ze hielp een klant als Ina, Willeke of Hetty bezig waren en ze maakte een praatje met de bezoeksters. Jim zat intussen in zijn werkkamer. „Een heerlijke ruimte, Sarah, het is ideaal, ik ben er erg blij mee."

Hij ging straks naar de redactie van de krant om de columns in te leveren. En hij had vandaag een gesprek met één van de hoofdredacteuren van 'De draaiende aarde'. Genoeg te doen dus.

In de middag belde Sander. Ze was in de woning, ze had even gerust, want zonder dat rustuurtje zou de dag te lang en te zwaar zijn.

„Sarah, met Sander."

„Ik hoor het."

„Ben je boven? Ben je alleen thuis? Heb je even gerust?"

„Voor alle drie de vragen is het antwoord: ja."

„Goed. Hoe gaat het?"

„Och," ze zuchtte licht, maar Sander hoorde het toch, „het gaat wel. Ik heb alle vervelende woorden van Jim bijeengeveegd. Figuurlijk natuurlijk, want tastbaar zijn ze niet, maar ze waren er wel! Ik heb ze weggeworpen, want ik wil de komende tijd, zo kort voor de bevalling, alleen aan de baby denken. En tot rust komen, want het kan een zware klus worden volgens dokter Sterrenberg. Het is goed als een aanstaande moeder zo veel mogelijk geestelijk en lichamelijk is uitgerust, maar dat valt niet mee! Maar los daarvan gaat het prima. Jim is wel bezorgd. Het is voor hem ook spannend! Hij wordt vader, maar Jim heeft weinig ervaring met baby'tjes. Hij ziet het gebeuren met spanning tegemoet."

„Ik denk veel aan je, meisje. We kunnen niet meer zo fijn en vertrouwd praten als toen Jim op reis was. En het is voor mij onmogelijk in de avond naar je toe te rijden om je te helpen en te steunen. Want daarvan zou Jim toch raar opkijken! Maar ik weet dat alles wat we hebben besproken over jouw leven met Jim je nog steeds bezighoudt. Ik denk er ook over. Want jij, Sarah, bent me heel dierbaar. Je weet," hij lachte, „van mijn denkuurtjes. Die heb ik nog steeds. Ze gaan niet meer over mijn leven, een beetje nog wel, maar voornamelijk over jouw leven. Jouw leven met Jim. En jouw leven, over enige tijd wellicht, zonder Jim. Ik begrijp dat je destijds als jonge vrouw verliefd op hem werd. Jim is om te zien een flinke, knappe kerel en daar vallen jonge meisjes toch op. Ja, want waardoor moeten ze zich anders tot jonge kerels aangetrokken voelen? Ze weten nog niets van hen en ze kennen de karakters niet. Die karaktertrekken openbaren zich pas als men elkaar beter leert kennen. Ondervinding is de beste leermeester. Ook in jouw geval. Dat heb je ondervonden. Jims voorkeur om zich in het zwart te kleden, geeft hem iets aparts. Dat trok je aan. Net als zijn verhalen over zijn grote plannen voor de toekomst, omdat jezelf ook grote plannen koesterde. Maar je ondervindt nu hoe het zich in het dagelijkse leven ontwikkelt. Je vertelde me dat Jim totaal geen aandacht heeft voor het vele werk dat verzet is en hoe hij jouw aandeel daarin volledig bagatelliseert! En op deze wijze, maar dat weet je zelf ook, dat hoef ik je niet te zeggen, op deze wijze zal het in de toekomst verdergaan en steeds erger worden. Want Jim bijt zich meer en meer vast in zijn werk en jouw plaats in zijn leven drijft steeds verder naar de achtergrond."

Sarah luisterde en opeens kwam een vreemd gevoel in haar naar boven. Een mengeling van onbegrip, van angst ook en onrust. Sander had gelijk, ze hadden dit allemaal besproken, dat was waar, hij wist het, want zij had het hem verteld.

„Het kan heel moeilijk goed gaan tussen twee mensen die beiden grote ambities hebben op té sterk van elkaar gescheiden terreinen. We weten het allebei. Want tussen jullie ligt het zo.

Ik ben erg op je gesteld en ik weet dat jij op mij gesteld bent. Wij passen beter bij elkaar dan Jim en jij. Wij hebben belangstelling in dezelfde richting. We kunnen er samen over denken en erover praten. Ik begrijp je in je verwachtingen voor de toekomst."

De stem in haar oor praatte verder, het was Sanders stem, bekend en vertrouwd, Sarah hoorde de woorden en begreep ook de inhoud ervan, maar er klonk iets in door wat haar bang maakte, wat een beeld vormde wat ze niet eerder had gezien en waaraan ze niet eerder had gedacht. Alles wat hij zei was waar. Ze kon altijd op hem rekenen, maar, besefte ze opeens, hoe was het voor hem? Hoe dacht hij over haar en welke bedoelingen had hij? Het was of een sluier voor haar ogen werd weggetrokken en ze een waarheid zag die haar verbaasde; ongeloof speelde mee en verbijstering.

Ze zei, en ze voelde zich opeens verschrikkelijk moe en ontredderd, de gedachten wonden haar op: „Sander, ik moet nu neerleggen. Er komt iemand naar boven. Ik bel je nog."

„Goed, meisje, mijn Sarah, ik wacht."

Toen de haak op het toestel lag zakte ze moeilijk terug tegen de leuning van de bank. De baby bewoog zachtjes. Ze legde haar handen rond haar buik. „Ja," zei ze zonder de woorden echt uit te spreken, „hummeltje, jij bent ook geschrokken, je schrikt met mij mee, we zijn twee wezens in één lichaam. Moeder en kind, dat is een eenheid. Je voelt nu hoe ik tril. Maar er is niets aan de hand. Mama moet over dit alles nadenken."

Ze was zich bewust van het veel te snel kloppen van haar hart. Ze ademde te vlug. Dat kon tot hyperventilatie leiden. Ze moest proberen één en ander te regelen. Rustig zijn, maar hoe kon ze rustig zijn met deze gedachten in haar hoofd? En vooral de vraag: Wat betekende dit. Maar ze kende het antwoord: Je weet het, Sarah Laverman, Sarah Dijkema. Ze herhaalde voor zichzelf Sanders woorden en wat hij haar in die woorden werkelijk vertelde. Niet zo duidelijk door het hardop uit te spreken, maar helder genoeg om het te begrijpen.

Ze zuchtte. Haar ademhaling werd rustiger.

Ze had de voorbije nacht over Sander gedacht. Maar dat waren fantasieën in het donker en niet meer dan dat. Het weten dat ze altijd op hem kon rekenen en vertrouwen. En daar zat nu precies de fout. Altijd zou ze op hem kunnen bouwen omdat hij een vriend was, maar opeens wist ze dat hij meer wilde zijn dan een vriend. Hij had vastgesteld dat zij ook op hem gesteld was, ze hoorde nog zijn stem, 'Sarah, jij bent op mij gesteld,' en dat was de waarheid, maar het was geen liefde zoals een vrouw voelt voor de man waarvan ze houdt. En dat bedoelde Sander. Die liefde had ze heftig voor Jim gevoeld en hij voor haar. Maar naast die liefde voor haar was zijn liefde voor zijn werk belangrijker geworden. De laatste maanden had ze gevoeld dat er geen steun van hem voor haar was geweest. Alleen maar praten over zijn reizen en alles wat hij beleefde. Wat had ze aan zo'n man? Als dit haar toekomst betekende, wilde ze zó die toekomst niet ingaan. Ze had alles aan Sander verteld omdat ze meende dat hij de enige mens was waarmee ze hierover kon praten. Haar ouders mochten niet weten van de zorgen in haar huwelijk, en Jill, Frank en Hanne begrepen het niet. Zij waren nog niet getrouwd en geloofden in de heftige, nooit voorbijgaande liefde.

Maar Sander had Lotte gehad, Sander kende het leven. Ze had op Sander gesteund, bij hem uitgehuild en hij had haar getroost. Maar ze had in hem verlangens en verwachtingen opgeroepen. Sander was een gezonde, jonge man en hij mocht haar graag. Hij zag in haar een vrouw die bij hem paste en hem kon helpen zijn salon nog groter te maken. Hij had haar gesterkt in het denken dat dit leven met Jim niet vol te houden was, het werk hield hem veel te veel bezig en ja, dat vond zij ook. Ze voelde zich in de voorbije maanden alleen staan, los van Jim. Maar wat ze voor Sander voelde, was terug te brengen naar wat ze eerder had gedacht, een broer waarvan ze hield. Maar dat was een andere warmte. Broer en zus die elkaar bij moeilijkheden wilden helpen. Sander was een blonde man met in zijn ogen dezelfde tederheid als in moeders ogen. Sander kon uiterlijk een zoon van haar zijn. Maar dat was hij niet. Hij was een man die haar, Sarah, als zijn vrouw zag voor de toekomst.

Ze besefte opeens, hoe bitter en moeilijk het ook te aanvaarden was, dat ze zelf de ideeën daartoe naar Sander had gedragen en hij zwakte ze niet af. Hij blies ze op. En zij, dom wicht dat ze was geweest, had hem geloofd. Hij zei dat hij haar vriend was, maar zij lokte een liefde uit. Die ene avond, toen hij vroeg bij haar te mogen blijven, had ze het toch al moeten weten! Maar Sander was geen veroverende ridder. Hij was die avond eerder bedeesd en schuchter en ze had vastgesteld dat hij als man naar een vrouw verlangde in een ogenblik van zwakte. Hij had een pittige wijn gedronken, ze begreep het wel, maar zij wilde die vrouw niet zijn. En hij begreep dat van haar. Zei hij. Achteraf had hij mogelijk gedacht dat hij te vroeg met dit voorstel kwam en hij herstelde het door te zeggen dat hij spijt had van zijn woorden. Ze had het goed opgelost door hem weg te sturen. En hij was blij dat ze niet boos op hem was. „Vriendschap moet een stootje kunnen verdragen," had ze gezegd. Ze schudde nu over dit idee haar hoofd.

Intussen werkte hij aan de verwijdering tussen Jim en haar. Zij bracht haar ergernis over Jim naar hem toe. Zijn enthousiaste verhalen over interessante mensen, wat konden haar die mensen schelen?! Zij zat hier alleen en ze verwachtte een kind, ze had pijn en ze liep moeilijk, maar hij ging maar door over prachtige kerken en heerlijke avonden!! En Sander zei: „Ja, Sarah, zo is het leven voor jou met een man als Jim."

Er gleden tranen over haar wangen. Ze veegde ze niet weg, want ze voelde ze niet. Ze waren onbelangrijk. Zij, de verstandige Sarah Laverman, de zakenvrouw, was er domweg van uitgegaan dat hij het voelde zoals zij: alleen vriendschap. En zijn woorden: „Jij en ik zouden een grote zaak kunnen opbouwen," wimpelde ze lachend weg. „Welnee, jij zit in Amsterdam en mijn winkel is hier!"

Ze bleef lang bijna onbeweeglijk in dezelfde houding op de bank zitten. In haar lichaam was de baby nu stil. En vanuit de winkel kwam geen belletje om haar hulp. De meiden redden het dus. Ze was moe en verdrietig. En diep teleurgesteld in Sander, maar het was haar eigen schuld. Ze had te veel vertrouwen in hem gehad.

Maar ze was vooral teleurgesteld in zichzelf. En ondanks alle gevoelens verdrietig omdat de vriendschap tussen hen voorbij was. Ze had een gevoel alsof ze een broer had verloren, hij leefde nog wel, maar hij ging weg uit haar leven. Want hoe het ook afliep tussen Jim en haar, ze zou nooit verdergaan met Sander. Ze bleef alleen met het kind en met haar winkel. Genoeg te doen en genoeg afleiding, en opeens dacht ze, ze lachte er zelf voorzichtig om: Dan kun je Jim toch ook houden? Als hij thuiskomt, is het een leuke afleiding.

Ze bleef zitten. Ze hoorde hem thuiskomen. Hoorde hoe een tas met een klap werd neergezet, hoorde zacht gefluit, meneer de wereldreiziger kwam tevreden thuis. De kamerdeur ging open.

„Hallo, schat, zit je hier? Ja, je zit hier, dat zie ik." Hij lachte om zijn eigenlijk domme vraag. „Voel je je niet goed?"

„Niet goed," probeerde ze niet al te duf te zeggen, „het is zoals mijn vader het soms naar voren brengt: naar omstandigheden redelijk wel."

„Dat is er zeker passend voor. Naar omstandigheden. Je moet het nog een paar weken volhouden. Zal ik voor het eten zorgen? Ik kan de boontjes en aardappels koken. En de biefstuk bakken."

Ze knikte. Goed idee.

„Ik heb met een mevrouw Overschie gesproken," ging hij daarop verder, „ze zit in de redactie van het damesblad Estelle. Ze heeftmijn artikel over Marcia Falinko gelezen. Ze wil nu dat ik een vraaggesprek opneem met Hanna Trossenade. Dat is een beeldhouwster. Heb jij ooit van haar gehoord? Ik niet! Jij ook niet, want je schudt je hoofd. Overschie wil dat interview in de geest van het gesprek met Marcia. Zij zal een afspraak met Hanna vastleggen en ik heb gezegd dat ik zal zien hoe het verloopt. Falinko is een bijzondere vrouw waarmee ik snel contact had. Ze begreep algauw wat ik bedoelde en vertelde daar dan over. Ze had geen beperkingen, tenminste, niet op mijn vragen! Over haar liefdesleven ben ik niet begonnen. Waarschijnlijk is Hanna uit ander hout gesneden, ha, ha, een beeldhouwster, het zal ander materiaal zijn! Ik ga naar de keuken. Eerst de boontjes opzetten en als ze koken pas de aardappels, zo is het toch?"

In de avond zat Sarah weer op de bank. Ze had de radio aangezet, rustige muziek klonk door de kamer. Jim was in zijn werkruimte. Haar vertrek heette het kantoor, zijn vertrek was de werkkamer. Het kantoor was een vertrek voor nuchtere zaken. De administratie, de belasting, en de kaarten voor het schrijven van een kort berichtje naar de klanten. De werkkamer was het vertrek voor het artistieke denkwerk. Daar kon hij peinzen over titels bij artikelen, de mooiste omschrijvingen vinden voor prachtige objecten. De twee namen waren zomaar ontstaan, maar Sarah voelde het verschil.

Ze dacht over alles van de voorbije dag na, maar ze kon geen oplossing voor haar zorgen vinden. Logisch, want er was geen oplossing. Met Jim was alles nog hetzelfde. Vandaag was hij een lieve echtgenoot die de boontjes kookte, maar er waren te veel dagen waarop ze van elkaar niet wisten wat er gegeten werd. Dat was ook niet belangrijk. Het enige belangrijke was nu de baby. Daaraan moest ze denken. En daarop moest ze wachten. Het leven van de komende dagen zou ze over zich heen laten rollen, het nemen zoals het kwam. Een beetje labiel zijn. Ze voelde zich ook labiel, dus zou dat wel lukken. Proberen niet te denken, en niet verdrietig zijn. En niet teleurgesteld zijn in zichzelf. Ze kon niets meer veranderen. Het hielp niet daarover te tobben en zich verwijten te maken. Ze had het niet onderkend, het was zonder nadenken aan haar voorbijgegaan door alles wat mét haar en óm haar heen gebeurde. De zwangerschap, Jim weg was en die weg bleef, de verhuizing. Sander bleef voor haar in die weken de vriend die hij was, nu wist ze dat ze zich vergist had. Maar ze kon het hem niet echt kwalijk nemen. Hij was een jonge kerel, nu leunde een jonge vrouw met problemen tegen hem aan, hij wilde haar helpen en hij dacht verder. Ze had er een klein lachje voor. Zo was het toch? Ja, zo was het. Hoe zou Sander het oppakken als ze hem zei dat de vriendschap tussen hen voorbij was? Ze wilde het niet, ze wilde er niet over nadenken ook. Stil zitten. En afwachten.

Twee dagen later zaten ze in de avond in de ruime woonkamer. Sarah onderuitgezakt op de bank, haar voeten op een laag krukje. Jim zat rechtop in zijn stoel. Ze voelde dat hij iets wilde zeggen, maar aarzelde nog. Logisch, ze hing er als een zoutzak bij, maar wat kon zij eraan doen, ze was zwaar, de baby was nu een vrijwel voldragen kind dat ruimte nodig had.

„Ik moet met je praten, Sarah," begon hij. Zie je, daar kwam het al. Ze moest maar gewoon luisteren. Alles aanhoren voor ze een reactie gaf. Hij wilde nu tenslotte praten, zij liever niet.

„Ik wilde het uitstellen tot na de geboorte van de baby, maar de laatste dagen heb ik sterk het gevoel dat we meer en meer uit elkaar drijven. Ik heb de oorzaak van die verwijdering zoals begrijpelijk gezocht in de zwangerschap, ik weet dat jij het er zwaar mee hebt. Een kind in je lichaam meedragen is niet gemakkelijk. Ook psychisch houdt het jou, en mij natuurlijk ook, bezig. Maar het moet toch zo zijn dat we samen over de komende geboorte kunnen praten? Jij zou me kunnen vertellen waar je de spulletjes voor de babykamer hebt uitgezocht en gekocht, maar je praat er vrijwel niet over. Je maakt me geen deelgenoot van het komende gebeuren. Ik voel me erbuiten staan.

Zoals ik al zei, ik heb het gevoel dat het niet goed gaat tussen ons. Eigenlijk bemerkte ik dat al vanaf de dag waarop ik thuiskwam uit Amerika. Je kuste me wel, maar je zei niet dat je vreselijk blij was met mijn thuiskomst zoals je na vroegere reizen deed. 'Jim, heerlijk dat je weer bij me bent! Hoe is het gegaan? Alles goed? Ben je tevreden over de reis?' " Hij sprak de woorden overdreven vrolijk uit en ja, zo enthousiast was ze toen geweest; ze toverde een glimlach om haar mond. Ze moest alert zijn, goed luisteren naar wat hij ging zeggen. Dit was zijn kant van het verhaal.

„Ik vroeg je naar de verhuizing. Dat moet een grote klus en een hele organisatie zijn geweest en zeker voor jou, want hoewel je niet kon meedoen aan het tillen en sjouwen van de spullen, toch moest alles gebeuren zoals jij het had gedacht. Je zei er slechts flauwtjes iets over. 'Ja, het is een heel werk geweest. Maar er was veel hulp.' Jouw reactie verbaasde me. Misschien dacht je: Het is nu achter de rug. Jim heeft er niets aan gedaan, ik hoef hem er niet uitgebreid over te vertellen. Het is goed gegaan zonder hem. Hij kon er niets aan doen, want hij zat in Amerika. En hij kon niet terugkomen omdat dit een reis was in opdracht van 'De draaiende aarde' en hij vastzat aan de onderwerpen die Ton Westerlaken aandroeg. Goed, dacht ik, zo kan ze denken. Alles is achter de rug, alles staat op zijn plaats in de winkel en in het huis. Maar je reactie verbaasde me de eerste dag na mijn thuiskomst al en maakte me bang en ook achterdochtig. Was er iets niet helemaal in orde met je reactievermogen, ontstond dat door het te veel moeten denken en besluiten? Ik ging over de werkzaamheden informatie vragen bij de jongens en meisjes die je zo goed hebben geholpen. Zij hebben de handen geweldig uit de mouwen gestoken. Ze vertelden me enthousiast over alles wat onder handen was genomen. Ze maakten grappen als 'en jij maar lekker in de zon zitten op het strand van Florida' en 'wij hebben je vrouw er wel doorheen gesleurd, maak jij je maar niet druk, wij hielpen onze Sarah wel!' Je kent dat soort opmerkingen wel." Hij keek haar nog recht aan, maar er was een andere glans in de donkere ogen gekomen en in zijn stem klonk een bange aarzeling door. Hij vervolgde: „In die gesprekken kwam vaak de naam Sander Rademaker voorbij. Hij had, zoals Frank het noemde, het oppertoezicht. Hij hield het hele gebeuren in de gaten. Of alles echt werd gebouwd en verbouwd zoals op de tekening was aangegeven. En, zei Frank, hij deed dat uitstekend. Maar, en dat is voor mij het belangrijkste, ik hoorde zijn naam voor mijn gevoel te vaak noemen. Ik kreeg wel de indruk dat zijn naam zonder verdere bedoelingen werd genoemd, in de gesprekken was hij één van de groep. Hij hoorde van oorsprong niet bij de Schippertjesploeg, maar nu wel bij het werkvolk. Als ik alles goed heb begrepen kwam hij hier dikwijls. Is dat zo?"

„Ja, dat is zo," zei ze rustig. „Je weet dat ik goed met Sander kan opschieten. Op zakelijk terrein verdienen we aan elkaar, en dan zijn mensen dikwijls vriendelijk tegen elkaar. Dat weet jij uit eigen ervaring. Ton Westerlaken, Robert de Wilde, Marcia Falinko. Tegen hen, en nog veel meer mensen, ben je aardig en beleefd ook al ben je het soms niet met ze eens en zou je daarover een grote mond willen opzetten. Maar dat gebeurt niet.

Het is een zakelijke regeling. Sander verkoopt spulletjes die ik wil kopen en die ik doorverkoop in de winkel. Handel dus. Geld verdienen voor allebei. Maar los daarvan kunnen we inderdaad goed met elkaar opschieten. De gesprekken werden vertrouwelijker tussen ons nadat Sander me uitnodigde voor een etentje na een grote order waarmee we allebei blij waren. Die avond vertelde hij over zijn jaren met Lotte. Lotte werkte in een bejaardentehuis. Daarover heb ik wel eens verteld, want we kennen Sander allebei al meerdere jaren. Uit dat gesprek begreep ik hoe moeilijk hij het nog had met haar overlijden. En dat voor hem psychische problemen meespeelden omdat hij in zijn leven met Lotte te weinig aandacht had opgebracht voor haar werk. Hij had er zelfs minachting voor gevoeld en haar dat laten merken. Voor Lotte was haar werk in het bejaardentehuis echter een deel van haar leven. Ze wilde aandacht geven en meeleven met de mensen, proberen een beetje licht te brengen in de levens van de bewoners die zich vaak alleen en verlaten voelden. Hij zag het van buitenaf als oude mensen verzorgen, hun leven was bijna voorbij, ze wachtten op het einde; maar voor Lotte betekende het veel meer. Door dergelijke gesprekken tussen ons ontstond vriendschap naast de zakelijke belangen.

Toen Ina me vertelde dat het pand Winkler De Wit vrij zou komen, wist ik niet met wie ik daarover kon praten, maar ik begreep dat er snel gehandeld moest worden. Jij zat in Spanje en vader wilde ik niet om raad vragen. Hij zou in de eerste plaats denken aan het geld dat ervoor uitgegeven moest worden. Frank, Jill en de anderen zijn niet thuis op dit terrein, maar Sander is dat wel. Dus belde ik hem. Hij kwam hiernaartoe. We praatten erover en hij raadde me aan zo snel mogelijk contact op te nemen met Evert Winkler. En dat heb ik gedaan. Met Sander als ruggensteuntje, want ik vond het vreselijk moeilijk om te doen. Het op stapel staande gebeuren was een geheim, dacht de familie Winkler, niemand wist ervan, maar het was toch uitgelekt en het eerste bericht erover kwam bij mij terecht. Maar goed," ze lachte naar hem, „je weet het, het heeft zich goed ontwikkeld. In die dagen speelde voor mij ook sterk de wetenschap dat we in de problemen zouden komen wat woonruimte betrof door de zwangerschap.

Door dat eerste gesprek voelde Sander zich betrokken bij 'het project', zo mag ik het wel noemen, want het was voor mij een groot gebeuren. Ik heb toen zijn hulp gevraagd. Sander heeft verstand van verbouwen en van zakendoen op het terrein van aannemers, schilders, glaszetters, noem maar op. Daar wist ik niets van. Nu een klein beetje. Daarbij zijn er nog regelingen van gemeentewegen die om de hoek komen kijken. Sander kwam vaak hier, zodat we erover konden praten. Hij hield een oogje in het zeil. Ik was erbij betrokken, ik besliste, het was tenslotte mijn winkel en onze bovenwoning, maar Sander deed het buitenwerk. En hij heeft het uitstekend gedaan. Ik ben hem er erg dankbaar voor." Ze keek Jim recht aan, ook om hem uit zijn tent te lokken, want ze zag in zijn ogen dat er nog meer was. Waarschijnlijk brachten haar woorden hen naar het eigenlijke onderwerp dat tussen hen stond. Ze zei op een wat boze toon: „Wat moest ik met dit alles alleen beginnen? Jij was er niet. Jij belde over jouw dagen met Dick in San Fransisco. 'Prachtige stad, wel erg druk, maar toch mooi en interessant. En vanavond heerlijk gegeten'."

Jim knikte, maar hij ging er niet op in hoewel hij, meende Sarah, in die richting vermoedens kon hebben. „Ik vraag het je rechtstreeks, Sarah, en ik verwacht een eerlijk antwoord: Is er meer tussen jou en Sander Rademaker dan alleen vriendschap?"

Snel flitste een beeld van enkele jaren geleden voorbij, toen ze elkaar plechtig beloofden altijd, maar dan ook altijd volkomen eerlijk tegen elkaar te zijn. Maar deze avond wist ze dat ze tegen Jim zou liegen. Het kon niet anders. Er was geen andere mogelijkheid. Ze kon niet zeggen: Van mijn kant niet, maar van Sanders kant wel. Ze zou nee zeggen. Er was tenslotte nu niets meer tussen Sander en haar dan vriendschap. Mocht ze dit een leugentje om bestwil noemen? Nee, eigenlijk niet, ze kon zichzelf daarmee niet sussen, maar ze zou tegen hem liegen omdat Jim niet zou geloven dat ze zo argeloos, zo naïef was geweest dat ze Sanders plannetje niet had doorzien. Maar het was wel de waarheid. Allerlei gedachten flitsten snel door haar brein, maar ze zei, ze keek hem daarbij recht aan: „Nee, meer dan vriendschap is er niet tussen Sander en mij. Hij ziet me als een goede klant die hij niet wil kwijtraken en hij weet dat ik getrouwd ben. Hoe kom je op deze vraag?"

„Och," Jim dacht even na, haar antwoord stelde hem gerust. „Ik heb tijdens een bezoekje aan de winkel grapjes gehoord over de bezoeken van Sander. Ik weet dat zo'n grap geen waarheid hoeft te bevatten. Dergelijke opmerkingen zijn meestal bedoeld als 'hoor hoe leuk ik ben!!' Het kwam ook niet van één van jouw helpers, die zijn intussen terug naar hun studie of werk. Het was een timmerman van Poortegaal die iets aan de achterdeur moest repareren. Maar ik weet dat Sander Rademaker je graag mag. Dat liet hij in het verleden toch wel merken. En, maar dat bedoel ik beslist niet onaardig tegenover jou, dat weet je wel, je ziet er de laatste maanden niet uit als een jonge vrouw waarover een man stilletjes een plannetje maakt. Voor mij ben je mooi, je verwacht een kind van mij, het is ons kind en ik hou van je. Maar Sander zal over je dikke buik heen kijken. Hij is toch, ondanks veel mensen om zich heen, een eenzame man. En hij is niet het type van de geboren vrijgezel, dat heeft het verleden duidelijk gemaakt. Sander heeft graag een vrouw naast zich. Als er niets is tussen Sander en jou…"

„Dacht je echt, Jim," viel ze hem in de rede, de aanval was de beste verdediging, „dat er iets is tussen Sander en mij?" Ze keek hem fel aan, ze wilde tot de kern van het gesprek komen. Jim zocht haar afwijzende houding tegenover hem in háár richting, maar het was juist zijn houding die haar hiertoe bracht. Ze voegde eraan toe: „Maar ik heb Sanders hulp graag aangenomen, want het was voor mij een moeilijke en drukke tijd. Jij was weg. Als je belde, kwam je met enthousiaste verhalen over alles wat je zag en deed. Zo leuk, zo gezellig!" Haar stem schoot een beetje uit.

„Waarover moest ik anders praten? Ik kon jou vanaf die grote afstand toch op geen enkele manier helpen? Ik wilde je door over mijn werk te praten erbij betrekken. Want onthou wel dat het mijn werk is! Dan wist je waarmee ik bezig was, dan had je een idee van wat er met mij gebeurde!"

„Het interesseerde me niets! Ik zat hier met alle drukte, met de beslissingen en de vreselijke rommel en troep van de verhuizing, maak je daar maar eens een voorstelling van!"

„Dat is niet eerlijk van je! Je weet dat het mijn beroep is. Ik heb je ver voor we echt vriendschap sloten verteld dat ik dit wil en dit kan en dat ik geen ander leven wil dan dit."

„Is er wel plaats in je leven voor mij?!"

„Ja, natuurlijk wel! Ik kom, als alles goed verloopt van elke reis terug en al is er dan nog veel te doen, ben ik thuis, hier, bij jou. We hebben de avonden samen en de weekenden, tijd genoeg om een leven met elkaar te hebben. En jij zei toen dat je geen hele dagen in onze huiskamer bij de koffiepot en de koektrommel zou willen zitten omdat je een winkel wilde! Dat was jouw ideaal. Het was jouw grote verlangen een winkel te openen en je hebt hem geopend! Eerst de kleine zaak, op de hoek, nu de prachtige winkel beneden ons. We hebben allebei voor een eigen werkterrein gekozen." Hij schreeuwde bijna, hij was boos. Hij wilde zich inhouden, mogelijk speelden haar omstandigheden mee in deze uitspraken, maar het was oneerlijk hem hierop aan te vallen. Hij had dit ook niet verwacht. Sarah was sterk, ook geestelijk en Sarah wist wat ze wilde. Dat de Amerikaanse reis langer duurde dan gepland, was overmacht. Hij vond het ook niet prettig. Maar de reis werd door Westerlaken geregeld en er zou goed voor betaald worden. Dingen als dit konden gebeuren in het leven van een reporter.

Hij had een andere thuiskomst verwacht. Een blije en gelukkige Sarah, ze zouden fijne gesprekken hebben over de prachtige winkel, ze zou hem er trots rondleiden, het woonhuis, de zonnige babykamer die op hun kindje wachtte. Maar ze was stil geweest de eerste dagen, nukkig zelfs. Hij had er iets over gezegd tegen zijn moeder. Heel voorzichtig, want hij kende haar grote liefde voor hem. En de verhouding tussen zijn moeder en Sarah was toch de verhouding van schoonmoeder en schoondochter. Daarover had hij verhalen en grappen gehoord. Maar hij wilde er toch met haar over praten. Zij had gezegd: „Jongen, besef dat de laatste maanden zwaar voor Sarah zijn geweest. Stieneke Laverman en ik hebben tijdens de drukte van het verhuizen en ook in de tijd toen er veel werkvolk in de winkel bezig was, gezorgd voor koffie en ander drinken. In die dagen heb ik Sarah gadegeslagen. Stieneke en ik vonden het leuk om te doen en het was gezellig. We hebben veel gelachen, hadden veel leuke gesprekjes. Maar voor Sarah was die tijd zwaar. Op de achtergrond speelde voor haar mee dat ze het besluit om het pand zo grondig te verbouwen, alleen had moeten nemen, zonder jouw inbreng. Je wist er wel van, maar niet meer dan dat. Er zijn grote bedragen door haar hoofd gegaan. En daarbij de zwangerschap. Dat is een zware belasting. Sarah is er blij mee, maar het is toch de groei van een kind in haar lichaam en dat gaat niet zomaar. Je moet geduld met haar hebben, dat heeft ze verdiend. In de voorbije tijd kwam te veel in dezelfde tijd op haar af. Daarvoor moet er begrip van jouw kant zijn. En het beste, jongen, is er openlijk over te praten.

Sarah en jij konden altijd goed praten. Ik heb me daar vaak over verbaasd. Voor je haar ontmoette, was je een stille knaap, met veel gedachten, maar daarvan bracht je weinig naar buiten, maar met Sarah klikte het meteen. Jullie begrepen elkaar en ik ben ervan overtuigd dat jullie elkaar nog begrijpen, maar ik zei het al: er kwam te veel op dezelfde tijd op Sarah af. Jim," zijn moeder had hem recht aangekeken, geen lachje in haar ogen, alleen ernst, „pak het verstandig aan. Laat geen breuk in je huwelijk komen. Je moet het uitpraten en eigenlijk, besef dat ook," toen gleed een glimlach over haar gezicht, „is één en ander toch tot stand gekomen ondanks alle drukte en beslissingen. Sarah heeft het kostenplaatje van de winkel goed berekend en met haar boekhouder besproken. Ze nam de beslissing en het gaat goed met de winkel. In de drie verkoopsters heeft ze fijne en betrouwbare krachten gevonden. Jullie huis is klaar, alles is op orde. Sarah kan je verwijten dat jij er geen hand naar hebt uitgestoken, maar dat was onvermijdelijk omdat je zo ver weg was. Aan de andere kant heeft ze de hulp van haar vrienden en vriendinnen als heel waardevol ervaren. Hou het nog twee, drie weken vol, wees lief voor Sarah, zij is de aanstaande moeder van je kind en het leven lacht straks weer naar jullie. Sarah ziet die weg nu misschien niet zo voor zich, maar straks is het voorbij. Denk daarover en praat daarover."

Zijn lieve verstandige moeder. Zo wilde hij het ook doen. Zo deed hij het ook.

Sarah luisterde naar hem. Ze hoorde zijn woorden en knikte, ja, hierin had Jim gelijk, ze moest het toegeven, het was hun beider beslissing ieder een eigen werkkring te hebben, met iets spannends bezig zijn, iets opbouwen, mensen ontmoeten, in het leven staan, wat kon ze er nog meer over zeggen? Ze waren er toen enthousiast over. En in de aanvang ging het ook prima, het was heerlijk, ze waren jong en sterk en de weg was geëffend. Zij had een knus winkeltje en ze hadden een woning. Jim vertrok naar Duitsland, dat was een avontuur voor hem, Jim begon op de manier die hem destijds voor ogen stond. En die manier was goed.

Korte reizen die hij zelf op touw zette. Zo was het gegaan met de reis naar de Lüneburger Heide, de tocht naar Luxemburg en de rit naar Frankrijk. „Over vijf, zes dagen ben ik weer thuis, vrouwtje van me!" De reis naar Lapland had het langst geduurd. Tien of twaalf dagen. Maar in zijn werkwijze kwam verandering nadat redacties van bekende bladen Jim Dijkema in het oog kregen en hem opdrachten gaven. Hij was er blij mee en hij was er trots op, en zij, dat moest ze toegeven, vond het in eerste instantie fijn voor hem. Hij had succes, hij werd erkend, maar zij besefte al spoedig dat deze manier van werken niet goed was voor het leven tussen Jim en haar.

Het eerste probleem kwam toen ze wist zwanger te zijn en in hun huis eigenlijk geen plaats was voor een kindje. Toen kwam het nieuws over de winkel van Evert Winkler. Jim was weer niet thuis, Jim was altijd weg als zij hem nodig had. Nou nee, hij zei het al, hij was ook veel dagen thuis. Maar als ze hem echt nodig had was hij er niet, dat was toch zo? Daarin had ze toch gelijk? Ja, maar dat bracht zijn werk mee. En zij besliste zelf over de nieuwe winkel en het woonhuis. Natuurlijk besliste zij. Het was haar winkel.

Jim praatte intussen door. Ze knikte naar hem. Ja, ik volg je wel. Wat Jim zei was gedeeltelijk waar, maar het was van zijn kant bekeken. Hij zei alleen wijze woorden zoals ze voor hem de waarheid waren. Sander en zij hadden er een andere mening over gehad. Twee mensen in een huwelijk met ver uit elkaar liggende bezigheden, dat kon niet goed gaan. En vooral niet als één van de twee zo intens met zijn werk bezig was, zoals Jim. Zij had dat gedacht, en Sander versterkte die gedachten. Moeder had het ook gezegd en er was nog iemand met die wijsheid, grootmoe Betje misschien? Ze wist het niet meer. Maar zoals Jim nu praatte, had hij wel gelijk.

Ze was moe. In haar rechterbeen trilde iets, een spiertje of een adertje. Het zou een van de twee zijn, maar het was een vervelend gevoel. Zij had ook hoofdpijn. Dat kwam door alle gedachten. En vooral de vraag die door de woorden van deze avond steeds dichterbij kwam: Wat wilde ze nu? Ze wist het wel. Ze wilde dat het weer goed en fijn was tussen Jim en haar. En ze wilden allebei het leven wat ze nu hadden, dat konden ze toch aan? Alleen moest Jim werken op zijn eigen, vroegere manier, zelf zijn reizen indelen en die indeling met haar bepraten. Zou hij daarover willen denken?

Ze was moe en had geen zin hem heftig aan te vallen. Eigenlijk was dit gesprek goed voor haar verlopen. Jim geloofde haar direct toen ze zei dat er niets was tussen haar en Sander. Het moest omgekeerd: tussen Sander en haar. Maar was dat anders? Of dacht ze het verkeerd? Voor haar gevoel, nu zo suf en labiel, moest Sanders naam voorop, want hij was ermee begonnen. Ze lachte diep vanbinnen. Laat maar zitten, Jim geloofde haar. Hij dacht er niet verder over na. Hij wist niet dat zij zo dom was geweest Sanders echte doel niet op te merken. Echt met Sander breken zou argwaan bij Jim teweegbrengen. Dat mocht dus niet, want dan moest ze uitleggen wat er tussen Sander en haar was geweest. Er was eigenlijk niets geweest. Alleen een verlangen van haar kant naar steun en begrip en het verlangen van Sander meer dan vriendschap tussen hem en haar op te bouwen. Maar dat ging niet door. Maar een mens mag toch verlangens koesteren? Ze grijnsde er stilletjes om. Ze wilde Sander Rademaker op het zakelijke vlak niet missen. Hij leverde de pakjes, jasjes, pantalons en bloesjes die ze graag in haar winkel wilde verkopen. En die haar klanten graag wilden.

Al deze gedachten dwarrelden rond in haar hoofd, maar ze ving toch Jims woorden op.

„Alles staat nu voor mij op de rails, lieveling. Ik waak er in de toekomst voor te lang van huis te zijn. Ik was toen bang deze schitterende kans om naar Amerika te gaan met een heuse fotograaf bij me, te moeten missen. Ik durfde niets in te brengen tegen de plannen van de mensen die deze reis voor mij mogelijk maakten. Maar daar sta ik nu anders tegenover. Ik doe dit werk graag, maar ik wil ook tijd hebben voor en genieten van mijn vrouw en mijn kind. Ik wil weer, zoals ik ben begonnen, zelf beslissen. Veel zelf regelen."

Sarah lachte naar hem. Ze waren bij elkaar terug. En ze gingen samen verder. Niet denken en praten over fouten uit het verleden. Ze hadden er allebei van geleerd; ze konden het leven aan.

Twee weken gingen voorbij. In de vroege morgen van een sombere donderdag werd Sarah wakker. Ze hoorde de regen tegen het grote raam van de slaapkamer kletsen, de wind ruiste onstuimig door de takken en bladeren van de hoge bomen in de tuin.

Ze probeerde zich om te draaien in het bed, maar dat lukte bijna niet. Ze had pijn in haar buik en ze wist: dit is het begin, als alles goed gaat, wordt op deze dag onze baby geboren. Het gaf een gevoel van angst, want hoe zou het gaan? Ze vouwde haar handen boven het dekbed en bad in stilte: God, wees mij en onze baby vandaag nabij, help me, steun me, want als ik weet dat U bij me bent, kan ik veel doorstaan... Het gaf haar rust.

Ze keek op het wekkertje. Drie uur pas. Wat moest ze doen? Moeder had gezegd dat ze niet bij de eerste pijn meteen in paniek de dokter moest bellen, want zo snel zou het niet gaan. Het was haar eerste bevalling en die verliep meestal niet zo vlot. Moest ze Jim wakker maken? Het was belangrijk genoeg om hem ervoor wakker te maken, ja toch, zij was de moeder en hij was de vader! Hij hoefde geen pijn te lijden. Maar hij sliep nog zo lekker en het hielp toch niet als hij wakker was.

Ze bleef nog een poos stil liggen. Zou ze toch proberen op te staan? Als ze naar de keuken liep – zover was dat niet, dat was het voordeel van een bovenwoning, alles op dezelfde etage – en een kopje thee voor zichzelf maakte? Een beschuitje erbij. Dat was een goed idee. Ze keerde haar lichaam naar de rand van het bed, de benen over de kant, haar blote voeten voelden het kleedje. Nu voorzichtig opstaan, ja, zoon of dochter van me, je moet nog even met me meegaan. Niet ver, naar de keuken. Ze schoof voorzichtig door de schemerdonkere slaapkamer naar de deur, trok die achter zich dicht, knipte het lampje aan in de brede gang en liep naar de keuken. Oei, weer zo'n steek, dit was beslist het begin. De baby maakte aanstalten. Het kon lang duren had moeder gezegd, niet erg optimistisch, maar heel binnenkort lag hun kindje in het wiegje. Een klein kopje op het witte lakentje, het zachtgele dekentje over hem of haar heen. Was het alvast maar zover, maar Jill zei vaak: „Je krijgt in het leven niets voor niets." En een kind zeker niet.

Toen ze aan de keukentafel een kopje thee dronk, een biscuitje erbij, stapte Jim binnen. „Lieveling, schat, wat doe je hier? Voel je je niet goed? Is het begonnen?" En na haar knikken: „Wat spannend! Wat moet ik doen? Wat kán ik doen?"

„Heel weinig. Schenk maar een kopje thee voor jezelf in en pak

een koekje. Het is nog onwijs vroeg. Ga je douchen en help mij daarna. Dan beginnen we schoon en fris aan de strijd."
  Ze lachten er allebei om.

Halfweg de middag werd het kindje geboren. Dokter Sterrenberg was in de slaapkamer, en een niet zo jonge, rustige kraamzorgster. Ze had dit al vele malen meegemaakt, ze kende het verloop als alles naar wens ging. En rustig zijn tegenover de aanstaande moeder was belangrijk, vooral als het voor haar het eerste kindje was. Zoals in dit geval. Niet te veel praten. Het mamaatje had genoeg te verwerken. Jim was ook in de slaapkamer. Hij knielde voor het bed, stond weer op, keek toe, zei af en toe iets tegen Sarah, tegen de dokter en tegen de zuster, maar hij besefte dat hij niets kon doen. Alleen afwachten, hopen en vertrouwen hebben in het wonder van de natuur. Sarah vocht om dit tot een goed einde te brengen.
  Om half vier klonk het eerste kreetje van hun zoon. Sarah slaakte een gilletje van blijdschap. De baby had een rond kopje met donkere haartjes, licht zwaaiende armpjes, een roodblauwe huidskleur en, zei Jim later, magere beentjes. Sarah huilde van geluk, het was voorbij, hun kind was geboren, het huilde en de dokter zei dat het een prachtig jongetje was.
  De verpleegster, Annemieke, waste het kindje en kleedde hem aan. Jim keek toe en dacht: Daar is dan dat malle kleine truitje dat in de kast lag. Hij verwachtte dat het veel te klein zou zijn, maar dat viel mee. En toch was hun zoon een flinke jongen van acht pond! Hij kreeg een luier om, en een broekje aan waaraan sokjes vastzaten, en even een zacht borsteltje door de haartjes. De zuster wikkelde hem in een dekentje, lachte naar Jim en zei: „Wilt u hem naar zijn mama brengen? Maar goed vasthouden hoor."
  Jim legde het bundeltje in Sarah's arm. Ze keek naar het kindje. „Hij lijkt op jou, Jim."
  „Dat heb ik ook gezien. Dick vindt dat alle pasgeboren baby'tjes er hetzelfde uitzien: rond kopje, twee dichte oogjes, mopsneusje en mondje, maar dat is beslist niet waar. Want dit is een echte Dijkema en daarvan lopen er niet veel rond op de aardbodem."
  Dokter Sterrenberg keek lachend toe. „En welke naam krijgt deze jongeman?"

„We hebben wel tien mooie namen voor een zoon bedacht, maar ik denk dat Hedde, de naam van zijn opa, de beste naam voor hem is. Jim is vernoemd naar zijn grootvader, pake zeggen ze in Friesland, de man heette Jinze. Maar omdat de kinderen in deze streek het een gekke naam vonden, hebben zijn ouders hem Jim genoemd. Deze jonge kerel heet officieel Hedde Dijkema, maar we zullen hem Eddy noemen."

De dokter feliciteerde hen. „Van harte, mama en papa. Ik hoop dat jullie heel gelukkig met hem zullen worden. En, voor papa Jim dolblij de familie gaat bellen om de komst van Eddy bekend te maken," hij keek Jim aan, „zeg maar tegen jouw moeder en Sarahs ouders dat ze vanavond na zeven uur even mogen komen. Sarah heeft veel werk moeten verzetten en daarbij speelt de geestelijke last die dit meebrengt behoorlijk mee. Ze heeft rust nodig. Het liefst moet ze even slapen, al zal dat niet echt lukken. In elk geval moet ze de komende uren rusten. Ze wil jou misschien in de buurt hebben, maar voer geen drukke gesprekken. De baby zal ook slapen. Ook voor hem was de geboorte een moeilijke weg om het leven binnen te gaan."

Rust daalde over de woning. Jim was naar de winkel om de meisjes het grote nieuws te vertellen. „Mogen we hem even zien?"

„Nee, morgen begint de bezichtiging."

Hij belde Sarahs ouders, zij mochten in de avond komen, evenals zijn moeder.

„Maatje, met mij."

„Jongen, ik zit de hele dag al naast de telefoon! Sarah belde vanmorgen naar haar moeder. Ze zei: 'Het is begonnen. Denk aan ons en bid voor ons.' En Stieneke Laverman belde mij. Zo weet ik het één en ander. Maar," ze lachte in de hoorn, haar zoon, haar Jimmie, het kleine jochie van vroeger, was nu een grote kerel en hij was vandaag vader geworden, „vertel! Is alles goed met moeder en kind?"

„Heel goed. Sarah was dapper en moedig, hoewel ze enkele malen heeft geroepen ik kan niet meer, ik stop ermee! We hebben een zoon. Je bent beppe! Het is een kleine Dijkema. Hij lijkt op mij. Zijn officiële naam is Hedde, maar we noemen hem Eddy."

„Jim, heerlijk! Ik ben zo gelukkig omdat alles goed is gegaan. Een geboorte is een natuurlijk gebeuren en in deze tijd is de begeleiding uitstekend, maar soms, te vaak, gaat er toch iets verkeerd. Maar alles is bij jullie goed. Wanneer…" begon ze.

Jim antwoordde snel: „Sarah moet een paar uren rusten en ook vanavond willen we weinig bewonderaars over de vloer. Ina, Willeke en Hetty moeten dus wachten. En ook de Schippertjes-ploeg. Maar Eddy's grootouders zijn heel welkom. Ik heb gebak voor bij de koffie besteld. Er zijn beschuitjes in huis en er is een bus vol blauwe muisjes. Ook een bus vol roze muisjes. Alles uit voorzorg door Sarah ingekocht. Wat we met die roze dingen moeten doen, weet ik nog niet. Sarah zei: 'Die eten we niet op als het een jongen is. Ik zou het gevoel hebben een dochter op te peuzelen.' Van de andere kant van de lijn klonk een luide lach. 'Malle Sarah' en Jim antwoordde op die lach: „Soms weet ik bij Sarah niet of het ernstig is of een grapje. Maar ik verwacht dat de roze muisjes op onze ontbijttafel komen. Want weggooien is zonde!"

Vroeg in de avond kwamen Sarahs ouders. „We konden niet langer wachten. Lieverd, meisje van ons, we zijn zo gelukkig dat deze spannende tijd voorbij is. Sarah, Jim, onze gelukwensen met deze prachtige zoon. En mogen we vragen wat de naam is van dit kleine manneke?"

„Mam, pap," gaf Sarah het antwoord, „zijn achternaam zal zijn levenlang Dijkema zijn. U hebt gezien dat hij uiterlijk ook een echte Dijkema is. In de familie Dijkema is al jarenlang het brug-getje: Hedde, Jinze, Hedde, Jinze, en daarom hebben we onze zoon Hedde genoemd. Met als roepnaam, zoals dat heet, maar wij zien het als koosnaam: Eddy."

„Het is een heel goede keuze, kinderen," zei haar vader, „Eddy Dijkema, het klinkt goed."

Het werden drukke, maar heerlijke dagen. Annemieke was een uitstekende hulp. Ze ging kalm, zonder veel vragen en praten, haar weg. En er was veel te doen. In de eerste plaats zoals zij dat noemde: de zorg voor moeder en kind, daarnaast het bezoek, het vele wasgoed en de maaltijden.

In de middag van de tweede dag kwam Jill. Ze had een forse, dikke beer met een onwijs grote strik om zijn nek meegenomen voor de baby en een prachtig boeket bloemen voor Sarah.

„Je bent de eerste van de groep die moeder is geworden, Sarah. We leefden tijdens de zwangerschap intens met je mee. Het was een moeilijke tijd voor je en ook een zware tijd. Je wilde je in de winkel laten zien, dat was ook nodig, en daarnaast rolde alle drukte van de verhuizing over je heen. We hebben er de voorbije zaterdag, weer even ouderwets bij elkaar in Het Schippertje, over gepraat. Hanne merkte toen op dat ze ervan overtuigd is dat je er de laatste maanden veel problemen mee hebt gehad dat Jim zo lang wegbleef. Veel langer dan was afgesproken. Je hebt er weinig over gezegd, wel even terloops: 'Er komt nog een afspraak achteraan' en met een grapje: 'Die Jim van mij is zo geweldig, men wil dat hij nog meer belangrijke dingen op papier zet.' Maar dieper ging je er niet op in. Er kwam, zaterdag dus, een heftige discussie over op gang op de manier zoals we dat vroeger deden. Weet je nog? Om de beurt zeggen wat je ervan vindt, maar als je doordaast en er niets nieuws uitkomt, neemt de volgende het gesprek over. We kwamen tot de eindconclusie dat het niet goed is als twee echtelieden, hoe klinkt dat, een beetje ouderwets, hè, lange tijd niet bij elkaar zijn. En wij, alle vijf verloofd en voorbereid op het huwelijk, hebben het voornemen dit ons levenlang voor ogen te houden. Harm begon nog even flauw: 'Dan heb je een vrouw, maar ze ligt niet in je bed,' maar dat sneed Hanne meteen af, want je trouwt toch niet alleen om met een vrouw in bed te liggen? Nee, gaf Harm toe, maar belangrijk is het wel. En, meende hij, als je het mist, kijk je om je heen en dreigt er gevaar. Toen vroegen we ons af, je weet, we bespreken alles waarover we denken, of jij eraan hebt gedacht dat Jim met een andere vrouw zou kunnen gaan. Ver weg, waar niemand hem kent. Niemand op hem let. Het is een malle vraag, hier aan je kraambed, maar we weten van elkaar hoe we het bedoelen."

Sarah glimlachte. Ze verlegde haar hoofd in de kussens om Jill rechter aan te kunnen kijken. Jim was niet bij een andere vrouw, maar zij bijna met een andere man. Ze wilde praten, troost zoeken. Sander Rademaker. Hij was opeens ver bij haar vandaan.

„Nee, daarover heb ik nooit gedacht," antwoordde ze. „Maar het is beslist niet goed zo lang bij elkaar vandaan te zijn. Jims werk bracht het echter met zich mee en zijn succes ging te snel. Veel redacteuren trokken aan hem. Het heeft me echt vreselijk dwarsgezeten. Jim in Amerika en ik met alle beslommeringen hier. Maar Jim wil dit ook niet meer. Hij heeft besloten in gesprekken over nieuwe opdrachten als eerste de voorwaarde vast te leggen hoe lang hij op reis wil gaan. Hij wil niet langer dan een week, hooguit tien dagen van huis zijn, bij mij en Eddy vandaan. Hij is dol op ons kereltje. De bevalling op zich was al een gebeuren dat hem ontzettend heeft aangegrepen, en dit mensje is totaal een wereldwonder voor hem. En dan, Jill, het mannetje lijkt op zijn papa. Dat vindt Jim geweldig. Hij krijgt vast bruine ogen, zwarte haartjes heeft hij al."

„Maar geen zwart truitje en zwart luierbroekje!" lachte Jill bijna schaterend.

Toen Jill was weggegaan, lag Sarah stil in het zachte bed. Ze hoorde de geluiden van het huis. Het zoemen van de wasmachine, zuster Annemieke die in de keuken bezig was met de avondmaaltijd, en vanbuiten klonk het geroezemoes van de drukte in de Vondelstraat.

Ze was gelukkig. Het leven, dacht ze, heeft me in de voorbije maanden veel geleerd. Ze meende dat ze alles goed aankon: bijdehante Sarah Dijkema, die regelde alles wel. Maar dat viel tegen. Ze was bijna ten ondergegaan in een roes van hulp proberen te vinden bij iemand die ze niet echt kon vertrouwen.

Maar alles was nu goed. Ze gingen vanaf nu met z'n drietjes het leven in, een papa, een mama en een prachtig kind.